崇文馆 家庭典藏

崇文国学经典普及文库

王安石文

苏小露◎注译

长江出版传媒
崇文书局

王安石文

图书在版编目（CIP）数据

王安石文 / 苏小露注译 .
—武汉 ：崇文书局，2017.1
（崇文国学经典普及文库）
ISBN 978-7-5403-4278-4
Ⅰ. ①王…
Ⅱ. ①苏…
Ⅲ. ①古典散文 - 散文集 - 中国 - 北宋
Ⅳ. ① I264.41
中国版本图书馆 CIP 数据核字（2016）第 261874 号

出品人 潘启胜

统　　筹 陈中琼
责任编辑 程可嘉
出版发行 长江出版传媒 | 崇文书局
地　　址 武汉市雄楚大街 268 号 C 座 11 层
电　　话 (027)87293001　邮政编码：430070
印　　刷 湖北恒泰印务有限公司
开　　本 889×1194　1/32
印　　张 11.5
字　　数 294 千字
版　　次 2017 年 1 月第 1 版
印　　次 2017 年 1 月第 1 次印刷
定　　价 35.80 元
（如发现印装质量问题，影响阅读，请与承印厂调换）

总序

现代意义的“国学”概念，是在19世纪西学东渐的背景下，为了保存和弘扬中国优秀传统文化而提出来的。1935年，王缁尘在世界书局出版了《国学讲话》一书，第3页有这样一段说明：“庚子义和团一役以后，西洋势力益膨胀于中国，士人之研究西学者日益众，翻译西书者亦日益多，而哲学、伦理、政治诸说，皆异于旧有之学术。于是概称此种书籍曰‘新学’，而称固有之学术曰‘旧学’矣。另一方面，不屑以旧学之名称我固有之学术，于是有发行杂志，名之曰《国粹学报》，以与西来之学术相抗。‘国粹’之名随之而起。继则有识之士，以为中国固有之学术，未必尽为精粹也，于是将‘保存国粹’之称，改为‘整理国故’，研究此项学术者称为‘国故学’……”从“旧学”到“国故学”，再到“国学”，名称的改变意味着褒贬的不同，反映出身处内忧外患之中的近代诸多有识之士对中国优秀传统文化失落的忧思和希望民族振兴的宏大志愿。

从学术的角度看，国学的文献载体是经、史、子、集。崇文书局的这一套国学经典普及文库，就是从传统的经、史、子、集中精选出来的。属于经部的，如《诗经》《论语》《孟子》《周易》《大学》《中庸》《左传》；属于史部的，如《战国策》《史记》《三国志》《贞观政要》《资治通鉴》；属于子部的，如《道德经》《庄子》《孙子兵法》《鬼谷子》《世说新语》《颜氏家训》《容斋随笔》《本草纲目》《阅微草堂笔记》；属于集部的，如《楚辞》《唐诗三百首》《豪放词》《婉约词》《宋词三百首》《千家诗》《元曲三百首》《随园诗话》。这套书内容丰富，而分量适中。一个希望对中国优秀传统文化有所了解的人，读了这些书，一般说来，犯常识性错误的可能性就很小了。

崇文书局之所以出版这套国学经典普及文库，不只是为了普及国学常识，更重要的目的是，希望有助于国民素质的提高。在国学教育中，有一种倾向需要警惕，即把中国优秀的传统文化"博物馆化"。"博物馆化"是20世纪中叶美国学者列文森在《儒教中国及其现代命运》中提出的一个术语。列文森认为，中国传统文化在很多方面已经被博物馆化了。虽然中国传统的经典依然有人阅读，但这已不属于他们了。"不属于他们"的意思是说，这些东西没有生命力，在社会上没有起到提升我们生活品格的作用。很多人阅读古代经典，就像参观埃及文物一样。考古发掘出来的珍贵文物，和我们的生命没有多大的关系，和我们的生活没有多大关系，这就叫作博物馆化。"博物馆化"的国学经典是没有现实生命力的。要让国学经典恢复生命力，有效的方法是使之成为生活的一部分。崇文书局之所以强调普及，深意在此，期待读者在阅读这些经典时，努力用经典来指导自己的内外生活，努力做一个有高尚的人格境界的人。

国学经典的普及，既是当下国民教育的需要，也是中华民族健康发展的需要。章太炎曾指出，了解本民族文化的过程就是一个接受爱国主义教育的过程："仆以为民族主义如稼穑然，要以史籍所载人物制度、地理风俗之类为之灌溉，则蔚然以兴矣。不然，徒知主义之可贵，而不知民族之可爱，吾恐其渐就萎黄也。"(《答铁铮》)优秀的传统文化中，那些与维护民族的生存、发展和社会进步密切相关的思想、感情，构成了一个民族的核心价值观。我们经常表彰"中国的脊梁"，一个毋庸置疑的事实是，近代以前，"中国的脊梁"都是在传统的国学经典的熏陶下成长起来的。所以，读崇文书局的这一套国学经典普及读本，虽然不必正襟危坐，也不必总是花大块的时间，更不必像备考那样一字一句锱铢必较，但保持一种敬重的心态是完全必要的。

期待读者诸君喜欢这套书，期待读者诸君与这套书成为形影相随的朋友。

陈文新

（教育部长江学者特聘教授，武汉大学杰出教授）

前言

王安石(1021—1986),字介甫,号半山,临川(今江西省抚州市临川区)人,是北宋著名的文学家和政治家。一般的读者对王安石并不陌生,我们从历史课本上学过"王安石变法",从语文课本上知道他的散文成就之高,为"唐宋八大家"之一。但是大多数人对王安石作品的认知也仅限于他的诗歌《元日》《登飞来峰》、词曲《桂枝香·金陵怀古》和散文《伤仲永》《游褒禅山记》等为数不多的篇目。如果想要更加全面细致地了解王安石的文学成就,培养自己的人文修养和国学功底,就有必要深入阅读他更多的作品。

王安石在散文上的造诣,足以上追韩愈、柳宗元,下方欧阳修、苏轼。他的政论文,如《上时政疏》《进戒疏》,往往博引阔论,逻辑严谨。他向皇帝直言进谏,提出的建议和看法有理有据,忠诚恳切。他的史论文短小精悍,观点犀利且见解奇特,多发前人所未发之论。如《伯夷论》不盲从《史记·伯夷列传》,推测伯夷是因为在武王伐纣前已经去世,所以无法参与伐纣大业;又如《读〈孟尝君传〉》,认为孟尝君所养的士只不过是一群鸡鸣狗盗之徒，所以尽管凭借齐国强大，也没能战胜秦国。

王安石的书信内容丰富多样，有写给上司的谏书，如《上杜学士言开河书》体现了他充分的政治才能和心系百姓的责任心；有出于礼节性的应酬回信，文辞优雅、态度不卑不亢，如《答孙元规大资书》；有朋友之间存问切磋的通信，如《回苏子瞻简》。他创作的墓志铭，详略得当、质朴恳切，没有过多的溢美之辞。王安石应友人钱公辅之邀，为其母亲作墓志铭，可是钱公辅却认为缺少令他母亲荣耀的事迹而让作者增改。王安石写了《答钱公辅学士书》予以回绝。这封书信可以视作王安石实事求是、遵从礼法、反对谀墓的宣言。王安石撰写的祭文以四言为主，融叙事抒怀于一体，雍容典雅而感情真挚。

本次整理注释王安石的散文，以收录在20世纪二三十年代商务印书馆所编《万有文库》之《学生国学文库》中褚东郊先生选注的《王安石文》为底本，删节了其中某些篇目，改正原书中一些文字和断句上的问题。因为本书旨在普及国学读物，培养读者古文阅读兴趣，所以我们删去了原书中相对简略的注释，重新添加新的注释，力求做到既详尽通俗而又尽量不放过疑难字句。在注释的同时，增加译文以方便与原文对照阅读。我们又在每篇文章之前冠以题解，希望读者更好地把握每篇文章的主旨和特色。注译工作琐碎繁浩，书中的不当之处在所难免，还望读者不吝批评指正。

苏小露

2016年10月于上海

contents

目录

【题解】

《上时政疏》作于宋仁宗嘉祐六年(1061),王安石当时任知制诰一职。文中王安石向仁宗皇帝劝谏:身为君主,不能仅仅满足于"无暴政虐刑加于百姓",如果要享国日久,还必须有"至诚恻怛忧天下之心"。作者列举晋武帝、梁武帝和唐明皇的事例,告诉仁宗要居安思危,持久远之计。同时他还尖锐地指出当时"官乱于上,民贫于下;风俗日以浇薄,财力日以困穷"的现状并提出"至诚询考,而众建贤才,以至诚讲求,而大明法度"的对策。

上时政疏[①]

年月日,具位臣某昧死再拜[②],上疏尊号[③]皇帝陛下:

臣窃观自古人主[④],享国[⑤]日久,无至诚恻怛[⑥]忧天下之心,虽无暴政虐刑加于百姓,而天下未尝不乱。自秦以下,享国日久者,有晋之武帝、梁之武帝、唐之明皇[⑦]。此三帝者,皆聪明智略有功之主也。享国日久,内外无患,因循苟且[⑧],无至诚恻怛忧天下之心,趋过目前[⑨],而不为久远之计,自以祸灾可以无及[⑩]其身,往往身遇灾祸而悔无所及。虽或仅得身免,而宗庙固已毁辱[⑪],而妻子固已困穷,天下之民固已膏血涂草野[⑫],而生者不能自脱于困饿劫束[⑬]之患矣。夫为人子孙,使其宗庙毁辱,为人父母,使其比屋[⑭]死亡,此岂仁孝之主所宜忍者乎?然而晋、梁、唐之三帝以晏然[⑮]致此者,自以为其祸灾可以不至于此,而不自知忽然已至也。

盖夫天下至大器[16]也，非大明法度不足以维持，非众建贤才不足以保守。苟无至诚恻怛忧天下之心，则不能询考[17]贤才，讲求法度。贤才不用，法度不修，偷假[18]岁月，则幸或可以无他，旷日持久[19]，则未尝不终于大乱[20]。

伏惟[21]皇帝陛下有恭俭之德，有聪明睿智[22]之才，有仁民爱物之意，然享国日久矣，此诚当恻怛忧天下，而以晋、梁、唐三帝为戒之时。以臣所见，方今朝廷之位[23]，未可谓[24]能得贤才，政事所施，未可谓能合法度。官乱于上，民贫于下，风俗日以浇薄[25]，财力日以困穷，而陛下高居深拱[26]，未尝有询考讲求[27]之意。此臣所以窃为陛下计[28]，而不能无慨然[29]者也。

夫因循苟且，逸豫而无为[30]，可以徼幸[31]一时，而不可以旷日持久。晋、梁、唐三帝者不知虑此，故灾稔[32]祸变生于一时，则虽欲复询考讲求以自救，而已无所及矣。以古准今[33]，则天下安危治乱，尚可以有为[34]。有为之时，莫急于今日[35]，过今日，则臣恐亦有无所及之悔[36]矣。然则以至诚询考而众建贤才，以至诚讲求而大明法度，陛下今日其可以不汲汲[37]乎？《书》曰："若药不瞑眩，厥疾弗瘳[38]。"臣愿陛下以终身之狼疾[39]为忧，而不以一日之瞑眩为苦。臣既蒙陛下采擢[40]，使备从官[41]，朝廷治乱安危，臣实预[42]其荣辱，此臣所以不敢避进越[43]之罪，而忘尽规[44]之义。伏惟陛下深思臣言，以自警戒[45]，则天下幸甚[46]。

【注释】

①上：上奏。疏：臣子向皇帝陈述政务的一种文体。　②具位：唐宋以后，官吏在撰写奏疏、函牍或其他应酬文本时，常把自己的官职爵位写作"具

位”,表示谦敬。臣某:即王安文。昧死:冒死,表示谦敬。再拜:拜两次,表达敬意。 ③尊号:皇帝在位时候的美称,又称作徽号,因为很长,所以用“尊号”二字代替。这里指宋仁宗。 ④窃观:私下,偷偷地观察,这里表示谦虚。人主:人民的主人,即君王。 ⑤享国:享有其国,指帝王在位。 ⑥恻怛(cè dá):同情、哀怜。 ⑦晋之武帝、梁之武帝、唐之明皇:晋之武帝,即司马炎(236—290),晋朝开国皇帝,在位二十六年(265—290)。梁之武帝,即萧衍(464—549),南朝梁开国皇帝,在位四十八年(502—549)。唐之明皇,即李隆基(685—762),在位四十五年(712—756)。 ⑧因循:沿袭,照旧不变。苟且:随意敷衍。 ⑨趋过:度过,得过且过。目前:眼下,当前。 ⑩自以:自己以为。及:波及、触及。 ⑪宗庙:帝王祭祀祖先的地方,王朝的象征。毁辱:毁坏和受到侮辱。 ⑫膏:动物的脂肪。草野:草木丛生的荒野。 ⑬劫束:抢劫和捆束。 ⑭比屋:相邻的屋,这里指家家户户。此处形容死亡之多。 ⑮晏然:安逸的样子。 ⑯至:非常,很。大器:宝贵的东西,这里指国家。 ⑰询考:询访和考核。 ⑱偷假:偷安苟延。 ⑲旷日持久:荒废时间,拖得很久。 ⑳未尝:未曾,没有。终于大乱:以大乱为终,即最后会造成大乱。 ㉑伏惟:趴伏在地上想,下对上陈述时用来表示敬意。 ㉒睿(ruì)智:聪明而富有智慧。 ㉓方今:如今,现在。位:官位,职位。 ㉔未可谓:还不能称得上。 ㉕浇薄:社会风气浮薄,不淳厚。 ㉖高居深拱:高居帝位,垂拱而治,指宋仁宗安居宫中的样子。 ㉗讲求:讲究、追求。 ㉘计:算计,谋划。 ㉙慨然:感慨。 ㉚逸豫:安乐闲适。无为:无所作为。 ㉛徼(jiǎo)幸:同“侥幸”,因偶然原因而成功,或免受灾害。 ㉜灾稔(rěn):指荒年。 ㉝以古准今:用古代的事来比照今天。 ㉞尚:尚且,还。有为:有所作为。 ㉟莫急于今日:没有比现在更加急切的时候了。 ㊱无所及之悔:即悔之不及,想后悔也来不及了。 ㊲汲(jí)汲:急切的样子。 ㊳《书》:《尚书》,儒家经典之一,分为虞、夏、商、周四部分,共五十三篇,是记录上古的历史、政治的文献。瞑眩:服药后产生头晕目眩的反应。厥:指示代词,这个。瘳:病愈。 ㊴狼疾:指致命的疾病。 ㊵蒙:承蒙,蒙受。采擢(zhuó):拔擢，选拔。 ㊶备：备列。从官：皇帝的随从、近臣。 ㊷预：参与其中。 ㊸进越：僭越职位，越权。 ㊹尽规：尽力规劝。 ㊺以自警戒：用来警戒自己。 ㊻幸甚：非常庆幸、幸运。

【译文】

某年某月某日，臣王安石冒死再拜，上奏尊贵的皇帝陛下：

我暗自观察发现，自古以来国君长久在位的，如果没有非常至诚、同情和忧虑天下百姓的心，即便没有对百姓施加暴政和酷刑，天下也没有不动乱的。秦朝以来，在位长久的有晋武帝、梁武帝和唐明皇。这三位皇帝，都是聪敏智慧、有谋略、建立过大功的君主。他们在位长久，国家内外都没有忧患，但却因循守旧、敷衍偷安，没有至诚、同情和忧虑天下百姓的心，只是得过且过，在意眼前，却不作长远的打算，自以为灾难不会波及自己的身上，往往等到身受灾祸时才追悔莫及。虽然他们有时能侥幸保存性命，但宗庙已经遭到毁坏和侮辱，而且妻子儿女也变得贫穷困苦，天下百姓的脂血涂满原野的荒草，活着的人也不能自己摆脱贫困饥饿、被打劫被捆束的厄运。作为先王的子孙，让祖先的宗庙遭到毁坏和侮辱；作为百姓的父母，使百姓家家户户遭到死亡的威胁，这难道是仁孝的君王所能忍受的吗？然而，晋、梁、唐的三位皇帝因贪图安逸而落到如此田地的原因，是他们自认为灾祸不会到来，可是没有料到这些灾祸在不知不觉中突然就来了。

国家是最重要的东西，没有严明的法令制度，就不能够维持；不大量培养贤才，就不能够保持。如果没有至诚、同情和忧虑天下百姓的心，就不能够访询和考核贤才，讲求法令制度。贤才不被重用，法令制度不严明，偷安苟延光阴，如果幸运的话，还可以暂且不遭到变故。可时间一长久，发生大动乱也在所难免。

尊敬的皇帝陛下，您有恭敬节俭的品德，有聪明睿智的才华，有对人民仁慈、爱惜万物的意愿。然而您在位很久了，真是到了应当担忧天下、以晋武帝司马炎、梁武帝萧衍、唐玄宗李隆基三位皇帝为戒的时候了。据臣所见，如今朝廷的官位，不能说是得到了贤才；政令的施行，不能说合乎了法度。官员作乱于上，人民贫苦于下，风俗日益轻浮淡薄，财力日益匮乏。而陛下您高居帝位，垂拱而治，未曾有咨询考察、讲求法度的心意。这是我私下为陛下计议而不能不有所感慨的原因。

假如因循守旧、苟且偷生、享乐安逸而无所作为，可以侥幸安稳一时，而不能旷日持久。晋武帝司马炎、梁武帝萧衍、唐玄宗李隆基三位皇帝，不知道忧虑这些，因此灾年祸患和变乱一时就发生了。那时虽然想再咨询考察、讲求法度来自救，但已经来不及了。若用古代来对比现在，那么天下的安危治乱，尚且还可以有所作为。有作为的机会，没有比现在更紧急的了。过了现在，那我恐怕连后悔也都来不及了。那么以至诚的心来咨询考察而大力培养贤才，以至诚的心来大力讲明法度，陛下您怎么可以不心急呢？《尚书》中说："如果药不能让人的头眩晕，他的疾病就不会痊愈。"我愿陛下以终身致命的疾病为忧，而不以一日的眩晕为苦。

我既承蒙陛下拔擢，使我任职，侍奉在您的身边，朝廷的治乱安危，都与我个人的荣辱相关，这就是我不敢逃避罪责，而忘记尽规劝陛下以大义的原因。请陛下深思我的进言，用来警戒自己，那就是天下的大幸了。

【题解】

王安石作有《论馆职劄子》两篇，这是其中的第一篇，主要谈论任用和考察人才的方法。宋神宗任命三馆的官员，一次多达十多人，只是因为有一两个大臣认为他们贤德而已。王安石认为应该借鉴《孟子》中“国人皆曰贤，然后察之，见贤焉，然后用之”的方法。具体而言，要先将这些官员召至中书省和禁中，让他们条奏是非利害，然后还要派他们出使四方，看他们是否能详尽地相视问察而不被蒙蔽和欺骗。同时王安石还规劝人主远离巧言、令色和孔壬之徒，以尧、舜、文、武为法。

论馆职劄子[①]

臣伏见今馆职一除[②]，乃至十人，此本所以储公卿[③]之材也。然陛下试求以为讲官[④]，则必不知其谁可[⑤]；试求以为谏官[⑥]，则必不知其谁可；试求以为监司[⑦]，则必不知其谁可；此患在于不亲考试以实故[⑧]也。《孟子》[⑨]曰："国人皆曰贤，然后察之，见贤焉，然后用之。"今所除馆职，特[⑩]一二大臣以为贤而已，非国人皆曰贤。国人皆曰贤，尚未可信用[⑪]，必躬察[⑫]见其可贤而后用，况[⑬]于一二大臣以为贤而已，何可遽[⑭]信而用也？

臣愿陛下察举[⑮]众人所谓材良而行美[⑯]、可以为公卿者，召令三馆祗候[⑰]。虽已带馆职，亦可令兼祗候。事有当论议者，召至中书[⑱]，或召至禁中[⑲]，令具条奏[⑳]是非利害，及所当施设之方。及察其才可以备使任[㉑]者，有四方

之事[22]，则令往相视问察[23]，而又或令参覆[24]其所言是非利害。其所言是非利害，虽不尽中义理可施用，然其于相视问察能详尽而不为蔽欺[25]者，即皆可以备任使之才也。其有经术[26]者，又令讲说。如此至于数四[27]，则材否略见[28]，然后罢[29]其否者而召其材者，更亲[30]访问以事。访问以事，非一事而后可以知其人之实也，必至于期年[31]，所访一二十事，则其人之贤不肖审[32]矣，然后随其材之所宜[33]任使，其尤[34]材良行美可与谋者[35]，虽尝令备[36]访问可也。此与用一二大臣荐举，不考试以实而加以职，固万万不侔[37]。

然此说在他时或难行[38]。今陛下有尧、舜之明[39]，洞见[40]天下之理，臣度无实之人不能蔽[41]也，则推行此事甚易[42]。既因考试可以出材实，又因访问可以知事情，所谓"敷纳以言，明试以功"，"用人惟己"，"辟四门、明四目、达四聪[43]"者，盖[44]如此而已。以今在位乏人[45]，上下壅隔[46]之时，恐行[47]此不宜在众事之后也。

然巧言令色孔壬[48]之人，能伺人主意所在而为倾邪[49]者，此尧、舜之所畏[50]，而孔子之所欲远[51]也。如此人，当知而远之，使不得亲近。然如此人亦有数[52]，陛下博访[53]于忠臣良士，知其人如此，则远而弗见；误而见之，以[54]陛下之仁圣，以道揆[55]之，以人参之，亦必知其如此，知其如此，则宜有所惩[56]。如此，则巧言令色孔壬之徒消[57]，而正论[58]不蔽于上。

今欲广闻见[59]，而使巧言令色孔壬之徒得志，乃所以自蔽[60]。畏巧言令色孔壬之徒为害，而一切疏远群臣，亦所以自蔽。盖人主之患在不穷理[61]，不穷理则不足以知言[62]，不知言则不足以知人，不知人则不能官人[63]，不能官人则治道何从而兴乎[64]？陛下尧、舜之主也，其所明见[65]，秦、汉以来欲治之主[66]，未有能仿佛[67]者，固非群臣所能窥望[68]。然自尧、舜、文、武[69]皆好问以穷理，择人而官之以自助[70]，其意以为王者之职[71]，在于论道[72]，而不在于任事[73]，在于择人而官之，而不在于自用[74]。愿陛下以尧、舜、文、武为法[75]，则圣人之功必见于天下，至于有司丛脞之务[76]，恐不足以弃日力、劳圣虑[77]也。以方今[78]所急为在如此，敢不尽愚[79]。

臣愚才薄[80]，然蒙拔擢[81]，使豫闻[82]天下之事。圣旨宣谕富弼[83]等，欲于讲筵召对辅臣[84]，讨论时事，顾[85]如臣者，材薄不足以望陛下之清光[86]，然陛下及此言[87]也，实[88]天下幸甚。自备位[89]政府，每得进见[90]，所论皆有司丛脞之事，至于大体[91]，粗有所及[92]，则迫于日晷[93]，已复旅[94]退。而方今之事，非博论详说[95]，令[96]所改更施设、本末先后、大小详略之方[97]，已熟于圣心，然后以次奉行[98]，则治道终无由[99]兴起。

然则[100]如臣者，非蒙陛下赐之从容[101]，则所怀何能自竭[102]？盖自古大有为之君，未有不始于忧勤而终于逸乐[103]。今陛下仁圣之质[104]，秦、汉以来人主未有企及[105]者也，于天下事又非不忧勤，然所操或非其要，所施或未得其方[106]，则恐未能终于逸乐、无为而治也，则于博论详说岂宜缓[107]？然陛下欲赐之从容，使两府并进[108]，则论议者众而不一，有所怀者或不得自竭，谓宜使中书、密院迭

进[109]，则人各得尽其所怀，而陛下听览[110]亦不至于烦。陛下即以臣言为可[111]，乞明喻[112]大臣，使各举[113]所知，无限人数，皆实封[114]以闻。然后陛下推择[115]，召置以为三馆祇候。其不足取者，旋即[116]罢去，则所置虽多，亦无所害也。

【注释】

①馆职：宋代以史馆、昭文馆和集贤院为三馆，凡在三馆中任职的官员，通称作“馆职”。劄子：也写作“札子”，官府中用来上奏言事的一种文书。②伏见：伏身看见，即看到。除：任命官职。③储：储存，储备。公卿：三公九卿的简称，泛指高官。④试求：尝试着寻求。讲官：为君王讲经的官员。⑤谁可：谁可以胜任。⑥谏官：专门负责直言规劝皇帝并令其改正过失的官员。⑦监司：负责监察的官员。⑧患：祸害，弊病。亲：亲自。实：真实能力。故：缘故，原因。⑨《孟子》：儒家经典中的“四书”之一，战国时期的孟子及其弟子所作。共七篇，主要记载孟子及其弟子的政治和伦理思想。⑩特：只是，只有。⑪信用：相信并任用。⑫躬察：亲身考察。⑬况：何况，表示更进一层的意思。⑭遽（jù）：立即，突然。⑮察举：汉代选拔官员的一种制度，这里泛指选拔。⑯行美：德行美好。⑰祇（zhī）候：职官名，宋代在东、西上阁门设置祇候。⑱中书：中书省，主要负责皇帝诏书和中央政令的起草。⑲禁中：也叫“禁内”，指皇帝居住的内宫。⑳令具条奏：命令（他们）逐条备文上奏。㉑备：充当。使任：差遣、任用。㉒四方之事：四方边境有事发生。㉓相视问察：视察、询问。㉔参覆：参考、复核。㉕不为蔽欺：不被（当地人）蒙蔽和欺骗。㉖经术：即经学，指注解儒家经书的学问。㉗数四：次数多达四五次。㉘材否略见：是人才与否可以大略看出。㉙罢：罢免。㉚更：进一步。亲：亲自。㉛期（jī）年：一周年。㉜贤不肖（xiào）：是贤能还是不肖之才。审：明白、清楚。㉝宜：适合。㉞尤：特异，突出。㉟可与谋者：可以与之谋划的人。㊱尝：通“常”，经常。备：准备，充当。㊲固：本来，就。万万：指程度深，绝对。侔

(móu):相同,相等。 ㊳此说:指王安石的这种建议。他时:别的时候,指非宋仁宗主政之时。或难行:或许很难施行。 ㊴尧、舜:唐尧和虞舜,上古两位贤明的君主。明:贤明。 ㊵洞见:清楚地看到,明察。 ㊶度(duó):推测。无实之人:没有真正才能和本事的人。不能蔽:不可能蒙蔽、欺骗(皇上)。 ㊷甚易:非常容易。 ㊸敷纳:臣子敷陈,君主采纳。明试以功:凭功绩进行考核。辟:开。达:通达,达到。聪:听觉灵敏。 ㊹盖:大概,大约。㊺在位乏人:官位上缺乏人才。 ㊻上下壅(yōng)隔:君臣上下相互壅塞、阻隔不通。 ㊼恐:恐怕。行:施行。 ㊽巧言:花言巧语,擅长辞令。令色:美好的容颜。孔壬:唐尧时代的大奸臣,后专指奸佞之人。 ㊾伺(sì):观察。意所在:心意所在何处。倾邪:邪僻不正当。 ㊿畏:畏惧,害怕。
(51)欲远:想要远离。 (52)亦有数:数量也有很多。 (53)博访:广泛访问。
(54)以:凭借。 (55)揆:度,揣测。 (56)惩:警戒。 (57)徒:人。消:消失远离。
(58)正论:正直的言论。 (59)广闻见:扩充见闻。 (60)乃:于是。自蔽:自我蒙蔽。 (61)穷理:穷究事物的道理。 (62)知言:明白别人的言论。 (63)官人:官,名词用作动词,指授人官职。 (64)治道何从而兴乎:治理国家的道义从哪里兴起呢? (65)其所明见:您所具有的高明见识。 (66)欲治之主:想要将国家治理兴盛的君主。 (67)仿佛:相似,类似。 (68)窥望:暗中观察望见。
(69)文、武:周文王和周武王。 (70)择人而官之以自助:选择好的人才授予他官职,用来辅助自己。 (71)其意:他们(指尧、舜、文、武)的心意。王者之职:君王的职责。 (72)论道:议论政事。 (73)任事:担任大事。 (74)自用:任用自己。 (75)法:准则。 (76)有司:指官员。丛脞(cuǒ)之务:细琐杂乱的事务。
(77)弃日力、劳圣虑:使用一天的气力,劳烦圣上思虑。 (78)方今:如今,现在。
(79)敢不尽愚:岂敢不尽力奉献我的愚忠? (80)愚:愚钝。才薄:才智浅薄。
(81)然:但是。蒙:承蒙,蒙受。拔擢(zhuó):选拔,提升。 (82)豫闻:参与,干预。 (83)圣旨:皇帝下发的命令或言论。宣谕:宣布命令,使人知晓。富弼(1004—1083),字彦国,洛阳人,至和二年(1055)任宰相。 (84)讲筵(yán):讲经或讲学的处所。召对:指皇帝召见臣子,询问有关政事或经义方面的问题。

辅臣:辅佐君王的大臣,这里指王安石和富弼二人。 ㊎顾:表示轻微的转折,类似于“不过”。 ㊏望:仰望。清光:清美的风姿,这里指君王的容颜。 ㊐及此言:言及于此。 ㊑实:实在是。 ㊒自:自从。备位:充备于官位,是对做官谦虚的说法。 ㊓每得进见:每次得以进宫面见圣上。 ㊔大体:重要的有关大局的事情。 ㊕粗有所及:粗略地涉及、谈论。 ㊖日晷:太阳的影子,指时间。 ㊗旅:众人。 ㊘博论详说:广泛地探讨、详细地论说。 ㊙令:使,让。 ㊚本末:本指树木的根和枝,比喻先后主次顺序。方:方略。 ㊛以次奉行:按照次序施行。 ㊜无由:没有办法或机会。 ⑩⓪然则:既然这样。 ⑩①赐之从容:恩赐以从容的时间。 ⑩②竭:尽。 ⑩③始于忧勤而终于逸乐:最初开始忧虑勤勉,而后来可以安逸和享乐。 ⑩④仁圣之质:仁德圣明的资质。 ⑩⑤企及:赶得上。 ⑩⑥所操或非其要,所施或未得其方:所操作的,有的没有达到要害;所施行的,有的没有使用恰当的方法。 ⑩⑦缓:推迟,放缓。 ⑩⑧两府:中书省和枢密院,这里指两府的官员。并进:同时全部进见。 ⑩⑨迭(dié)进:依次轮番进言。 ⑪⓪听览:听取言论,浏览奏文。 ⑪①即:如果。可:认可,可行。 ⑪②乞(qǐ):请求。明喻:明白告诉。 ⑪③举:提出。 ⑪④实封:将奏文密封。 ⑪⑤推择:推举选择。 ⑪⑥旋即:立即。

【译文】

臣看到如今馆职人员的任命,多达十人,三馆本是用来储备公卿大臣一类人才的地方。然而陛下却尝试着寻找讲授经学的官员,那么必定不知道谁可以胜任;尝试着寻找谏官,那么必定不知道谁可以胜任;尝试着寻找监察官员,那么必定不知道谁可以胜任。出现这种弊端的原因在于没有亲自考察他们的实际能力。《孟子》说:“邦国内的人都说他贤能,然后再考察他,看到他确实贤能后,再任用他。”如今所任命的馆职人员,仅有一两个大臣认为他们贤能,而不是邦国内所有人都说他贤能。即便是邦国内的人都说他贤能,尚且还不能相信并任用,必定要亲自考察,发现他确实贤能,然后才能任用,何况仅是一两个大臣认为他贤能而已，怎么可以立即相信并任用呢？

臣希望陛下选拔人们普遍认可且德行美好、可以做公卿大夫的人，下诏命令他到弘文、集贤、史馆任祗候。即便已经任了馆职，也可以令他们兼任祗候。如果有应当议论的事，把他们召到中书省或召到宫中，令他们分条详细地进奏事情的是非利害，以及应当采取的措施和方法。等到考察了他们的才能并认为他们可以充当使者后，如果四方边境有事发生，就派他们前往去视察询问。或者再下令考察检验他们所说的是非利害，如果他们所言的是非利害，虽然不完全合乎义理却可以施用，而他们对于视察询问，能详尽地回答而不被隐瞒欺骗，也可以充任使者之材。他们中有精通经术的，可以再令他讲说。如此这样三番五次，他们有才能与否，就可以大致看出来，然后罢免那些没有才能的，并召用有才能的人，再亲自用时事来询问他们。用时事询问他们并非一件事就可以知道其实际能力，必定要等到一年后，所询问的事多至一二十件后，这个人是贤还是不肖，就清楚了。然后再根据他的才能来任命合适的官职。那些才能品行尤其优秀而可以与之谋划的人，即便经常让他们随时准备被询问，也是可以的。这与纳用一两个大臣的举荐，而不考核他们的实际能力就授予官职，本来就是万万不能相比的。

虽然这种说法在别的时候或许难以施行，但是如今陛下如唐尧、虞舜般圣明，又洞察天下的义理，臣忖度没有真才实学的人是不可能蒙蔽皇上的，那么推行这件事就会非常容易了。既能通过考察试用看出他们才能的实际情况，又能通过询问知道他们处理政事的能力。《尚书》中所谓的“让臣子充分陈述意见，天子再考察他们的功绩”，“用人之言，好像自己说出的话”，“打开四方之门，让自己眼睛和耳朵看到和听到四面八方的事物”，大概就是这样了吧。以如今官位上缺乏人才，上下级之间壅塞阻隔而不能互通的情况，恐怕不应当把推行此事放在其他事情的后面。

然而花言巧语、假装和善、奸谗之人，能窥伺皇上的心意所在，而干邪僻之事的人，是连唐尧和虞舜都畏惧的，也是孔子希望疏远的。像这种人，陛下应该知晓并远离他们，使他们不得亲近自己。然而这种人有很多，陛下广泛地询问忠臣良士，知晓他的人品如此，就疏远他而不要召见；如果失误而见到，以陛下的仁义圣明，用道理来衡量他，用别的善人来参考，也必定能知晓他就是这样的人。知晓了他是这样的人，就应当有所惩罚。这样的话，花言巧语、假装和善、奸谗之人就会消失，正直的言论就不会被蒙蔽。

如今想增广见闻，而使花言巧语、假装和善、奸谗之人得志，只会让自己被蒙蔽。畏惧花言巧语、假装和善、奸谗之人的祸害，而疏远所有的大臣，这也会让自己被蒙蔽。大概国君的忧患，在于不能穷尽事理；不能穷尽事理，就不足以知晓言论；不知晓言论，就不能知晓人才；不知晓人才，就不能授予合适的官职；不能授予合适的官职，那么治理国家的政策如何能兴起呢？陛下是唐尧、虞舜一般的君主，您的远见卓识，秦汉以来想要大治的君主，没有能和你相比的，更不是群臣能窥伺和望见的。但自从唐尧、虞舜、周文王、周武王以来的君主，都喜欢询问而穷尽事理，选择人才并授予官位以帮助自己。他们心中以为，君王者的职责在于商讨道义，而不在于处理事情；在于选择人才授予官位，而不在于使用自己。但愿陛下以唐尧、虞舜、周文王、周武王作为准则，那么圣人的功业，一定会见于天下。至于有司细碎的事务，恐怕不值得浪费时日，耗费你的精力。考虑到如今当务之急在于此，所以我岂敢不献上自己愚忠呢？

臣愚钝而才能微薄，但承蒙陛下提拔，让我参与天下大事。圣旨宣召富弼等人，希望在讲经的场所，召群臣，讨论时事。但像臣这种人，才能微薄不足以仰望陛下的光辉，然而陛下说起此事，实在是天下的幸事。自从在朝廷任职，每次得以进见，所讨论的都是有关部门细碎之事情，至于大事，只是稍微涉及，迫于时间有限，就又和群臣们一起退下了。但是如今之事，如果不广博地商讨，详细地论说，将朝廷更改措施的本末和先后的次序、大小详略的方法烂熟于心，然后按照次序奉行，那么太平盛世终将无法兴起。

但是像臣这样的人，如果不是承蒙陛下从容恩赐，那我怀有的才能如何能完全发挥出来？大概古时大有作为的君主，没有一开始不忧虑勤勉，而最后能安逸和享乐的。现在陛下仁慈而圣明的资质，是秦汉以来的君主没有人能比得上的，对于天下的事，又并非不忧劳勤勉，然而所操持的事中有些并不重要，所施行的事中有些并未采用正确的方法，于是我恐怕陛下最终不能安逸享乐，做到无为而治。那么，广博地商讨、详细地论说，又岂能暂缓施行呢？然而陛下想从容地赏赐，让枢密院和中书省这两府同时进言，那么议论就会众多而无法统一，怀有抱负的人或许不能尽力施展。我认为应当让枢密院和中书省轮番进言，每个人都能尽力施展怀有的才能，而陛下听奏也不至于烦闷。陛下如果认为臣说的可行，请求您晓谕大臣，使他们各自推选所知的人才，不限制人数，并密封以告诉陛下。然后陛下推问选择而召进宫中，任命他们做三馆祗候。那些不足以选取的，就马上罢免。如此任命的官员虽然多，却也没有什么害处。

【题解】

《进戒疏》是王安石向即位一年的宋神宗所上的奏疏，文中警戒神宗“不淫耳目于声色玩好之物”才能“精于用志”，然后才能“明于见理”、“知人”、“佞人可得而远”层层推进，最后达到“法度之行，风俗之成”的治世，具有较强的说服力。王安石认为宋神宗在鼎盛之秋而享国之大奉，身边的声色诱惑甚多，所以尤其应该保持警戒。

进戒疏[①]

熙宁二年[②]五月十一日，朝散大夫、右谏议大夫、参知政事、护军、赐紫金鱼袋臣某昧死再拜[③]上疏皇帝陛下：

臣窃以为陛下既终亮阴[④]，考之于经[⑤]，则群臣进戒之时，而臣待罪近司[⑥]，职当先事有言[⑦]者也。

窃闻孔子论为邦，先放郑声，而后曰远佞人[⑧]，仲虺称汤之德，先不迩声色，不殖货利[⑨]，而后曰用人惟己。盖以谓不淫耳目于声色玩好[⑩]之物，然后能精于用志[⑪]；能精于用志，然后能明于见理[⑫]；能明于见理，然后能知人；能知人，然后佞人可得而远，忠臣良士与有道之君子，类进于时有以自竭[⑬]，则法度之行[⑭]、风俗之成[⑮]，甚易[⑯]也。若夫人主虽有过人之材[⑰]，而不能早自戒于耳目之欲[⑱]，至于过差[⑲]，以乱其心之所思[⑳]，则用志不精；用志不精，则见理不明；见理不明，则邪说诐行必窥间乘殆而作[㉑]，则其至于危乱也岂难[㉒]哉。

伏惟陛下即位[23]以来，未有声色玩好之过闻于外[24]，然孔子，圣人之盛，尚自以为七十而后敢纵心所欲[25]也。今陛下以鼎盛之春秋[26]，而享天下之大奉[27]，所以惑移[28]耳目者为不少矣，则臣之所豫虑[29]，而陛下之所深戒[30]，宜[31]在于此。天之生圣人之材甚吝[32]，而人之值[33]圣人之时甚难。天既以圣人之材付[34]陛下，则人亦将望圣人之泽[35]于此时。伏惟陛下自爱以成德[36]，而自强以赴功[37]，使后世不失圣人之名，而天下皆蒙陛下之泽，则岂非可愿之事哉？臣愚不胜惓惓[38]，唯[39]陛下恕其狂妄，而幸赐省察[40]。

【注释】

①进：呈进，奉上。戒：劝诫。疏：本指分条说明，这里指臣子向皇帝上疏陈述意见。　②熙宁二年：熙宁是北宋神宗赵顼的第一个年号，熙宁二年即公元1069年。　③朝散大夫：古代文官的阶官，属于从五品下，第十三阶。右谏议大夫：谏官名，隶属中书省。参知政事：官名，相当于副宰相。护军：这里是王安石的勋爵，位列十二转中的第九转。赐紫金鱼袋：从唐朝开始，按官员的品级区别官服，三品以上紫袍，佩金鱼袋；五品以上绯袍，佩银鱼袋；六品以下绿袍，无鱼袋。再拜：拜两次，表达敬意。　④终：结束。亮阴：皇帝居丧。　⑤考：考察。经：经籍，典籍。　⑥待罪：古代大臣的自谦之辞，意思是自己不能胜任职务，必将获罪。近司：皇帝身边的官署。　⑦职当：根据我的职务应当。先事有言：事先进言。　⑧窃闻：私下听说。为邦：治理国家。放：放逐，远离。郑声：郑国的音乐，孔子认为郑声淫逸。远：远离。佞人：花言巧语，阿谀奉承之人。　⑨仲虺：商汤的左丞相。称：称颂，赞扬。汤：商汤，商朝的开国君主。迩：靠近。声色：音乐和美色。殖：增长。货利：货物和财利。　⑩淫：浸染。玩好：供玩赏的奇珍异宝。　⑪精于用志：精诚专注于自己的志向。　⑫明于见理：明达而知晓事物的道理。　⑬类进于时：大都一起及时进用。有以：有办法来……。自竭：自己能竭尽所能。　⑭行：施

行。 ⑮成:养成。 ⑯甚易:非常容易。 ⑰若夫:句首语气词,相当于“至于”。过人之材:超过一般人的才能。 ⑱而:却,可是。自戒:自我警惕。耳目之欲:满足耳朵和眼睛的欲望,即沉溺于声色。 ⑲过差:过失和差错。⑳乱其心之所思:扰乱他心中所思考的事情。 ㉑邪说:不正当的言论。诐(bì)行:不正当的行为。窥间:从缝隙中观察。乘殆:趁懈怠的时候。作:兴起。 ㉒至于:达到。危乱:危险,混乱。岂难:哪里会很难。 ㉓即位:登基做皇帝。 ㉔过:过失,过错。闻于外:在宫廷外听闻。 ㉕盛:兴盛。尚:尚且,还。纵心所欲:即随心所欲。 ㉖鼎盛:旺盛。春秋:指时间,年龄。㉗大奉:广大的侍奉。 ㉘惑移:诱惑,移动、动摇。 ㉙豫虑:提前忧虑。㉚深戒:深深地戒备。 ㉛宜:适宜,应该。 ㉜吝(lìn):吝惜,过分爱惜。㉝值:碰到,恰逢。 ㉞付:托付,给予。 ㉟望圣人之泽:盼望圣人的恩泽。㊱自爱以成德:自我爱惜以成就德行。 ㊲自强以赴功:自己发奋图强以建立功业。 ㊳愚:愚钝,这是王安石自谦之辞。不胜:受不住,经不起。惓惓(quán):忠心耿耿的样子。 ㊴唯:用在句首,表示希望语气。 ㊵幸:希望有幸。赐:赏赐,给予。省察:察看。

【译文】

熙宁二年五月十一日,朝散大夫、右谏议大夫、参知政事、护军、赐紫金鱼袋臣王安石冒死再拜,上疏皇帝陛下:

臣私下以为,如今陛下既然已经结束了居丧,我考查古代经籍的记载,现在正是群臣劝诫的时候。而我的官位接近皇上,论职责应该事先进言。

我私下听说,孔子讨论治理国家时,认为首先要排斥淫逸的郑国音乐,然后才提到远离奸邪之人。仲虺称扬商汤的道德,先说他不靠近音乐女色,不增加财货以获利,然后才说他任用官员时要像相信自己一样来相信他们。大概他们都以为:不使耳目淫逸于声乐、女色和玩赏之物,然后才能专一于自己的志向;能专一志向,然后才能明察事理；能明察事理，然后才能识别人才；能识别人才，然后奸邪之人才会远离。忠臣贤良和有道德的君子按时一起进仕做官，因为有让他们竭尽自己才能的地方，那么法律制度的推行、社会风气的养成，就非常容易了。假如君主虽有超过一般人的才能，却不能早早地以耳朵、眼睛等感官欲望为戒，以至于纵欲过度，而扰乱了内心的思虑，则不能专一志向；不能专一志向，则不能明察事理；不能明察事理，则奸邪的言论和邪僻的行为必定会窥伺空隙，趁人松懈的时候而兴起。那么国家沦落到危险动乱的地步，哪里又会很难啊！

尊敬的陛下，自您即位以来，还没有声乐、女色、赏玩方面的过错传到宫外，但是即便是孔子，有圣人的盛德，尚且以为过了七十岁以后才能随心所欲。如今是陛下身体的鼎盛时期，而又享受着天下最好的进奉，迷惑动摇耳目的东西肯定不少。臣所要事先忧虑的，而陛下所要深深戒备的，应该就是这个时候了。上天造就有才干的圣人是很吝啬的，而人们碰到圣人的时代也非常难。上天既然已经将圣人的才干交付给了陛下，那么人们也将期望在您这里得到圣人的恩泽。希望陛下自己爱惜德行，勉励自己去建立功业，使您在后世不失去圣人的名声，而天下都承蒙陛下的恩泽，这难道不是可以期望的事吗？臣愚钝，不能表达我的诚恳之意，只希望陛下宽恕我的狂妄而有幸赐恩于我，来省视察看我的进言。

【题解】

北宋开国至神宗朝已经享国百年，宋神宗问及天下无事的原因，于是王安石写了这篇札子。作者先总叙太祖开国、太宗承之以聪武、真宗守之以谦仁、仁宗和英宗没有逸德而形成当下的局面；然后详写仁宗在民生、刑狱、监察和官吏任用等各方面的功绩，总结他"宽仁恭俭，出于自然。而忠恕诚悫，终始如一"的德行；最后一部分才是文章的重点，作者揭露了社会的种种弊端，得出天下百年无事"虽曰人事，亦天助也"的结论以劝勉神宗。全文先褒后贬，落脚到进言的主题，可谓用心良苦。

本朝百年无事劄子[①]

臣前蒙陛下问及本朝所以享国百年、天下无事之故[②]。臣以浅陋[③]，误承[④]圣问，迫于日晷[⑤]，不敢久留，语不及悉[⑥]，遂辞[⑦]而退。窃惟念[⑧]圣问及此，天下之福，而臣遂[⑨]无一言之献，非近臣所以事君[⑩]之义，故敢冒昧[⑪]而粗有所陈。

伏惟太祖躬上智独见之明[⑫]，而周知人物之情伪[⑬]，指挥付托必尽其材[⑭]，变置施设必当其务[⑮]。故能驾驭[⑯]将帅，训齐[⑰]士卒，外以扞夷狄[⑱]，内以平中国[⑲]。于是除苛赋[⑳]，止虐刑[㉑]，废强横之藩镇[㉒]，诛[㉓]贪残之官吏，躬以简俭为天下先[㉔]。其于出政发令[㉕]之间，一以安利元元为事[㉖]。太宗承之以聪武[㉗]，真宗守之以谦仁[㉘]，以至仁宗、英宗，无有逸德[㉙]。此所以享国百年而天下无事也。仁

宗在位，历年[30]最久。臣于时实备从官[31]，施为[32]本末，臣所亲见。尝试为陛下陈其一二[33]，而陛下详择其可，亦足以申鉴于方今[34]。

伏惟仁宗之为君[35]也，仰畏天，俯畏人，宽仁恭俭，出于自然。而忠恕诚悫[36]，终始如一，未尝妄兴一役[37]，未尝妄杀一人，断狱务在生之[38]，而特恶吏之残扰[39]。宁屈己[40]弃财于夷狄，而终[41]不忍加兵。刑平而公[42]，赏重而信[43]。纳用谏官御史[44]，公听并观[45]，而不蔽于偏至之谗[46]。因任众人耳目[47]，拔举疏远[48]，而随[49]之以相坐之法。盖监司之吏[50]以至州县，无敢暴虐残酷，擅有调发[51]，以伤百姓。自夏人顺服[52]，蛮夷[53]遂无大变，边人[54]父子夫妇，得免于兵死[55]，而中国之人，安逸蕃息[56]，以至今日者，未尝妄兴一役，未尝妄杀一人，断狱务在生之，而特恶吏之残扰，宁屈己弃财于夷狄而不忍加兵之效[57]也。大臣贵戚[58]、左右近习[59]，莫敢强横犯法，其自重慎或甚于闾巷之人[60]。此刑平而公之效也。募天下骁雄横猾[61]以为兵，几至[62]百万，非有良将以御[63]之，而谋变者辄败[64]。聚[65]天下财物，虽有文籍[66]，委之府史[67]，非有能吏以钩考[68]，而断盗者辄发[69]。凶年饥岁[70]，流者填道[71]，死者相枕[72]，而寇攘者辄得[73]。此赏重而信之效也。大臣贵戚、左右近习，莫能大擅威福[74]，广私货赂[75]，一有奸慝[76]，随辄上闻[77]。贪邪横猾[78]，虽间或见用[79]，未尝得久。此纳用谏官、御史，公听并观，而不蔽于偏至之谗之效也。自县令京官以至监司台阁[80]，升擢之任[81]，虽不皆得人，然一时之所谓才士，亦罕蔽塞而不见收举[82]者。此因任众人之耳目、拔举疏远而随之以相坐之法之效也。升遐[83]之日，天下号恸[84]，如丧考妣[85]，此宽仁恭俭，出于自然，忠恕诚悫，终始如一之效也。

然本朝累世因循末俗之弊[86]，而无亲友群臣之议[87]。人君朝夕与处[88]，不过宦官[89]女子，出而视事，又不过有司之细故[90]，未尝如古大有为之君[91]，与学士大夫讨论先王之法以措[92]之天下也。一切因任自然之理势[93]，而精神之运有所不加[94]，名实之间有所不察[95]。君子非不见贵[96]，然小人亦得厕其间[97]。正论非不见容[98]，然邪说亦有时而用[99]。以诗赋记诵求[100]天下之士，而无学校养成之法[101]。以科名资历叙[102]朝廷之位，而无官司课试[103]之方。监司[104]无检察之人，守将非选择之吏[105]。转徙之亟既难于考绩[106]，而游谈之众因得以乱真[107]。交私养望者多得显官[108]，独立营职者或见排沮[109]。故上下偷惰取容[110]而已。虽有能者在职，亦无以异于庸人[111]。农民坏于繇役[112]，而未尝特见救恤[113]，又不为之设官，以修其水土之利[114]。兵士杂于疲老[115]，而未尝申敕[116]训练，又不为之择将[117]，而久其疆埸[118]之权。宿卫则聚卒伍无赖[119]之人，而未有以变五代姑息羁縻[120]之俗。宗室则无教训选举之实，而未有以合先王亲疏隆杀之宜[121]。其于理财，大抵无法[122]，故虽俭约而民不富，虽忧勤而国不强。赖非夷狄昌炽[123]之时，又无尧、汤水旱之变，故天下无事，过于百年。虽曰人事[124]，亦天助[125]也。盖累圣相继，仰畏天，俯畏人，宽仁恭俭，忠恕诚悫，此其所以获天助也。

伏惟陛下躬上圣之质，承无穷之绪[126]，知天助之不可

常恃[127]，知人事之不可怠终[128]，则大有为之时，正在今日。臣不敢辄废将明之义[129]，而苟逃讳忌之诛[130]。伏惟陛下幸赦而留神[131]，则天下之福也。取进止。

【注释】

①本朝：指宋朝。百年：从宋太祖公元960年建国，历任太宗、真宗、仁宗、英宗五朝，共一百零七年，所以称为“百年”。无事：指国家太平，没有战事动乱。劄子：也写作“札子”，官府中用来上奏言事的一种文书。 ②问及：问到。故：缘故，原因。 ③以：因为。浅陋：浅薄、鄙陋。 ④误承：错误地承蒙，这里是谦辞。 ⑤日晷：太阳的影子，指时间。 ⑥悉：详尽。 ⑦遂：于是，就。辞：告辞。 ⑧窃：私下，偷偷。惟念：考虑，想到。 ⑨遂：竟然，却。⑩近臣：皇帝亲近的臣子。事君：侍奉君主。 ⑪冒昧：不顾身份、地位或场合而妄为。 ⑫躬：身上具备。上智：上等、超出常人的智慧。独见之明：独到的见解和高明的眼光。 ⑬周知：普遍知道、了解。人物之情伪：人和事物的真诚与虚伪。 ⑭付托：即托付，委托给别人。尽其材：发挥他所有的才能。 ⑮变置施设：改变、成立、施行、陈设。当其务：符合当时的形势。⑯驾驭：本指驾驶车马，这里指控制。 ⑰训齐：训练、整饬。 ⑱扞（hàn）：抵御。夷狄：这里专指北方的契丹和西北方的西夏。 ⑲中国：指中原地区。⑳除：废除。苛赋：沉重、繁杂的赋税。 ㉑止：废止，停止。虐刑：残酷的刑罚。 ㉒强横：强暴、骄横。藩镇：指在地方形成割据，与中央对抗的政权或势力。 ㉓诛：杀。 ㉔躬：亲自。简俭：简单、节俭。为天下先：作为全天下的表率。 ㉕出政发令：发布政令。 ㉖一：统一，全部。以：用，凭借。安利：安定，有利于。元元：老百姓。为事：作为办事的宗旨。 ㉗承：继承。聪武：聪明、勇敢。 ㉘守：坚守，保持。谦仁：谦逊、仁义。 ㉙逸德：放任，贪图安乐的德行。 ㉚历年：经历的年岁。 ㉛于时：在那个时候，指仁宗朝。实备从官：其实是担任属官。 ㉜施为：实施的行为，作为。 ㉝陈：陈述，陈列。其一二：其中的十分之一二。 ㉞申鉴：引以为鉴戒。方今：如今，现在。㉟为君：作为君主。 ㊱忠恕：忠诚、宽恕。诚悫（què）：诚实，真诚。 ㊲未

尝：未曾，没有。妄：妄自，胡乱。兴：举办，发动。役(yì)：兵役或劳役。
㊳断：决断，处理。狱务：监狱的犯罪事务。在生之：旨在让犯人活命。
㊴特恶：特别厌恶。吏(lì)：大小官员。残扰：残酷、骚扰。 ㊵宁：宁愿。屈己：委屈自己。 ㊶终：最终，还是。 ㊷刑平而公：刑罚公平。 ㊸赏重而信：赏赐厚重而诚信。 ㊹纳用：采纳，采用。谏(jiàn)官：专门直言规劝皇帝并令其改正过失的官员。御史：专门负责监察的官职。 ㊺公听并观：公正地听取，并考察。 ㊻不蔽：不被蒙蔽。偏至：偏颇极端。谗(chán)：谗害，谗言。 ㊼因任：凭借，任用。耳目：耳朵和眼睛，指靠别人收集信息。
㊽拔举：选择、举荐。疏远：指关系不亲近，或身处边远的人。 ㊾随：伴随，跟随。 ㊿监司之吏：负责监察的官吏。 51擅有调发：擅自征发(赋税或兵役)。 52夏人：指西夏。顺服：顺从，臣服。 53蛮夷：泛指少数民族政权。
54边人：生活于边境的人民。 55兵死：因打仗而死亡。 56安逸：安定、舒适。蕃息：繁衍生息。 57效：效用，效果。 58贵戚：皇帝的亲戚。 59近习：指皇帝身边宠爱亲信的人。 60其自：他们自己，指大臣贵戚和左右近习之人。重慎：慎重，谨慎。或：或许。甚于：比……更……。闾巷之人：居住在乡里的百姓，指普通人。 61募(mù)：招募，征求。骁(xiāo)雄：勇猛、雄武。横猾：强横刁猾。 62几至：几乎有。 63非：并非。御：统率。 64而：可是，却。谋变者：指叛乱之人。辄(zhé)：总是，就。败：失败。 65聚：收聚，聚拢。 66文籍：账册。 67委：交付。府史：管理财货文书出纳的官员。
68能吏：有才能的官吏。钩考：探求考核。 69断盗者：拦路抢劫之人。发：发现，抓获。 70凶年：年成很坏。饥岁：挨饿的年月。 71流者：流亡的人。填道：填满道路。 72死者相枕：死者的尸体枕着尸体，形容死人多。 73寇攘者：劫掠、抢夺之人。得：抓获。 74大擅威福：大肆擅自作威作福。
75广私货赂：广泛地私自占有财货。 76一有：一旦出现。奸慝(tè)：奸恶之人。 77随：立即，随即。上闻：被皇帝听闻。 78贪邪横猾：贪婪、邪恶、蛮横、刁滑之人。 79间或：偶尔，有时。见用：被任用。 80京官：在京城汴梁(今河南开封)的官员。监司：负责监察的官吏。台阁：在御史台和馆阁任职的官员。 ⑧1升擢(zhuó)之任:提拔、升迁的任用。 ⑧2罕:罕见,少有。蔽塞:隐蔽、壅塞。不见收举:不被收纳和举荐。 ⑧3升遐(xiá):皇帝死亡的委婉说法。 ⑧4号恸(tòng):号哭哀痛。 ⑧5考:对已故父亲的敬称。妣:对已故母亲的敬称。 ⑧6累世:好几代。因循:沿袭过去传统的做事方法。末俗:末世低下的习俗。弊:弊病。 ⑧7议:进言议论。 ⑧8朝夕:早晨和晚上,指成天。与处:相处。 ⑧9宦(huàn)官:在皇宫侍候女眷和皇帝、被割去睾丸的男人。 ⑨0有司:古代设官分职,各有专司,后泛指官员。细故:细琐的事情。 ⑨1古大有为之君:古代大有作为的君主。 ⑨2学士:古代指在国学读书的士人,泛指有学识的读书人。大夫:后用大夫指有一定勋阶的官员。措(cuò):施行。 ⑨3因任:凭借,听任。理势:道理和形势。 ⑨4精神之运:运用主观精神上的努力。加:施加。 ⑨5名实:名目和实效。察:考察。 ⑨6非不见贵:并非没有被珍视、重用。 ⑨7厕其间:置身、混杂在君子中间。 ⑨8正论:正当的议论。非不见容:并非不被容纳、听取。 ⑨9邪说:邪恶不正当的言论。用:采用。 ⑩0以:凭借,用。诗赋:诗词歌赋。记诵:记忆和背诵。求:寻求。 ⑩1无学校养成之法:没有设立学校来培养人才的方法。 ⑩2科名:参加科举考试的名次。资历:资履和阅历。叙:同"序",排列。 ⑩3官司:即有司,指官员。课试:考核(官吏的)政绩。 ⑩4监司:负责监察的部门。 ⑩5守将:驻守边疆的将领。非选择之吏:不是挑选出来的官员。 ⑩6转徙(xǐ):辗转迁移,职位调动。亟(qì):屡次,频繁。既:已经。考绩:考核官员的成绩。 ⑩7游谈之众:言谈浮夸不实的人。乱真:扰乱有真本领的人。 ⑩8交私:私下交结。养望:培养虚名。显官:显赫的官职。 ⑩9营职:履行职责。或:有的人。见:被。排沮:排斥、压制。 ⑪0上下:君臣上下之间。偷惰:偷安,懒惰。取容:取悦、讨好。 ⑪1庸人:平常,没有作为的人。 ⑪2坏于徭役:被徭役所破坏。 ⑪3特见救恤(xù):特别地被救恤。 ⑪4水土之利:水利设施。 ⑪5杂于疲老:混杂着年老疲劳之人。 ⑪6申敕(chì):宣布诏令。 ⑪7择将:选择将领。 ⑪8埸:结界。 ⑪9宿卫:在宫禁中值宿,担任警卫的人。卒伍:古代军队中五人为伍,百人为卒,泛指士兵。无赖:游手好闲之人。 ⑫⓪五代：后梁、后唐、后晋、后汉与后周五个朝代。姑息：没有原则地迁就、纵容。羁縻(jī mí)：笼络、怀柔。 ⑫①合：符合。先王：指已故的皇帝。亲疏隆杀：亲近和疏远、恩宠和冷落。宜：适宜的事。 ⑫②大抵(dǐ)：大都。无法：没有一定的准则。 ⑫③赖：依赖。非：并非。昌炽(chì)：昌盛。 ⑫④人事：个人的努力。 ⑫⑤天助：上天的帮助。 ⑫⑥承：继承。绪：前人未完成的事业。 ⑫⑦常恃(shì)：长久地依赖。 ⑫⑧怠(dài)终：最终懒怠。怠，松懈。 ⑫⑨将明之义：指臣子奉行王命，辨明国事。 ⑬⓪苟逃：苟且地逃避。讳忌：因畏于权势而顾忌自己的言行。诛：责罚。 ⑬①幸赦(shè)：有幸赦免(我)。留神：留意。

【译文】

臣先前承蒙陛下问及本朝之所以享国百年、天下没有事端的原因。臣误承圣上询问，但迫于时间关系，不敢久留，好多话都没说详细，就告辞退朝了。我私下想着，圣上问到这个问题，是天下的福泽，而臣却没有一句话进献，这不是圣上身边的近臣用来侍奉君主的道义，因此冒昧而粗略地向您陈述。

太祖具备上等的才智和独到的见解，又能全面地洞悉人情的虚伪，指挥和托付，一定会各尽其才；改变、设置和施行法令，一定要符合形势。因此太祖能驾驭将帅，训练士兵，对外抗击夷狄，对内平定中原。继而免除苛刻的赋税，废止残酷的刑罚，废除强横的藩镇，诛杀贪污残忍的官员，亲自力行节约来做天下的榜样。他在发出政令的时候，都是以安定、有利于百姓为宗旨的。太宗以聪明英武继承太祖，真宗以谦让仁义守成，至于仁宗和英宗，他们也都没有失德犯错。这就是享国百年而天下无事的原因。仁宗在位的时间最长，臣实际上在当时任职，仁宗施政的本末，我都亲眼看见，我尝试着为陛下陈述其中的一二，请陛下仔细选择可行的，足够为今天所借鉴了。

尊敬的仁宗作为君王，对上敬畏天命，对下敬畏人事。宽厚仁义，恭敬节俭，这些都出于自然，而且忠厚、宽恕、诚恳，始终如一。未曾妄自兴建一桩劳役，未曾妄自杀害一个人。审判牢狱，务必让人活命，而特别厌恶官吏的凶残和骚扰；宁肯委屈自己，将财物送给夷狄，最终不忍心对他们用兵。刑罚公平，赏赐厚重而诚信。采纳谏官和御史的建议，广泛听取和观察，而不蒙蔽于片面极端的谗言。凭借众人的耳目，选拔举荐疏远的人才，同时实行被举荐的人犯罪，举荐人也要受牵连的连坐之法。负责监察的官吏到了州县，不敢暴虐残酷，擅自征收赋税以伤害百姓。自西夏顺服，夷蛮异族也没有了大的动乱，边境的父子夫妇免死于战争。而中原的人民，安逸地繁衍生息直到今日。这就是未曾妄自兴建一桩劳役，未曾妄自杀害一个人；审判牢狱，务必让人活命，而特别厌恶官吏的凶残和骚扰。宁肯委屈自己，将财物送给夷狄，而最终不忍心对他们用兵这一系列政策所产生的效果。大臣、皇亲国戚、左右亲近的人，都不敢强横犯法，他们自己言行慎重，有的甚至超过里巷中的平民，这都是刑罚公平的效果。招募天下骁勇雄壮、蛮横刁猾的人当兵，几乎多达百万，并非有良将统领他们，但那些阴谋叛变的马上失败；汇聚天下的财物，虽然有文簿账册，交给官府的佐吏，并非有能干的官吏考查核实，而从中盗取的人马上会被发现；年成不好的饥荒岁月，流浪的人填满道路，死人尸体相互枕着，而抢劫财物的强盗马上被抓获。这就是赏赐厚重而诚信的效果。大臣、皇亲国戚、左右亲近的人，不能擅自作威享福，广泛地占有财货，一有奸邪之事，皇帝随即就能听说；贪婪奸邪、强横刁猾之人，虽然有时会被任用，但未曾长久。这是采纳谏官和御史的建议，广泛听取和观察，不蒙蔽于片面极端谗言的效果。从县令、京官至监察机关和中央机构，迁升任用官职，虽然不是全都称职，但当时所谓的有才之士，也很少有被蔽塞而不被举荐的。这是凭借众人的耳目，选拔举荐疏远的人才，同时实行被举荐的人犯罪，举荐人也要受牵连的连坐之法的效果。仁宗驾崩之日，全天下悲号恸哭，如丧考妣。这就是宽厚仁义，恭敬节俭，这些都出于自然，而且忠厚、宽恕、诚恳，始终如一的效果。

然而我朝的弊病，从来没有亲友群臣议论进言过。与君王朝夕相处的，不过是宦官和女子，出去处理政事，又不过是各部门的琐事。未曾像古代大有作为的君王，和学士大夫一起讨论先王的法令来施行于天下。所有的一切都听任自然的事理，而没有加以主观精神的运用；名声和实质之间，没有考察。君子并非没有被珍视，而小人也得以身侧其间；正直的言论并非不被容纳，然而奸邪的言说有时也被听用。凭借诗赋记背来求取天下之士，却没有学校培养人才的制度。以科举名次和资历来排列在朝廷的地位，却没有考核官员的方法。监司没有检察的人，守将又不是选拔出来的官吏。调动频繁，难于考核他人的业绩，而游说之人众多，故能以假乱真。私下结交以培养名声的人大多得到显要的官位，独自经营职务的人有时却被排斥阻隔。因此上下官员懒惰苟且，只为取悦上司罢了。即便有能人任职，也与庸人无异。农民被徭役所困扰，而未被特别救助抚恤，又不为他们设立官职来修建水利设施。士兵中掺杂疲惫衰老之人，未曾整顿训练，又不替他们选择将领，而给他们长久掌握疆场的权力。皇宫的卫队则汇聚了行伍中的无赖之人，而未曾改变五代以来姑息笼络的风俗。皇家的宗室没有教训选拔的方法，且未按照先王的方法，根据亲疏关系来升降他们的俸禄。至于理财，大多没有法则，虽然俭约但人民并不富裕，虽然勤于忧劳但国不富强。依赖夷狄不是强盛的时候，又没有唐尧、商汤时的水旱灾害，所以天下才无事，经过了百年。虽然说是得于人事治理，但也是上天的帮助罢了。大概世代君王相继，对上敬畏天命，对下敬畏人事，宽厚仁义、恭敬节俭、忠厚宽恕、诚实笃行，这些就是之所以获得上天帮助的缘由。

尊敬的陛下，您身上具有最圣明的资质，继承无穷无尽的帝业，知道上天的帮助不可能长久地依靠，知道人事不可能最终懈怠，那么大有作为的时机，正在今日。我不敢废弃辨明是非的道义，而苟且地逃避因犯忌而可能受到的责罚。尊敬的陛下，希望您宽赦并留意我的言论，那就是全天下的福祉。是任用还是废止，听凭您的定夺。

【题解】

这是一篇讨论“谏官”制度的政论文，作者先从正名的角度出发，辨正谏官的身份问题。王安石时代的谏官是士的地位，却被要求以三公职责，待之以轻，却取以重任，这是名不符实的。作者赞同唐太宗时期的做法，谏官与大臣一同面圣，君臣错误的言论和政令可以当场得到纠正，防止颁行于天下之后再进谏。他进一步提出当时谏官制度的弊病，具有很大的积极意义。

谏官[①]论

以贤治不肖[②]，以贵治贱[③]，古之道也。所谓贵者，何也[④]？公卿、大夫[⑤]是也。所谓贱者，何也？士、庶人[⑥]是也。同是人也，或为[⑦]公卿，或为士，何也？为其不能公卿也，故使之为士；为其贤于士也，故使之为公卿。此所谓以贤治不肖，以贵治贱也。

今之谏官者，天子之所谓士也，其贵，则天子之三公也。惟三公于安危治乱存亡之故[⑧]，无所不任其责[⑨]，至于一官之废，一事之不得[⑩]，无所不当言。故其位在卿大夫之上，所以贵之也。其道德必称[⑪]其位，所谓以贤也。至士则不然[⑫]，修一官而百官之废不可以预[⑬]也，守一事而百事之失可以毋言[⑭]也。称其德，副其材[⑮]，而命之以位[⑯]也。循其名[⑰]，傃其分[⑱]，以事其上而不敢过[⑲]也。此君臣之分[⑳]也，上下之道[㉑]也。今命之以士，而责[㉒]之以三公，士之位而受三公之责，非古之道也。孔子曰：“必也正

名[23]乎!”正名也者,所以正分也。然且为之[24],非所谓正名也。身不能正名,而可以正天下之名者,未之有也。

蚳蛙为士师,孟子曰:“似也,为其可以言也。”蛙谏于王而不用,致为臣而去。孟子曰:“有言责者不得其言则去,有官守[25]者不得其职则去。”然则有官守者莫不有言责,有言责者莫不有官守,士师之谏于王是也。其谏也,盖以其官而已矣,是古之道也。古者官师相规,工执艺事以谏,其或不能谏,谓之不恭,则有常刑[26]。盖自公卿至于百工,各以其职谏,则君孰与[27]为不善?

自公卿至于百工,皆失其职,以阿[28]上之所好,则谏官者,乃天子之所谓士耳,吾未见其能为也。待之以轻而要之以重[29],非所以使臣之道[30]也。其待己也轻而取重任[31]焉,非所以事君之道也。不得已[32],若唐之太宗[33],庶乎[34]其或可也。虽然,有道而知命者[35],果以为可乎[36]?未之能处[37]也。唐太宗之时,所谓谏官者,与丞弼俱进于前[38],故一言之谬[39],一事之失[40],可救之于将然[41],不使其命已布[42]于天下,然后从而争之[43]也。君不失其所以为君,臣不失其所以为臣,其亦庶乎其近古也。今也上之所欲为,丞弼所以言于上,皆不得而知也。及其命之已出,然后从而争之。上听之而改,则是士制命[44]而君听也;不听而遂行[45],则是臣不得其言而君耻过[46]也。臣不得其言,士制命而君听,二者,上下所以相悖而否[47]乱之势也。然且为之,其亦不知其道矣。及其谆谆而不用[48],然后知道之不行[49],其亦辨之晚矣。或曰[50]:“《周官》之师氏、保氏,司徒之属[51],而大夫之秩[52]也。”曰:“尝闻周公为师,而召公[53]为保矣,《周官》则未之学也。"

【注释】

①谏(jiàn)官:专门直言规劝皇帝并令其改正过失的官员。 ②以:用。贤:贤能的人。治:统治,治理。不肖(xiào):不贤的人。 ③贵:身份高贵的人。贱:身份低贱的人。 ④何也:是什么? ⑤公卿:三公九卿的简称。大夫:西周时期,国君之下的官吏分卿、大夫和士三个级别。 ⑥士:级别低于大夫的官位。庶人:平民百姓。 ⑦或为:有的人成为。 ⑧惟:句首语气词,无意义。故:缘由。 ⑨任其责:担负责任。 ⑩不得:没有办好,办成。⑪称:符合,相称。 ⑫至:至于。则不然:却不是这样。 ⑬修:治理。预:干预,影响。 ⑭毋言:不用进言。 ⑮副其材:与他的才干相称。 ⑯命:任命。位:官位。 ⑰循其名:依照他的名声。 ⑱愫(sù)其分:遵守他的位分。 ⑲事:侍奉。上:上级。过:越过职权。 ⑳君臣之分:君主和臣下之间的位分。 ㉑上下之道:上下级之间相处的道义。 ㉒责:要求。 ㉓正名:辨正名称、名分,让名实相符。 ㉔然且为之:然而还这样做。 ㉕蚳蛙:齐国大夫。士师:官名,主管禁令、狱讼和刑罚等职。言责:进言的职责。不得其言:进言得不到采纳。官守:官位。 ㉖官师:百官。相规:相互规诫。工:百工,工匠。执:拿着,凭借。艺事:从事的职业,即本职。恭:恭敬。常刑:一定的刑罚。 ㉗孰与:与谁。 ㉘阿(ē):迎合。 ㉙待之以轻而要之以重:非常轻视地对待他,而要求却很多。 ㉚使臣:使用、任用臣子。道:方法。 ㉛其待己也轻而取重任:君主对待自己很轻视,而我却想取得重大的任务。 ㉜不得已:无可奈何,不得不如此。 ㉝唐之太宗:即唐太宗李世民(598—649),唐朝的第二位皇帝。 ㉞庶乎:几乎,差不多。 ㉟虽然:虽然这样,但是。有道而知命者:拥有道义又知晓天命的人。 ㊱果以为可乎:果真认为这样可行吗? ㊲未之能处:未必能够安然处之。 ㊳丞弼(bì):辅佐的大臣。俱:都。进于前:来到皇帝身前。 ㊴谬(miù):差错。 ㊵失:失误,错误。 ㊶救:补救。将然:将要发生的时候。 ㊷命:政令。布:颁布、施行。 ㊸从而争之:紧接着才争论、谏诤。 ㊹制命:制定政令。 ㊺遂

行：最终实行。 ㊻不得其言：无法进言。耻过：以改过为耻辱。 ㊼相悖(bèi)：相互冲突。否：闭塞不通。 ㊽谆谆：耐心恳切进言的样子。不用：不被采纳。 ㊾知道之不行：明白道义无法施行。 ㊿或曰：有人说。 51《周官》：即《周礼》，儒家经典之一。师氏：周朝的官名，掌管教导王室、贵族子弟以及朝廷礼仪的官职。保氏：周朝的官名，与师氏的职责类似。司徒之属：司徒的属官。在《周礼》一书中，师氏和保氏都列于地官司徒的下属。 52秩：古代官职级别。 53周公：姓姬名旦，是周文王第四子，辅佐周武王，后被封于鲁。召公：姓姬名奭，周武王的同姓宗室，曾辅佐周武王，后被封于燕。

【译文】

用贤德的人来治理不肖的人，用高贵的人来治理卑贱的人，是自古以来的道理。所谓的贵是指什么人呢？就是公卿和大夫。所谓的贱是指什么人呢？就是士和庶人。同样是人，有的成为公卿，有的成为士，这是为什么呢？因为他不能做公卿，就让他做士；因为他比士要贤德，就让他做公卿。这就是所谓的用贤德的人来治理不肖的人，用高贵的人来治理卑贱的人。

如今的谏官，就是古代天子所谓的士，他们的职责却高贵到任天子的三公。三公关系到国家的安危治乱存亡，没有什么事不由他负责。以至于一个官员的废除，一件事情没有办成，没有什么是他不应该谏言的。故而他的职位在公卿大夫之上，所以令他高贵。他的道德必须配得上他的地位，这就是所谓的贤德。而士就不这样，做好自己一个官职而其他百官的废除可以不干预，干好自己的一件事而其他上百件的失败都可以不用进言。配合他的道德，符合他的才干，而任命他以官职。依照自己的名声，遵守自己的位分，侍奉他的上级而不敢犯过错，这是君臣的分别和上下的道义。如今任命他为士，却用三公的职责来要求他，处于士的位分而受到三公的要求，这不是古人的方法。孔子说："一定要做的，就是辨正名分啊！"正名，是用来摆正职责的。然而如今这样做,不是所谓的正名。自身都不能正名,却可以正天下之名,是从来都没有过的。

蚳蛙做了士师。孟子说:"似乎有道理,因为他可以进言。"蚳蛙向君王进谏而不被采用,便辞官而去。孟子说:"有进言责任的人若不能进言就离去,有官守责任的若不能行使责任就离去。"然而有官守责任无不有进言的责任,有进言责任的也无不有官守的责任,士师进谏君王就是如此。他进谏,大概是由于他的官职在身,这就是古代的道义。古时候各个官员更相进谏,工匠各自用手艺技能来进谏。有的人不能进谏,这就是不恭敬,就会有常设的刑罚。大概从公卿到百工,各自根据他们的职责来进谏,那么君王哪里会不推行善政呢?

从公卿到百工全都失职,来阿谀奉承在位者的喜好,而谏官,也就是天子所说的士,我也没有见到他们进言的能力。轻视他们,却又对他们要求很高,这不是任用臣子的方法。君王轻视我,而我却想取得重大的任务,这也不是侍奉君王的方法。迫不得已的话,像唐太宗那样任贤纳谏,差不多也可以吧。虽然如此,但拥有道义又知晓天命之人,果真认为这样可行吗?未必能泰然处之吧。唐太宗在位的时候,谏官要和宰相一起面见皇上。因此皇上哪怕说错一句话、做错一件事,都可以在施行之前补救,不让他的错误命令颁布于全天下,然后再和皇上一起讨论。君王不失其为国王,臣子也不失其为臣子,这样也差不多接近古人的做法了。如今皇帝想要做的,宰相向皇上说的话,谏官都不得知。等到命令已经发出,然后才去争论。如果皇帝听从进言而改正,就变成了士制定命令而皇帝听从他。如果皇帝不听从而按意愿施行,就是臣下无法进言而国王耻于改正自己的过错。臣子无法进言、士制定命令而让国君听从,这两方面就是君臣上下之所以相互违背而造成闭塞混乱的局势的原因。然而仍这样做,也算是不懂道义了吧。放着臣子的谆谆告诫而不采用，之后才知道这种方法行不通，那个时候明白就太晚了。有人说："《周官》中的师氏、保氏只不过是司徒的属官，品秩为大夫。"我说："曾经听说周公做过师氏，而召公做保氏，而《周官》却没有学习采纳罢了。"

【题解】

《伯夷论》是一篇见解奇特的论说文。伯夷是商周时期贤德的隐士，孔子和孟子都对他赞赏有加。司马迁在《史记·伯夷列传》记载伯夷作为商朝的臣子反对周武王伐纣。王安石不以为然。作者推测伯夷是因为在武王伐纣以前已经去世，所以无法参与。并且认为伯夷也想夷灭残暴的商纣王，如果他不早死，也一定会参与伐纣，建立比姜太公更大的功绩。这是王安石的推测之辞，有理有据，可作为一家之言。特别是他的观点新颖，有值得借鉴之处。

伯夷[①]论

事有出于千世之前，圣贤辩之甚详而明[②]，然后世不深考[③]之，因以[④]偏见独识，遂以为说[⑤]，既失其本[⑥]，而学士大夫共守之不为变[⑦]者，盖有之矣，伯夷是已。

夫伯夷，古之论[⑧]有孔子、孟子焉。以孔、孟之可信而又辩之反复不一[⑨]，是愈益[⑩]可信也。孔子曰："不念旧恶"，"求仁而得仁"，饿于首阳之下，"逸民[⑪]也"。孟子曰："伯夷非其君不事，不立恶人之朝，避纣居北海之滨，目不视恶色，不事不肖，百世之师[⑫]也。"故孔、孟皆以伯夷遭纣之恶[⑬]，不念以怨[⑭]，不忍事之，以求其仁，饿而避，不自降辱[⑮]，以待天下之清[⑯]，而号为圣人耳。然则司马迁[⑰]以为武王伐纣，伯夷叩马而谏，天下宗周，而耻之，义不食周粟[⑱]，而为《采薇》之歌。韩子因之[⑲]，亦为之颂[⑳]，以为微二子，乱臣贼子接迹[㉑]于后世，是大不然[㉒]也。

夫商衰而纣以不仁残[23]天下，天下孰不病[24]纣？而尤[25]者，伯夷也。尝与太公闻西伯善养老[26]，则往归焉。当是之时，欲夷[27]纣者，二人之心，岂有异邪[28]？及武王一奋[29]，太公相[30]之，遂出元元于涂炭[31]之中，伯夷乃不与[32]，何哉？盖二老所谓天下之大老，行年八十余[33]，而春秋固[34]已高矣。自海滨而趋文王之都[35]，计[36]亦数千里之远，文王之兴[37]，以至武王之世，岁亦不下十数[38]，岂伯夷欲归西伯而志不遂[39]，乃死于北海邪？抑[40]来而死于道路邪？抑其至文王之都而不足以及[41]武王之世而死邪？如是而言伯夷，其亦理有不存[42]者也。且武王倡大义[43]于天下，太公相而成之，而独以为非[44]，岂伯夷乎？天下之道二，仁与不仁也。纣之为君，不仁也；武王之为君，仁也。伯夷固不事不仁之纣以待仁[45]，而后出武王之仁焉，又不事之，则伯夷何处[46]乎？余故[47]曰：圣贤辩之甚明，而后世偏见独识者之失其本也。呜呼，使[48]伯夷之不死，以及[49]武王之时，其烈[50]岂独太公哉！

【注释】

①伯夷：商朝末年孤竹国国君的长子，弟弟亚凭和叔齐。 ②辩：辩论。甚详而明：非常详细而且明白。 ③深考：深入细致地考察。 ④以：用，凭借。 ⑤遂：于是，就。说：学说，看法。 ⑥本：本质、本源。 ⑦共守：共同遵守。不为变：不肯改变。 ⑧论：讨论。 ⑨不一：不止一次。 ⑩愈益：更加。 ⑪不念旧恶：不记住过往的仇恨。首阳：首阳山，伯夷和叔齐曾隐居并饿死于此。逸民：隐居。 ⑫非其君：不是他理想的君主。立：站立，置身于。恶人之朝：有邪恶之人的朝廷。纣（zhòu）：商纣王，商朝最后的君主，非常残暴无道。滨：水边。恶色：丑陋的事物。百世之师：世世代代的师表。

⑬恶：恶劣地对待。 ⑭怨：怨恨。 ⑮降辱：降低身份受到侮辱。 ⑯清：清明。 ⑰司马迁：西汉著名的历史学家，著有《史记》一书。 ⑱叩(kòu)马：勒住马头。周粟(sù)：周朝的粮食。 ⑲韩子：即韩愈(768—824)，字退之，河南河阳(今河南省孟州市)人。因之：因循他(指司马迁《史记》中的观点)。 ⑳为之颂：为他(伯夷)作颂。韩愈有《伯夷颂》一文。 ㉑微：如果不是，如果没有。二子：指伯夷和叔齐二人。接迹：足迹前后连接，指人数众多。㉒是大不然：这是非常不正确的。 ㉓衰：衰败。残：残害。 ㉔孰：谁。病：痛恨。 ㉕尤(yóu)：特别，突出的。 ㉖善养老：善于赡养老人。 ㉗夷：消灭。 ㉘岂：难道。异：不同。邪(yé)：同"耶"，表示疑问。 ㉙一奋：奋起，指举兵讨伐。 ㉚太公：指姜子牙。相：辅佐。 ㉛出：救出。元元：百姓。涂炭：泥沼和炭火，形容艰苦的困境。 ㉜与：参与。 ㉝行年：经历的年岁，即年龄。八十余：八十多岁。 ㉞春秋：指年纪。固：本来，就。 ㉟趋：本指快走，这里指前往。文王之都：当时西周的都城西岐，今陕西省岐山县。㊱计：算起来，合计。 ㊲兴：兴起，兴盛。 ㊳不下：不少于。十数：即"数十"，几十。 ㊴遂：成功，实现。 ㊵抑：文言连词，相当于"还是"、"或是"。㊶不足以及：没有活到。 ㊷理有不存：没有存活下来也是有道理的。㊸倡：提倡，倡导。大义：指讨伐商纣王。 ㊹独以为非：唯独他以为这不合道义。 ㊺待仁：等待仁义之人出现。 ㊻何处：如何自处，即想要怎么样。㊼余：我，指王安石。故：所以，因此。 ㊽使：假如，假使。 ㊾以：表示承接关系。及：赶上。 ㊿烈：功业。

【译文】

有些事发生在上千年以前，圣贤已经辨解得很详细明了了，后世不深入考查，根据自己偏隘的见解和一个人的学识，提出自己的说法。这样不仅失去了事情的本质，而学士大夫们又一起共同捍卫它，不知道变通，这种情况是有的，伯夷便是。

伯夷，古人孔子、孟子曾论述过他。以孔子、孟子的诚信，而又辩证反复不止一次，于是伯夷的事就更加可信了。孔子说：“伯夷不念及过去的仇怨”，“追究仁义而得到了”，饿死在首阳山下，“是个隐士”。孟子说：“伯夷，不是他的君主他不侍奉，不站立在恶的朝廷上，逃避商纣而隐居住在北海之滨，眼睛不看邪恶的颜色，不侍奉不贤能的君主，可以当作百世的老师。”因此孔子、孟子都认为伯夷处在恶人商纣的时候，不念及仇怨，又不忍心侍奉他。为了寻求仁义，忍着饥饿而逃避，不降低侮辱自己的身份而等待天下变得清明，所以被称为圣人。然而司马迁却认为在周武王伐商纣时，伯夷拦住武王的马而进谏，劝他不要讨伐商朝。等到天下都以周朝为宗，伯夷却感到羞耻，固守节义不吃周朝的粟谷，而吟唱《采薇》这首诗。韩愈根据这个，也写了《伯夷颂》，以为如果不是伯夷、叔齐二人，乱臣贼子就会在后世不断相继出现。这是非常错误的。

那时商朝衰败，商纣王不仁义且残害天下，天下之人有谁不痛恨纣呢？而其中痛恨最深的，是伯夷。他曾经和姜太公听闻西伯周文王擅长赡养老人，就前往归顺。那个时候，对平定商纣王一事，这二人的心难道还有什么异议吗？等到周武王奋勇起义时，姜太公辅佐他，于是将百姓从泥炭中解救出来。而伯夷却没有参与，这是为什么呢？大概伯夷、叔齐二老，是全天下所谓的大老，八十多岁，年纪本来就非常高了。从海边跑到周文王国都西岐，算起来也有几千里那么远，周从文王兴起再到周武王的时候，也不下于十年。难道是想归顺周文王而志向没有达成，死在北海滨了？抑或是死在来的路上了？抑或是到了周文王的国都，而没有活到周武王的时代就死了？如此说来，他们没有存活下来，也是有道理的。

况且周武王倡导大义于天下，姜太公辅佐他成功，而偏偏以为这样做是不正确的，这难道会是伯夷吗？天下的情况有两种，仁义和不仁义。商纣王做天子时是不仁义的，周武王做天子时是仁义的。伯夷本来就是不侍奉不仁义的商纣王而等待后世出现仁义的天子。周武王仁义了，他却又不去侍奉，那伯夷想要怎么样呢？因此我说，古代的圣贤辩论这件事已经非常明了了，只是后世据自己偏隘的见解和一个人的学识的人没看清事情的本质罢了。唉！假如伯夷不死，活到了周武王的时代，他的功绩岂会比姜太公少？

【题解】

王安石的《三圣人论》讨论《孟子》一书中对伯夷、伊尹和柳下惠的评价。孟子认为三人都是圣人，但又说："伯夷隘，柳下惠不恭。隘与不恭，君子不由也。"而王安石却认为他们三位圣人都是为了矫流风末俗之弊，"故伯夷不清，不足以救伊尹之弊，柳下惠不和，不足以救伯夷之弊"的论断发人深省。最后孔子集三人之大志，而制成法于天下。如果上述三人处在孔子的时代也能像孔子一样，具圣人之大道。本文观点新颖，有理有据，令人信服。

三圣人[①]论

孟子曰："可欲之谓善，有诸己之谓信，充实之谓美，充实而有光辉之谓大，大而化[②]之之谓圣。"圣之为名，道之极、德之至也。非礼[③]勿动，非礼勿言，非礼勿视，非礼勿听，此大贤者[④]之事也。贤者之事如此，则可谓备[⑤]矣，而犹未足以钻圣人之坚，仰[⑥]圣人之高。以圣人观之，犹太山之于冈陵[⑦]，河海之于陂泽[⑧]，然则圣人之事可知其大矣。《易》曰"与天地合其德，与日月合其明，与鬼神合[⑨]其吉凶"，此盖圣人之事也。德苟[⑩]不足以合于天地，明苟不足以合于日月，吉凶苟不足以合于鬼神，则非所谓圣人矣。

孟子论伯夷、伊尹、柳下惠，皆曰"圣人也"，而又曰："伯夷隘，柳下惠不恭。隘与不恭，君子不由[⑪]也。"夫动、言、视、听，苟有不合于礼者，则不足以为大贤人。而圣人

之名，非大贤人之所得拟[12]也，岂隘与不恭者所得僭[13]哉！

盖闻圣人之言行不苟[14]而已，将以为天下法也。昔者[15]，伊尹制其行于天下，曰："何事非君，何使非民。治亦进，乱[16]亦进。"而后世之士多不能求伊尹之心者，由是多进而寡[17]退，苟得而害义[18]，此其流风末世之弊[19]也。圣人患[20]其弊，于是伯夷出而矫[21]之，制其行于天下，曰："治则进，乱则退。非其君不事，非其民不使[22]。"而后世之士多不能求伯夷之心者，由是多退而寡进，过廉而复刻[23]，此其流风末世之弊也。圣人又患其弊，于是柳下惠出而矫之，制其行于天下，曰："不羞污君，不辞小官。遗佚而不怨，厄穷而不悯[24]。"而后世之士多不能求柳下惠之心者，由是多污而寡洁[25]，恶异而尚同[26]，此其流风末世之弊也。

此三人者，因时之偏[27]而救之，非天下之中道[28]也，故久必弊[29]。至[30]孔子之时，三圣人之弊，各极[31]于天下矣，故孔子集其行而制成法[32]于天下，曰："可以速则速，可以久则久，可以仕则仕，可以处则处[33]。"然后圣人之道大具[34]，而无一偏[35]之弊矣。其所以大具而无弊者，岂孔子一人之力哉，四人者相为终始[36]也。

故伯夷不清[37]，不足以救伊尹之弊，柳下惠不和[38]，不足以救伯夷之弊。圣人之所以能大过人[39]者，盖能以身救弊于天下耳，如皆欲为孔子之行[40]，而忘[41]天下之弊，则恶在[42]其为圣人哉？是故使三人者当[43]孔子之时，则皆足以为孔子也，然其所以为之清、为之任[44]、为之和者，时[45]耳。岂滞于此一端[46]而已乎？苟在于一端而已，则不足以为贤人也，岂孟子所谓圣人哉？孟子之所谓"隘与不

恭，君子不由”者，亦言其时尔[47]。且夏[48]之道，岂不美哉，而殷人以为野[49]，殷之道，岂不美哉，而周人以为鬼[50]。所谓隘与不恭者，何以异于是乎[51]？

当孟子之时，有教孟子枉尺直寻[52]者，有教孟子权以援[53]天下者，盖其俗有似于伊尹之弊时也。是以孟子论是三人者必先伯夷，亦所以矫天下之弊耳。故曰：圣人之言行，岂苟而已，将以为天下法也。

【注释】

①三圣人：指伯夷、伊尹、柳下惠三人。 ②可欲：值得喜欢。有诸己：自己拥有（品质或美德）。化：融化贯通。 ③非礼：不符合礼仪。 ④大贤者：非常贤德之人。 ⑤备：完备。 ⑥钻：钻研。坚：坚固。仰：仰望。 ⑦犹：犹如，好像。太山：即泰山。之于：比之于，和……比。冈陵：山冈和丘陵。⑧陂（bēi）泽：湖泊、水泽。 ⑨《易》：《周易》，儒家经典之一。合：与……一样。 ⑩苟：如果。 ⑪隘：心胸狭窄。恭：恭敬。由：行，做。 ⑫拟：比拟，仿照。 ⑬僭（jiàn）：僭越，超过本分，专指地位在下的人冒用在上之人的名义、礼仪或器物。 ⑭苟：苟且，随便。 ⑮昔者：过去。 ⑯治：治世。乱：乱世。 ⑰寡：少。 ⑱苟得：用不正当的手段得到。害义：妨害道义。⑲流风：前代流传下来的风俗。末世：一个朝代衰亡的时候。弊：弊病。⑳患：担心。 ㉑矫：矫正，纠正。 ㉒治则进，乱则退。非其君不事，非其民不使：出自《孟子·万章下》。 ㉓过廉而复刻：过于正直而又苛刻。 ㉔遗佚（yì）：不被任用。厄穷：艰难困苦。悯：忧愁。 ㉕多污而寡洁：大多污秽而缺少廉洁。 ㉖恶异而尚同：厌恶与自己不同的，而崇尚与自己相同的。㉗因时之偏：根据、按照时代的局限和偏颇。 ㉘中道：中庸之道，即不偏不倚的道义。 ㉙故久必弊：所以时间长了就一定会产生弊端。 ㉚至：到。㉛各极：各自（的弊端）都达到顶点。 ㉜集其行而制成法：集合三个圣人的行径而制成法则。 ㉝速：迅速辞职离开。久：继续长久任职。仕：出仕做

官。处：《孟子》原文写作“止”，指当处士隐居。 ㉞大具：全都具备。 ㉟一偏：偏颇。 ㊱相为终始：前后相互补充和完善。 ㊲清：清廉。 ㊳和：和谐，中和。 ㊴大过人：大大超过一般人。 ㊵如皆欲为孔子之行：如果都想效法孔子的行为。 ㊶忘：无，没有。 ㊷恶（wū）在：在哪里。恶：同“乌”，表疑问。 ㊸使：假如让。当：面对，生逢。 ㊹任：出仕，担任。 ㊺时：时势，时代的原因。 ㊻滞（zhì）：停滞，停止。一端：某一方面。 ㊼尔：而已，罢了。 ㊽夏：夏朝，存在时间大约是公元前21世纪至公元前16世纪，由禹传位给自己的儿子启而建立。 ㊾殷（yīn）人：商代的人。野：粗野，鄙陋。 ㊿周人：西周人。鬼：崇尚鬼神。 (51)何以异于是乎：与这些又有什么不同呢？ (52)枉：弯曲。直：伸直。寻：八尺为一寻。 (53)权：变通，不依照常规。援：求援。

【译文】

孟子说：“可以追求的叫作善，自己有善叫作信，善充满全身叫作美，充满并且能发出光辉叫作大，光大并且能教化天下叫作圣。”圣之所以叫作圣，因为它是道义和德行的极致。不符合礼仪的就不动、不言、不看、不听，这就是大贤之人对待事情的方式。贤能之人如此对待事情，就可以称得上完备了。然而这还是不足以钻透圣人的坚固、仰望圣人的高度。用圣人的身份看贤人，譬如泰山和山冈、河海和湖泊的差距，这样就可以知道圣人的事业是多么广大了。《易经》说：“德行与天地配合，光明与日月配合，吉凶与鬼神配合。”这大概就是圣人的事业。德行如果不足以配合天地，光明如果不足以配合日月，吉凶如果不足以配合鬼神，那就不是所谓的圣人了。

孟子谈论伯夷、伊尹和柳下惠，认为他们都是圣人。可是他又说伯夷狭隘，柳下惠不恭敬。狭隘和不恭敬，是君子不会做的事。至于动、言、视、听，如果有一样不合于礼仪，就不足以成为大贤人，更何况圣人的名声远非大贤人所能比拟的，岂是狭隘与不恭敬的人所能僭称的呢？

我听闻圣人的言语和行为不会苟且，而要成为全天下的法则。过去，伊尹制定天下行为的准则，说道："什么样的君主不可以侍奉呢？什么样的人民不可以驱使呢？治世我要进仕，乱世我也要进仕。"后世的士人大多不能寻求伊尹的心志，于是过多的进仕而很少退隐，苟且得利而妨害了道义，这就是流传下来的风俗所带来的弊病。圣人担心这种弊病，于是伯夷出来矫正它，制定全天下行为的准则，说道："治世则进仕，乱世则退隐，不是理想的君主就不侍奉，不是理想的人民就不驱使。"而后世的士人大多不能寻求伯夷的心志，于是过多退隐而很少进仕，过于正直而又苛刻，这是流传下来的风俗所带来的弊病。圣人又担心这种弊病，于是柳下惠又出来矫正，制定全天下行为的准则，说道："不以侍奉污浊的君主为羞耻，不推辞卑微的官职，被遗忘而安逸隐居却不埋怨，困厄穷苦却不忧愁。"而后世的士人大多不能寻求柳下惠的心志，于是污秽的人过多而廉洁的人少有，讨厌与自己不同的而崇尚和自己一致的，这是流传下来的风俗所带来的弊病。

以上三人，根据时政的偏颇来救世，不是适合天下的中庸之道，因此时间久了就必定会有弊病。到了孔子时代，三个圣人的弊病，在全天下都达到顶峰，因此孔子集合这些人的行为来制定全天下的法则，说："可以快的就快，可以长久的就长久，可以出仕的就出仕，可以留下的就留下。"然后圣人的德行全都具备了，而没有了偏颇的弊病。之所以能完全具备而没有弊病，岂止是孔子一个人的力量呢？这是以上四个人前后互相补充的结果。

所以伯夷不清廉就不能拯救伊尹的弊病，柳下惠不和谐就不能拯救伯夷的弊病。圣人之所以能远超一般人，大概是因为能用自己的身体来拯救天下的弊病吧。如果人们想要效法孔子的行为而天下就没有了弊病，那孔子哪里还能成为圣人呢？所以如果这三个人生活在孔子时代，他们就都足以成为孔子，他们之所以制定清廉、出仕、恩惠和谐的法则，是时代的原因罢了，哪能滞留于固定的一个方面呢？如果滞留于固定的一个方面，那么他们都不值得被称为贤人，更何况孟子所说的圣人呢？孟子说的狭隘和不恭敬，君子不会做，也是根据时代而言罢了。何况夏代的道德难道不美好吗？但殷商的人却以为很野蛮。殷商的道德难道不美好吗？但周代的人却认为他们崇尚鬼神。所谓的狭隘和不恭，和这个又有什么分别呢？

孟子那个时代，有人教导他受小委屈而求更大的好处，有人教育他要懂得权变以支持全天下的人，大约当时的风俗和伊尹时代有类似的弊病，所以孟子谈论这三个人，先提及伯夷，也是为了矫正天下的弊病。所以说圣人的言行，岂能随便苟且呢？是要以此来做天下的法则的。

【题解】

王安石的《周公论》从驳斥荀子所记载的周公礼遇士人出发，其实讨论的是建立学校，培养士人为国家所用的现实问题。王安石认为上古三代，立庠于党、立序于遂、立学于国，贤士的培养和进用都按部就班。然后回到为政的根本是"立善法于天下"，批评战国时代春申君和孟尝君蓄养三教九流门客的做法，进一步指责荀子以乱世的观点来揣测圣人的做法。

周公[①]论

甚哉[②]，荀卿之好妄[③]也。载周公之言曰："吾所执贽而见者十人，还贽而相见者三十人，貌执者百有余人，欲言而请毕事[④]千有余人。"是诚[⑤]周公之所为，则何周公之小[⑥]也？

夫圣人为政[⑦]于天下也，初若无为[⑧]于天下，而天下卒[⑨]以无所不治者，其法诚修[⑩]也。故三代[⑪]之制，立庠于党，立序于遂，立学于国[⑫]，而尽其道以为养贤教士[⑬]之法，是士之贤虽未及用[⑭]，而固无不见尊养[⑮]者矣。此则周公待士之道[⑯]也。诚若[⑰]荀卿之言，则春申、孟尝[⑱]之行，乱世之事也，岂足为[⑲]周公乎？

且圣世[⑳]之士，各有其业[㉑]，讲道习艺[㉒]，患日之不足[㉓]，岂暇游[㉔]公卿之门哉？彼[㉕]游公卿之门、求公卿之礼者，皆战国之奸民[㉖]，而毛遂、侯嬴之徒[㉗]也。荀卿生于乱世，不能考论先王之法[㉘]，著[㉙]之天下，而惑[㉚]于乱世之俗，

遂以为圣世之士亦若是[31]而已，亦已过[32]也。

且周公之所礼者大贤与[33]，则周公岂唯[34]执贽见之而已，固当荐之天子而共天位[35]也。如其不贤，不足与共天位，则周公如何其与之为礼也？子产听郑国之政，以其乘舆济人于溱、洧[36]，孟子曰：“惠而不知为政[37]。”盖君子之为政，立善法于天下则天下治，立善法于一国则一国治，如其不能立法，而欲人人悦之[38]，则日亦不足矣。使[39]周公知为政，则宜[40]立学校之法于天下矣，不知立学校而徒能劳身[41]以待天下之士，则不唯[42]力有所不足，而势亦有所不得[43]，周公亦可谓愚[44]也。

或曰[45]：“仰禄之士犹可骄，正身之士[46]不可骄也。”夫君子之不骄，虽暗室不敢自慢[47]，岂为其人之仰禄而可以骄乎？

呜呼，所谓君子者，贵其能不易乎世[48]也。荀卿生于乱世，而遂以乱世之事量[49]圣人，后世之士，尊荀卿以为大儒[50]而继孟子者，吾不信矣。

【注释】

①周公：姓姬名旦，是周文王的四子。 ②甚哉：太严重了。 ③荀卿：即荀子，战国末期赵国人。儒家的代表人物之一。好妄(wàng)：喜欢荒诞不经的言论。 ④载：记载。执：拿着。贽(zhì)：古代拜见尊长时所送的见面礼。貌执：不带礼品而以礼相待的人。毕事：完成事情。 ⑤诚：的确，确实。⑥何：多么。小：渺小。 ⑦为政：执掌国政。 ⑧初：最开始，最初。若：好像。无为：顺其自然，无所作为。 ⑨卒：最终。 ⑩法诚修：法令实在是完善。 ⑪三代：夏、商、周三代。 ⑫立：建立，设立。庠(xiáng)：古代的学校。党：古代的地方户籍编制单位，五百家为一党。序：指古代的学校。遂

(suì):道路。学:国学。国:都城。 ⑬养贤教士:培养、教导贤士。 ⑭未及用:没有等到任用。 ⑮见:被。尊养:尊重地奉养。 ⑯待士之道:对待士人的方法。 ⑰诚若:真的像。 ⑱春申:春申君黄歇,"战国四公子"之一。孟尝:孟尝君田文,"战国四公子"之一。 ⑲岂:哪里。足:足够。为:成为。 ⑳圣世:圣明的时代。 ㉑业:事业,产业。 ㉒讲道习艺:讲论道义,学习技艺。 ㉓患:担心。日之不足:时间不够用。 ㉔暇(xiá):空暇,空闲。游:游走,拜访。 ㉕彼:他们,那些。 ㉖奸民:乱法犯禁的奸邪之民。㉗毛遂:战国时赵国平原君门下的食客。侯嬴:战国时魏国人。徒:同一类人。 ㉘考论:考查,论证。先王:先代。法:法令。 ㉙著:创作,写书。㉚惑:迷惑。 ㉛遂(suì):于是,就。亦若是:也像这样(指毛遂、侯嬴之徒)。㉜过:过失,错误。 ㉝且:发语词,用在句首,与"夫"相似。所礼者:所礼遇、接待的人。与:助词,表示疑问。 ㉞唯:只是,仅。 ㉟固当:定当。荐:推荐,举荐。共天位:共同(辅佐)君主。 ㊱子产:公孙侨,字子产,春秋时期郑国的贵族。听:治理。以其:把他的。乘舆(yú),车子。济:渡,过河。溱、洧(zhēn wěi):郑国境内的两条河流。 ㊲惠而不知为政:恩惠却不懂得政治。㊳欲人人悦之:想要让每个人都愉悦。 ㊴使:假如,假使。 ㊵宜:应该。㊶徒能:只能。劳身:使自身操劳。 ㊷不唯:不仅。 ㊸势亦有所不得:这种形势也不无法做到。 ㊹愚:愚笨。 ㊺或曰:有的人说。 ㊻仰禄之士:依靠俸禄为生的士人。骄:骄傲。正身之士:正直不阿的士人。 ㊼虽:即使。暗室:指幽暗隐蔽而没有人的地方。自慢:自己傲慢。 ㊽贵:可贵。㊾量:衡量。 ㊿大儒:有学问且品行高尚的读书人。

【译文】

太严重了啊,荀子喜欢荒诞不经的言论。《荀子》记载周公的话说:"我带着礼品拜见的人有十个,归还礼物而相见的人有三十个。不带礼品而以其礼相见的人有一百多个,想同他说话、托他办事而相见的人有一千多个。"这如果真是周公所做的事的话,那周公是何等渺小啊。

圣人在执政治理天下时，最初看似对天下无所作为，而天下最后却没有地方未得到治理，是因为他的法令非常完善。所以夏、商、周三代的制度，在乡党设立庠，在道路建立序，在京城建立太学，而又竭尽其用来作为培养贤人、教导士子的方法。所以凭借士人的贤才虽然还没有被任用，但却没有不被尊贵奉养的。这就是周公对待士人的方法。如果真像荀子所言，那是春申君、孟尝君的行为，就是扰乱社会的事情，岂能成为周公呢？

圣人治理的世界，人们各司其业，整天讲论道义、学习技艺，只担心时间不够用，怎么会有空闲去游说于公卿门庭呢？那些在公卿门内游说，想求公卿礼遇的人，都是战国时期的奸邪小人，好比毛遂、侯嬴这类的人。荀子出生在乱世，不能考察先王的法度，以光大于天下，反而被乱世的风俗迷惑，于是就认为圣世时的事情也是这样罢了，这也是错的。

况且周公所礼遇的人，如果是大贤，那周公难道只拿着礼物去拜见而已吗？定当推荐给天子，同自己一起为国家出力。如果是不贤的人，不足以与他一起效力于国家，那么周公怎么会礼遇他呢？子产治理郑国的政事，用他的车帮别人渡过溱河和洧河。孟子说："爱施以小恩小惠而不知如何处理政事。"大约君子当政，给天下建立完善的法律，天下就会得到治理；给一国建立完善的法律，一国就得到治理。如果他不能建立法律，而希望每个人都喜欢他，那么时间会不够用。假如周公知道如何为政，他就应当在全天下设立学校制度。不懂得建立学校而让自己身体疲劳来善待天下的士人，不但会精力不足，必然也不会有所收获，那样的话，周公也真算得上愚笨了。

荀子又说："依靠俸禄为生的士人尚可以骄傲，正直的士人却不可以骄傲。"君子不会骄傲，即使一个人在暗室也不敢怠慢，岂能因拿人俸禄就可以骄傲呢？

唉！所谓君子，就是贵在不因世道变迁而改变自己的心志。荀子生于乱世，于是就用乱世的事情来衡量圣人。后世之人，尊奉荀子为继孟子的大儒，我是不会相信的了。

【题解】

荀子基于“性恶论”的观点提出“圣人化性而起伪”的命题，王安石却大肆加以批驳，指责他“不知礼”。作者认为那些持有“凡为礼者，必诎其放傲之心，逆其嗜欲之性”观点的人，都是因为没有经过深思熟虑。他通过斫木、服马和严父爱母之心等事例的论证，得出“其制虽有以强人，而乃以顺其性之欲”的结论，进而证明礼是天性而不是失性。

礼　论

呜呼①，荀卿之不知礼②也！其言曰“圣人化性而起伪”③，吾是以④知其不知礼也。知礼者，贵乎知礼之意⑤，而荀卿盛称其法度节奏⑥之美，至于言化⑦，则以为伪也。亦乌⑧知礼之意哉？故礼始于天而成于人⑨，知天而不知人则野⑩，知人而不知天则伪。圣人恶其野而疾⑪其伪，以是礼兴焉。今荀卿以谓圣人之化性为起伪，则是不知天之过⑫也。

然彼亦有见而云尔⑬。凡为礼者，必诎其放傲⑭之心，逆其嗜欲之性⑮。莫不欲逸而为尊者劳⑯，莫不欲得而为长者让⑰，擎跽曲拳⑱，以见其恭⑲。夫民之于此⑳，岂皆有乐之㉑之心哉？患上之恶己㉒，而随之以刑㉓也。故荀卿以为特劫之法度之威㉔，而为之于外㉕尔，此亦不思之过也。

夫斫木而为之器㉖，服马而为之驾㉗，此非生而能㉘者

也，故必削之以斧斤[29]，直之以绳墨[30]，圆之以规，而方之以矩[31]，束联胶漆[32]之，而后器适于用[33]焉。前之以衔勒之制[34]，后之以鞭策之威[35]，驰骤舒疾[36]，无得自放[37]，而一听[38]于人，而后马适于驾焉。由是观之[39]，莫不劫之于外而服之以力[40]者也。然圣人舍木而不为器，舍马而不为驾[41]者，固亦因其天资之材[42]也。今人生而有严父[43]爱母之心，圣人因其性之欲而为之制[44]焉，故其制虽有以强[45]人，而乃以[46]顺其性之欲也。圣人苟[47]不为之礼，则天下盖将有慢其父而疾[48]其母者矣。此亦可谓失其性也。得性者以为伪，则失其性者乃可以为真乎？此荀卿之所以为不思也。

夫狙猿[49]之形，非不若人[50]也，欲绳之以尊卑而节之以揖让[51]，则彼有趋于深山大麓而走[52]耳，虽畏之以威而驯之以化[53]，其可服邪？以谓天性无是[54]而可以化之使伪耶，则狙猿亦可使为礼矣。故曰"礼始于天而成于人"，天则[55]无是，而人欲为之者，举[56]天下之物，吾盖未之见也。

【注释】

①呜呼：表示感叹。　②不知礼：不懂得礼仪。　③化性：教化人的本性。起伪：产生了伪善。　④是以：所以，因此。　⑤贵：可贵。意：本意，意义。　⑥盛称：极力称赞。法度：法则、秩序。节奏：规则、步骤。　⑦言化：言语教化。　⑧乌：表疑问，相当于"哪里"、"怎么会"。　⑨始于天而成于人：由上天开始建立，而由人来完成。　⑩野：狂野，粗鄙。　⑪恶：厌恶。疾：痛恨。　⑫过：过错，过失。　⑬彼：他，指荀卿。有见：有见解。云尔：这样说。　⑭诎（qū）：屈服。放傲：放纵、自傲。　⑮逆：抵触，不顺从。嗜

(shì)欲：爱好和欲望，多指肉体感官上的享受。性：心性。⑯莫不：无不。欲逸：渴望安逸。而：却，可是。为：替，给。尊者：尊贵的人。劳：劳动，操劳。⑰得：得到，获取。长者：年长的人，长辈。让：谦让。⑱擎(qíng)：拱手。跽(jì)：长跪，两膝着地而挺直上身。曲拳：弯曲，指鞠躬行礼。⑲以见其恭：来显示他的恭敬之心。⑳于此：对于这些事(指为尊者劳、为长者让、擎跽曲拳等)。㉑乐之：以之为乐，即乐于为尊者劳、为长者让、擎跽曲拳。㉒患：害怕。上：在上位的人。恶己：厌恶自己。㉓随之以刑：刑罚随之而来。㉔特：只是，仅仅。劫：威逼，威胁。法度：法律制度。威：威力。㉕外：外表，外在。㉖斫(zhuó)木：砍伐木头。为：制作。器：器具，器皿。㉗服马：驯服野马。驾：驾驭。㉘非生而能：并非天生就能这样。㉙以：用。斧斤：斧头。㉚直：形容词用作动词，使……直。绳墨：木匠用来打直线的墨绳。㉛规：圆规，用来画圆的仪器。矩：画直角或方形的尺子。㉜束联：联结。胶漆：胶和漆，用来黏结东西，这里用作动词。㉝而后：然后。适于用：适合来使用。㉞前之：前面。以：用。衔勒：马嚼子和马络头。制：制约。㉟鞭策：马鞭。威：威胁。㊱驰：快跑。骤：快跑。舒：从容，舒缓。疾：迅速。㊲无得：无法，不能够。自放：自我放纵，指随心所欲。㊳一：全部，统一。听：听从，听命。㊴由是观之：通过这些看来。㊵力：力量、蛮力。㊶舍木而不为器，舍马而不为驾：舍弃木头，就无法制成器具；舍弃野马，就无法做车驾。㊷固亦：本来也是。因：因循，随着。天资之材：上天赋予的材质。㊸严父：敬爱父亲。㊹因：因循，顺着。性之欲：心性的欲望。为之制：为他制定礼仪。㊺强：勉强，强迫。㊻乃以：是以。㊼苟：如果。㊽盖：大约，可能。慢：怠慢。疾：痛恨。㊾狙(jū)猿：猿猴。㊿非不若人：并非不像人。51绳：约束。尊卑：尊贵和卑微。节：节制、约束。揖(yī)让：古代宾主相见的礼仪。揖，拱手礼。52彼：它们，指狙猿。趋：归向。大麓(lù)：大的山脚下。走：奔跑。53畏之以威：用威力来使它畏惧。驯之以化：用教化来驯服它。54以谓：认为。无是：没有这种(内在资质)。55则：如果。56举：全。

【译文】

唉！荀子不懂得礼仪啊！他说“圣人将人恶的本性加以教化，而兴起了伪善”，我由此知道他不懂得礼仪。懂得礼的人贵在知道礼的意义，而荀子大肆称赞礼在法度节奏方面的美好，至于礼的教化作用，他却认为是伪善，这哪里是知道礼的意义呢？礼仪由上天开始建立，而由人完成，知道天而不知道人为，就会狂野不受拘束；知道人为而不知道天，就会伪善。圣人厌恶粗野而痛恨伪，因此礼才兴起。如今荀子认为圣人教化人的本性导致伪善的产生，这犯了不知道天的错误。但他也是由见解而阐发。凡是想遵守礼仪的人，必须屈缩他放肆骄傲的心，一反他贪欲的本性。人莫不想安逸，但要为尊敬的人劳动；人莫不想得到，但要为年长者谦让。通过拱手跪拜，鞠躬行礼来看他的恭敬之心。人民对于这些，难道都会乐意这样的心理吗？只是怕上级厌恶自己，而随即会加以刑罚罢了。所以荀子以为这只是单单靠法度的威力，而从外部入手。荀子这也是犯了不仔细思考的错误。

砍伐木头来做器物，驯服野马来供驱使，它们不是天生就能做成器物，让人驱使的。因此必须要用斧头加以削割，用绳墨画直，用圆规画圆，以矩画方，约束联结，再用胶漆黏合，然后才成为可以适用的器具。前面用衔口和马勒制约它，后面用马鞭威胁它，松弛和加速、舒缓和急剧，不得让它任意妄为，而是听令于一个人，然后这匹马才适合驾骑。由此看来，没有什么不是从外加以节制而用力量使它屈服的。然而圣人不用木头就做不了器具，不用马就无法乘驾，本来也是依据了它们的天性。如今人刚出生就有敬父爱母的心，圣人依据人本性的欲望而为他制定礼法，所以圣人的礼制虽然有勉强人的地方，却也是顺从本性的欲望。圣人如果不制定礼仪，那么天下大概会有怠慢父亲和痛恨母亲的人，也是失去了人的本性吧。保留本性被认为是伪善，那么失去本性才是真实吗？这就是荀子之所以没有思考的原因。

猕猴猿人的形态并非不像人，想要用尊卑来约束，用恭让来节制它，那它们就会向着深山大麓而跑，即使用威严来恐吓，用教化来驯服，它们就可以被驯服吗？那么天性中没有伪善就可以通过教化使之变得伪善吗？如果是这样，那猕猴猿人也可以讲礼仪了。所以说：礼仪由天开始建立，而由人完成。如果没有天，而人想要有所作为，遍举天下之物，我还未曾见到。

【题解】

《原过》一文先说天地皆有过失，但却因为“善复常”而“卒不累覆且载”，然后引用太甲的事例、孔子和扬雄的言论来肯定“改过”，令人信服。可是有人却认为有过之人，即便后来悔改，那也不是他的本性，只是为了粉饰以疑世而已。针对这种戕害本性的观点，作者列举财物失而复得后，还是自己的财物的例子，予以有力的驳斥，让人拍案叫绝。

原　过[1]

天有过乎？有之，陵历斗蚀[2]是也。地有过乎？有之，崩弛竭塞是也。天地举[3]有过，卒不累覆且载者何[4]？善复常[5]也。人介[6]乎天地之间，则固[7]不能无过，卒不害[8]圣且贤者何？亦善复常也。故太甲思庸[9]，孔子曰勿惮[10]改过，扬雄贵迁善[11]，皆是术[12]也。

予之朋[13]，有过而能悔，悔而能改，人则曰："是向之从事云尔[14]，今从事与向之从事弗类[15]，非其性[16]也，饰表以疑世[17]也。"夫岂知言[18]哉？

天播五行于万灵[19]，人固备而有[20]之。有而不思则失，思而不行[21]则废。一日咎前之非[22]，沛然[23]思而行之，是失而复[24]得，废而复举[25]也。顾[26]曰非其性，是率天下而戕[27]性也。

且如[28]人有财，见篡[29]于盗，已而得之[30]，曰“非夫人[31]之财，向篡于盗矣。”可欤[32]？不可也。财之在己，固不

若[33]性之为己有也。财失复得，曰非其财，且[34]不可，性失复得，曰非其性，可乎？

【注释】

①原：一种论说文体，主要是对事物的本原进行探究和讨论。过：过失，过错。 ②陵历斗蚀：冲犯、遭遇、撞击、亏损，指日月星辰在运行中产生的各种天体现象。 ③举：全，都。 ④卒：最终。不累：不连累、拖累。覆：盖，泽被。载：承载。何：为什么。 ⑤善复常：关于恢复常态。 ⑥介：在两者之间。 ⑦固：固然，本来。 ⑧害：妨害，妨碍。 ⑨太甲：商汤的嫡长孙，是商朝的第四位君主。思庸：思考正常之道。 ⑩惮(dàn)：害怕，畏惧。 ⑪扬雄：字子云(前53—18)，西汉蜀郡成都(今四川成都郫县)人。贵迁善：以迁善为贵。 ⑫术：方法，道理。 ⑬予：我。朋：朋友。 ⑭向：过去，从前。从事：行事，办事。云尔：而已，罢了。 ⑮弗类：不相类，不相同。 ⑯性：本性。 ⑰饰表：粉饰外表。以：来，用来。疑世：疑惑、欺骗世人。 ⑱知言：有见识的言论。 ⑲播：播种，赋予。五行：指仁、义、礼、智、信五常。万灵：万物的灵长，指人类。 ⑳固：固然，本来。备而有：具备而拥有。 ㉑行：施行、践行。 ㉒咎(jiù)：怪罪，这里指反省。前之非：以前的过失。 ㉓沛(pèi)然：迅速的样子。 ㉔复：又，重新。 ㉕举：兴起。 ㉖顾：表示轻微的转折。 ㉗率：率领，带领。戕(qiāng)：戕害，杀害。 ㉘如：比如。 ㉙见：被。篡(cuàn)：夺取。 ㉚已而：不久，后来。得之：重新找回来。 ㉛夫人：这个人。 ㉜欤(yú)：助词，表示疑问或反诘语气。 ㉝不若：比不上。 ㉞且：尚且。

【译文】

上天有过错吗？有的，日月星辰在运行过程中产生的冲犯、遭遇、撞击、亏损就是。大地有过错吗？有的，山陵崩塌、河流干枯淤塞就是。上天大地都有过错，但最后也不妨碍他们覆载万物，这是为什么呢？是因为天地善于恢复常态。人生存于天地之间，则不可能没有过错，但最后不妨碍他成为贤圣，这是为什么呢？是因为他善于恢复常态。所以太甲思考正常之道。孔子说："不要害怕改正错误。"扬雄以向善迁移为贵，都是这个道理。

我的朋友，有错误而能悔过，悔过后而能改正的，人们会说："还是原来的行事罢了。现在的行事与原来的行事不一样，并非他的本性，是他粉饰外表来迷惑世人而已。"这难道是有见解的言论吗？

上天播种仁、义、礼、智、信五常于人类，人本来也都具备。拥有而不思考就会失去，思考而不践行就会废弃。有一天责备以前的错误，马上思考而又践行，于是失而复得，废弃而重新具备了。可是有人说这并非人的本性，这是率领天下来残害人性。比如人有钱，被盗贼强行抢走，后来又重新找回，说："这不是他的钱财，因为以前被盗贼抢走过。"可以吗？不可以。财物属于自己，固然比不上天性为自己拥有。财物失而复得，说不是他的财物尚且不行，天性失而复得，说不是他的本性了，难道可以吗？

【题解】

杨叔明兄弟二人仕途不顺，所以王安石作《进说》一文予以慰问。文中主要比较了古今大相径庭的“进士”制度。古代的学者，有恒定的产业，无求于上，而且可以凭借自己的德、才、言和曲艺被在上之人主动举荐。而如今的士人没有井田和学校制度来供养家庭，只能自进于上。自进的途径不是根据德与才，而只能通过考试，并且还取决于有司的好恶。安慰之余，还可以看出作者对当时取士制度的反思。

进　说[1]

古之时[2]，士之在下者无求[3]于上，上之人日汲汲惟恐一士之失[4]也。古者士之进，有以[5]德，有以才，有以言[6]，有以曲艺[7]。今徒不然[8]，自茂才等而下之至于明法[9]，其进退之皆有法度[10]。古之所谓德者、才者，无以为[11]也。古之所谓言者，又未必应[12]今之法度也。诚有豪杰不世出[13]之士，不自进乎此[14]，上之人弗举[15]也。诚进乎此，而不应今之法度，有司弗取[16]也。夫自进乎此，皆所谓枉己[17]者也。孟子曰：“未有枉己能正人者也。”[18]然而今之士不自进乎此者，未见[19]也。岂皆不如古之士自重以有耻[20]乎？

古者井天下之地而授之氓[21]。士之未命[22]也，则授一廛[23]而为氓。其父母妻子裕如[24]也。自家达[25]国，有塾[26]、有序[27]、有庠[28]、有学[29]，观游止处[30]，师师友友[31]，弦歌[32]尧、舜之道，自乐也。磨砻镌切[33]，沉浸灌养[34]，行完而才备[35]，

则曰："上之人其舍[36]我哉？"上之人其亦莫之能舍也。

今也地不井，国[37]不学、党[38]不庠、遂[39]不序、家不塾。士之未命也，则或无以裕[40]父母妻子，无以处[41]行完而才备，上之人亦莫之举也。士安得[42]而不自进？呜呼！使今之士不若古，非人则然[43]，势[44]也。势之异，圣贤之所以不得同[45]也。孟子不见王公，而孔子为季氏吏[46]，未不以势乎哉？

士之进退，不惟[47]其德与才，而惟今之法度，而有司之好恶[48]，未必今之法度也。是士之进，不惟今之法度，而几在[49]有司之好恶耳。今之有司，非昔之有司也；后之有司，又非今之有司也。有司之好恶岂常[50]哉？是士之进退，果卒无所必[51]而已矣。噫[52]！以言取人，未免失也，取焉而又不得[53]其所谓言，是失之失[54]也，况又重[55]以有司好恶之不可常哉！古之道，其卒不可以见乎？士也有得已[56]之势，其得不已乎？得已而不已，未见其为有道也。

杨叔明之兄弟，以父任皆京官[57]，其势非吾所谓无以处、无以裕父母妻子而有不得已焉者也。自枉而为进士，而又枉于有司，而又若不释然[58]。二君固常自任[59]以道，而且朋友我[60]矣，惧其犹未寤[61]也，为《进说》与[62]之。

【注释】

①进：进用（人才）。说：古代的一种论说文体。 ②古之时：古代的时候，即古时。 ③在下者：身居下位的人。无求：没有请求。 ④日：每天。汲汲（jí）：心情急切的样子。惟恐：只怕。失：失去，流失。 ⑤以：用，凭借。⑥言：进言。 ⑦曲艺：小的技艺、技能。 ⑧徒：唯独，却。不然：不这样。⑨茂才：即秀才。等而下之：由这一等（茂才）逐级往下。明法：科举考试的科

目之一。 ⑩法度：法令制度。 ⑪无以为：无法有所作为。 ⑫应：符合。 ⑬诚有：真有，确实有。豪杰：才智和气力出众的人。不世出：一个世纪都很难出现。 ⑭自进：靠自己来晋升。乎此：通过这种方法（指科举）。 ⑮举：举荐。 ⑯有司：指官员。弗取：不会取用、任用。 ⑰枉己：违背自己的意愿。 ⑱"孟子曰"句：出自《孟子·万章上》："吾未闻枉己而正人者也，况辱己以正天下者乎？" ⑲未见：没有看见过，即没有。 ⑳岂：难道。自重：尊重自己的人格。以：表示承接关系，相当于"而"。有耻：有羞耻之心。 ㉑井天下之地：用井田法划分全天下的土地。授：授予，给。氓（méng）：民。 ㉒未命：没有受命担任官职。 ㉓一廛（chán）：一块土地。 ㉔裕如：宽裕有余。 ㉕达：到。 ㉖塾（shú）：古代私人办立的学堂。 ㉗序：古代地方办的学校。 ㉘庠（xiáng）：古代的学校。 ㉙学：国学，古代中央办的学校。 ㉚观游：观赏游览。止处：停歇休息。 ㉛师师友友：拜老师为师，以朋友为友。 ㉜弦歌：用琴瑟等乐器伴奏歌唱。 ㉝磨砻（lóng）镌（juān）切：磨砺切磋。 ㉞沉浸：浸入水中，比喻全神贯注。灌养：滋养。 ㉟行完而才备：德行和才能完备。 ㊱其：助词，表示反诘、揣测。舍：舍弃。 ㊲国：国都。 ㊳党：古代的地方户籍编制单位，五百家为一党。 ㊴遂（suì）：道路。 ㊵裕：使……宽裕、富足。 ㊶无以处：没有地方和途径来行事、安身。 ㊷安得：如何能。 ㊸则然：就这样，本来这样。 ㊹势：形势，局势。 ㊺不得同：无法相同。 ㊻孔子为季氏吏：据《史记·孔子世家》记载："孔子贫且贱，及长，尝为季氏史，粮量平。" ㊼惟：用来限定范围，相当于"只是"、"只有"。 ㊽好恶：喜好和厌恶。 ㊾几：几乎，差不多。在：在于，取决于。 ㊿岂常：哪里会恒常不变。 51果卒：果然，最终。必：一定的标准。 52噫（yī）：叹词，表示感慨、叹息。 53得：采用。 54失之失：过失上再犯过失。 55重：再加上。 56已：停止。 57京官：在京城汴梁（今河南开封）任职。 58释然：释怀，指心中的疑虑、嫌隙消失后平静的样子。 59自任：自我承担。 60朋友我：与我做朋友。 61寤（wù）：通"悟"，醒悟。 62为：写，创作。与：给。

【译文】

古时候，在下的士子没有请求于在上之人，在上的人却每日心情急切，惟恐任何一个士人流失。古代士子晋升，有的凭借德行，有的凭借才能，有的凭借言语，有的凭借曲艺。如今却不这样，从秀才科到明法科，士人的进退都有法可依。古时所说的有德之人、有才之人，无法有所作为。古代所谓的进言，又未必适应如今的法度。若真有百世不遇的豪杰之士，不通过这种考试方法进仕，在上的人也不会举荐他。如果真的通过考试进仕，却不适应如今的法度，主管人也不会录取。那些自己通过考试晋升的，都是所谓的违背自己意愿的人。孟子说："没有违背自己意愿却能令其正直的人。"但是如今的士子，不由此进仕的人还未见到。难道是他们都不如古时之士那样自重而有羞耻之心吗？

古时将全天下的土地分为井田而交给人民。士子未被任命时，就给他房地让他成为百姓，他的父母妻儿生活都比较宽裕。从家庭到国家，有塾、序、庠、太学各级学校，士子们观光游览居处，拜老师为师，以朋友为友，弹弦歌唱着尧舜之道以自娱自乐。磨砺切磋，全神贯注于修养自己，品行完善而才能兼备，于是说道："在上的人能舍弃我吗？"地位在上之人也不能舍弃他。

如今田地不按井田划分，国家没有太学，乡党中没有庠，道路上没有序，家中也没有私塾。士子没有被任命，就无法让父母妻儿生活宽裕，没有地方安身行事以使自己品行完善而才能兼备，在上的人也不举荐他，士子哪里能不去进仕呢？唉！如今的士子之所以比不上古代的士子，不是他们本身就这样，而是形势所迫。形势发生了变化，哪怕是圣贤都不会古今相同。孟子不去拜见王公，而孔子沦为季氏的小吏，不也是因为形势吗？士子的进退，不凭靠德行和才能，而只靠今天的法度，但主管者的好恶，也并非是今天的法度。于是士子的晋升，不是凭靠法度，而是几乎在于主管者的好恶而已。如今的主管，并非古时候的主管了；后世的主管，也不像当下的主管了。主管者的好恶岂能恒常不变吗？因此士子的进退，最终其实已经没有必然的标准了。唉！根据言论选取士子，未免会有过失，选择了士子却又不采纳他的言论，这是一失再失，况且又加上主管者的好恶无常呢！古代的法则，最终都不能再见到吗？士子中有能停止这样的，他还能不停止吗？能停止却不愿意停止的，我就看不见他的道义了。

杨叔和明之两兄弟，因为父亲都在京城做官，他们的情势不是我所说“无以自处，无法令父母妻儿生活宽裕，而有不能停止”的这种情况，违背自己的心意去考进士，且又违背主管的心意没有中举，从而表现出无法释然的样子。他们二人本来经常以道义为己任，而且又是我的朋友，担心他们仍然不醒悟，于是写了《进说》给他们看。

【题解】

《复仇解》一文主要讨论关于不同政治形势下儿子为父报仇的各种情形。王安石开篇便立下宏论：太平盛世，很少有人无辜被杀；即便有，也能得到有司甚至天子的公正处理。同时王安石引用《公羊传》的记载，认为身处乱世的父亲若是理应受诛，是不应该复仇的；反之则可。可是对于《周礼》中“凡复仇者，书于士，杀之无罪”的观点，作者是不赞同的。最后王安石还指出了“世乱而有复仇之禁”的权宜做法，具有一定的指导意义。

复仇解[①]

或[②]问复仇。对曰：非治世[③]之道也。明天子[④]在上，自方伯[⑤]、诸侯以至于有司，各修其职[⑥]，其能杀不辜[⑦]者少矣。不幸而有焉，则其子弟[⑧]以告于有司，有司不能听[⑨]；以告于其君，其君不能听；以告于方伯，方伯不能听；以告于天子，则天子诛[⑩]其不能听者，而为之施刑于其仇[⑪]。乱世[⑫]则天子、诸侯、方伯皆不可以告。故《书》说纣曰：“凡有辜罪，乃罔恒获。小民方兴[⑬]，相为敌仇。”盖[⑭]仇之所以兴，以[⑮]上之不可告，辜罪之不常获[⑯]也。方是时[⑰]，有父兄之仇而辄[⑱]杀之者，君子权其势，恕其情而与之[⑲]，可也。故复仇之义，见于《春秋传》[⑳]，见于《礼记》[㉑]，为[㉒]乱世之为[㉓]子弟者言之也。

《春秋传》以为“父受诛，子复仇，不可也”[㉔]，此言不敢以身之私而害天下之公[㉕]。又以为“父不受诛，子复

仇,可也",此言不以有可绝之义[26],废不可绝之恩[27]也。《周官》之说曰:"凡复仇者,书于士[28],杀之无罪。"疑此非周公之法也。凡所以有复仇者,以[29]天下之乱,而士之不能听也。有士矣,不使听其杀人之罪以施行[30],而使为人之子弟者[31]仇之,然则何取于士而禄[32]之也?古之于杀人,其听之可谓尽[33]矣,犹惧其未[34]也,曰:"与其杀不辜,宁失不经[35]。"今书于士则杀之无罪,则所谓复仇者,果[36]所谓可仇者乎?庸讵知其不独有可言[37]者乎?就当[38]听其罪矣,则不杀于士师,而使仇者杀之,何也?故疑此非周公之法也。

或曰:"世乱而有复仇之禁[39],则宁杀身[40]以复仇乎?将无复仇而以存人之祀[41]乎?"曰:可以复仇而不复,非孝也;复仇而殄[42]祀,亦非孝也。以仇未复之耻,居之终身[43]焉,盖可也。仇之不复者,天也。不忘复仇者,己也。克己以畏天[44],心不忘其亲,不亦可矣。

【注释】

①复仇:报仇。解:古代的一种文体,主要是解释疑惑,类似于论说文。②或:有的人。 ③治世:治理天下。 ④明天子:贤明的君主。 ⑤方伯:商周时期指一方诸侯之长,后来泛指地方长官。 ⑥修其职:处理他们的政事。 ⑦不辜(gū):无罪的人。 ⑧子弟:子和弟,泛指子侄辈。 ⑨听:判断、审理(案件)。 ⑩诛:杀。 ⑪施刑:行刑。仇:仇人。 ⑫乱世:动乱,不太平的世道。 ⑬罔:没有。恒获:经常抓到。小民:平民百姓。方兴:正在兴起。 ⑭盖:大概,大约。 ⑮以:因为,由于。 ⑯常获:经常抓到。⑰方是时:正当这个时候。 ⑱父兄之仇:杀害父亲和兄弟的仇恨。辄(zhé):于是,就。 ⑲与之:同意他(去报仇)。 ⑳《春秋传》:根据王安石下

文所引,这里的《春秋传》应该是指《春秋公羊传》。 ㉑《礼记》:儒家经籍之一,是西汉戴圣对秦汉以前礼仪的记录,共四十九篇。 ㉒为:是。 ㉓为:给,替。 ㉔"《春秋传》以为"句:据《春秋公羊传》记载:"父不受诛,子复仇可也。父受诛,子复仇,此推刃之道,复仇不除害。" ㉕私:个人的仇恨、怨恨。公:公义、公平。 ㉖可绝:可以断绝。义:公义,指君臣之义。 ㉗恩:指父亲的养育之恩。 ㉘书于士:上书给司法长官。 ㉙以:因为。 ㉚施行:施以惩罚。 ㉛为人之子弟者:身为别人子弟的人。 ㉜取于士:从士身上获取。禄:提供俸禄。 ㉝尽:详尽实情。 ㉞犹:仍然,还。惧:担心、害怕。未:没有详尽实情。 ㉟不经:不合常法。 ㊱果:果真。 ㊲庸讵(jù):何以,怎么。独有:独自拥有。可言:可以辩解的理由。 ㊳就当:即使应当。 ㊴禁:禁令,禁止。 ㊵宁:宁可,宁愿。杀身:丧生,舍命。 ㊶将:连词,表示选择,与"宁"连用。无复仇:不要报仇。存人之祀:保存祖先的祭祀。 ㊷殄(tiǎn):绝、灭。 ㊸以:用,带着。居:居处,生活。终身:一辈子。 ㊹克己:克制自己的欲望。畏天:敬畏天命。

【译文】

有人问我关于报仇的事情,我回答说:报仇并不是治理天下的做法。贤明的天子处在上位,自方伯、诸侯到有关部门,都各司其职,被杀害的无辜者比较少。如果不幸无辜被害,那么他的子弟报告有关部门,有关部门如果不能治理,就告诉国君;国君不能治理,就告诉地方长官;地方长官不能治理,就告诉天子。于是天子就诛罚那些不能治理的官吏,而为他施加刑罚于仇人身上。如果是乱世,那么天子、诸侯和地方长官就都不能诉诸了。因此《尚书》说纣王道:"凡是罪恶的人,经常未能抓获并加以惩罚。百姓间的作乱使其相互成为仇敌。"大概仇恨之所以兴起,是因为在上的人不能知晓,罪恶的人不能经常被抓到。那个时候,有父兄之仇的,就杀害仇人以报仇。君子权衡形势,宽恕了他的情况而由他去报仇,是可以的。因此报仇的道义见于《春秋公羊传》和《礼记》书中，是为乱世中的子弟所言。

《春秋公羊传》中以为，父亲犯法理应被杀，儿子报仇，是不可以的。这是说不能因为个人的私怨而妨害天下的公义。又以为父亲罪不当杀而被杀，儿子报仇是可以的。这是说不能因可以断绝的情义而废弃不可断绝的恩义。《周礼》中说："凡是复仇的人，上书给司法长官，那么杀了仇人也无罪。"我怀疑这不是周公的言论。我认为：之所以有复仇之人，是因为天下大乱，而上面的士人不能治理。既然有士了，不让他治理杀人之罪并对罪犯实行惩罚，却让作为别人子弟的人去报仇，那么为何还要任用这些士，供给他俸禄呢？古代对于杀人之罪的治理可以算得上详尽了，而仍然害怕没有得到实情，说："与其杀害无辜的人，宁可犯执法失误的过失。"如今上报给司法长官，而杀了他就无罪，那么他所谓的报仇，就果真是他所说的仇人吗？又如何知道他没有辩解的理由呢？即使应当治理他的罪行，却不经司法长官之手，而由仇人杀之，这是为什么呢？因此我怀疑这不是周公所定的法律。

有人说，若身处乱世而又有禁止报仇的法令，那么是宁愿犯法被杀也要去报仇呢，还是不报仇而保存生命来延续家族的香火呢？我说：可以报仇却不报，是不孝；为了复仇而让家族的祭礼灭绝，也是不孝。带着有仇未报的耻辱，过完自己的一生，大概也是可以的。有仇不能报，这是天意，不忘记报仇，这是自己的心志。克制自己以敬畏上天，而心中又不忘记亲人，不也是可行的吗？

【题解】

宋神宗熙宁八年(1075),吕惠卿、王雱等人主持对《诗经》《尚书》《周礼》三部儒家经典进行重新训释,作为托古改制的变法理论依据,后来完成《诗经义》《尚书义》和《周礼义》三书,合称《三经新义》。这三本书已经散佚不存于世,但书的序文却保存在王安石的文集中。本篇即王安石为《周礼义》所作的序文,文中说周代的官制兴盛,而《周礼》是记载其内容最详备的书籍。可是流传至宋代,"学者所见,无复全经",于是"训而发之",记录编撰该书的缘起。

《周礼[①]义》序

士弊于俗学[②]久矣,圣上闵[③]焉,以经术造[④]之。乃集儒臣[⑤],训释厥旨[⑥],将播之校学[⑦],而臣某实董[⑧]《周官》。

惟道[⑨]之在政事,其贵贱有位,其后先有序,其多寡[⑩]有数,其迟数[⑪]有时。制而用之存乎法,推而行之存乎人。其人足以任官,其官足以行法,莫盛乎成周之时。其法可施于后世,其文有见于载籍[⑫],莫具[⑬]乎《周官》之书。盖其因习以崇[⑭]之,赓续以终[⑮]之,至于后世,无以复加[⑯]。则岂特文、武、周公[⑰]之力哉?犹四时之运[⑱],阴阳积而成寒暑[⑲],非一日也[⑳]。

自周之衰[㉑],以至于今,历岁千数百[㉒]矣。太平[㉓]之遗迹,扫荡几尽[㉔],学者所见,无复全经[㉕]。于是时[㉖]也,乃欲训而发[㉗]之,臣诚不自揆[㉘],然知其难也。以训而发之之为难[㉙],则又以知夫立政造事追而复之[㉚]之为难。然窃观

圣上致法就功[31]，取成于心[32]，训迪在位[33]，有冯有翼[34]，亹亹乎乡六服承德[35]之世矣。以所观乎今[36]，考所学乎古[37]，所谓见而知之者，臣诚不自揆，妄以为庶几[38]焉，故遂冒昧自竭[39]，而忘其材之弗及[40]也。谨列[41]其书为二十有二卷，凡十余万言[42]。上之御府[43]，副[44]在有司，以待制诏颁[45]焉。谨序。

【注释】

①《周礼》：也称为《周官》，是儒家经典之一，相传为周公所作。按天、地、春、夏、秋、冬六篇记载周代的官制。 ②弊：受害。俗学：世俗流行的学问，这里指与"经术"相对的诗赋一类。 ③闵(mǐn)：通"悯"，怜恤，哀伤。④经术：即经学，专指研究儒家经典的学问。造：改造。 ⑤集：召集、集合。儒臣：有学问的大臣。 ⑥训释：训诂、解释。厥(jué)：代词，其。这里指儒家经典。旨：旨意。 ⑦播：传播、传布。校学：即学校。 ⑧某：用来代指王安石自己。实：其实，实际上。董：主持、负责。 ⑨惟：文言助词，放在句首，无意义。道：道义。 ⑩寡：少。 ⑪数：通"速"，迅速。 ⑫载籍：书籍、典籍。 ⑬莫：没有。具：详细。 ⑭因习：即"因袭"，相沿成习。崇：推崇，尊重。 ⑮赓(gēng)续：继续。终：完成。 ⑯无以复加：无法再增加，已经达到顶点。 ⑰岂：难道。特：只有，仅仅。文：周文王姬昌，是周朝的奠基者，也是古代历史上的明君。武：周武王姬发，周文王之子，他继承父志，消灭商纣王的暴政，建立周朝。周公：姓姬名旦，是周文王第四子，辅佐周武王，后被封于鲁。 ⑱犹：犹如，像。四时之运：一年四季的运行。 ⑲阴阳：阴气和阳气。积：聚积。寒暑：寒冷和炎热的天气。 ⑳非一日也：并非一天就能做到。 ㉑周：周朝。衰：衰败，衰亡。 ㉒历岁：经历的年岁。千数百：一千几百年。 ㉓太平：太平盛世。 ㉔扫荡：扫除、浩荡。几尽：几乎完尽。㉕无复：不再是。全经：完整的经书。 ㉖于是时：在这个时候。 ㉗发：发扬光大。 ㉘揆：揣测，度量。 ㉙为难：认为困难。 ㉚追而复之：追考和

复原过去的政事。 ㉛然：但是。窃观：私下偷偷观察。致法：建立法制。就功：成就功业。 ㉜取成于心：在心中学成，指胸有成竹。 ㉝训迪：教诲启迪。在位：身居官位的人。 ㉞冯（píng）：通“凭”，凭借。翼：帮助，辅佐。 ㉟亹（wěi）亹：勤勉不倦的样子。乡：通“向”，向着。六服承德：指远近各国都承受恩德。 ㊱以所观乎今：根据今天看到的。 ㊲考所学乎古：考证从古人那里学来的知识。 ㊳妄：胡乱。庶几：差不多了。 ㊴遂：于是就。冒昧：不顾身份、地位或场合而妄为。自竭：自己能竭尽所能。 ㊵材之弗及：才能无法达到。 ㊶谨：慎重、恭敬。列：罗列。 ㊷言：字。 ㊸上：献。御府：帝王的府库。 ㊹副：副本。 ㊺待制：等待诏命。诏颁：诏书颁发。

【译文】

学人蒙蔽于世俗的学问已经很久了，皇上对此很担心，决心用经书来改造他们，于是聚集儒臣，训释经书的旨意，将其传播到学校，而臣王安石负责的是《周礼》这部经书。

道义体现在政事上，表现为贵贱有各自的位置，先后有各自的次序，多寡有各自的数量，快慢有各自的时机。制定道义后如何运用于法律，推广和实行则在于人。人足以胜任官职，官职又足以施行法令的情况，没有比周朝时更兴盛的了。那些法令可以在后世施行，那些文字在典籍上能看见的，没有比《周礼》这本书更完备的了。大概是这本书因为相沿成习而被推崇，不断被继承而最终确立了它的地位。以至于到了后世，没有内容可再增加了。这难道仅仅是周文王、周武王和周公三人的功劳吗？就像四季的运行，阴阳成年累积才形成寒暑，并非一天就形成的。

从周朝衰微直到今天，已经过了一千几百年了。太平盛世的遗迹，几乎全被扫荡殆尽。学者们能看到的，已经不是《周礼》全本的经书了。在这种时候，想要注释并将它发扬光大，我确实是不自量力，我知道这很困难，其中以注释阐发为困难，又以追考和复原过去的政事为困难。但我私下观察圣上建立法制,成就功业,胸有成竹,训教启导在位官员,有依靠和辅佐,勤勉地建立了向六服诸侯施行恩德的世界。根据如今所看到的,考证从古人那里学来的知识,这就是所谓看见就能知道的人。我真是不自量力,妄想能做这件事,所以冒昧用尽自己的力量,而忘记了自己的才能无法胜任。

恭谨分列本书为二十二卷,共十多万字。献上呈交给御府,副本放在有司处,等待圣上制订诏书颁发。恭谨地作了此序。

【题解】

本文是王安石给《尚书义》一书所作的序文。文中先交代该书的编写过程，然后叙说《尚书》记录的是虞、夏、商、周四代的遗文，经历秦朝的焚书之祸几乎没有幸存，西汉幸有士大夫背诵，才没有泯灭，勾勒了《尚书》流传的历史。《尚书》记载了上古的政令和君臣间的对话，后世可以“操之以验物，考之以决事”，这是王安石等人训释其书的意义所在。

《书[1]义》序

熙宁二年[2]，臣某以《尚书》入侍，遂与政[3]。而子雱实嗣讲事[4]，有旨为之说以献[5]。八年，下其说太学[6]，班[7]焉。

惟[8]虞、夏、商、周之遗文，更秦而几亡[9]，遭汉而仅存[10]，赖学士大夫诵说[11]，以故不泯[12]，而世主[13]莫或知其可用。天纵皇帝大知[14]，实始操之以验物[15]，考之以决事[16]，又命训其义[17]，兼明[18]天下后世。而臣父子以区区[19]所闻，承乏与荣[20]焉。然言之渊懿[21]而释以浅陋，命之重大而承以轻眇[22]，兹荣[23]也，祇[24]所以为愧欤[25]！谨序。

【注释】

①《书》：即《尚书》，儒家经典之一，分为虞、夏、商、周四部分，共五十八篇，记录了上古的历史、政治文献。 ②熙宁二年：即公元 1069 年。 ③臣某以《尚书》入侍，遂与政：指王安石为宋神宗侍讲《尚书》，接着参与政务。据《宋史》记载，宋神宗即位，召王安石为翰林学士，兼侍讲。二年，参知政事。

④子雱(pāng):王安石的儿子王雱(1044—1076),曾受诏编《书义》和《诗义》。嗣(sì):继承。讲事:侍讲之事。 ⑤有旨为之说以献:有圣旨让他把所讲授的学说呈献上去。 ⑥下:颁布下达。太学:国学,是设于京城的最高学府。 ⑦班:颁布。 ⑧惟:文言助词,放在句首,无意义。 ⑨更:经历。几亡:几乎亡佚。 ⑩遭:遭遇、经过。仅存:仅仅留存下来(一小部分)。⑪赖:依赖,依靠。诵说:传诵、解说。 ⑫以故:所以。泯(mǐn):泯灭,消失。⑬世主:世人之主,即人主,君主。 ⑭天纵:上天放纵,指赋予。大知:即大智。 ⑮实始:才开始。操之:用它,拿它。验物:查验事物。 ⑯考:考查。决事:决断事情。 ⑰训其义:训释《尚书》的文义。 ⑱兼:同时。明:明晓。⑲臣父子:指王安石、王雱父子。区区:小,少。 ⑳承乏:继承空缺的官职,谦辞。与荣:参与荣耀的事,指编《三经新义》。 ㉑渊懿(yì):深刻而美好。㉒承:承担,承受。轻眇(miǎo):轻微和渺小。 ㉓兹荣:这种荣耀。 ㉔祇(zhǐ):只。 ㉕欤(yú):文言助词,表示疑问或反诘语气。

【译文】

宋神宗熙宁二年(1069),臣王安石因侍讲《尚书》而入朝,于是参与国政。而我的儿子王雱正式继任讲事。有圣旨让他把所讲授的学说呈献上去。熙宁八年,把他的学说颁布下达到太学,于是公布于众。

《尚书》是虞、夏、商、周四代的遗文,经过秦代几乎都亡佚了,又经过汉代而存下来一点点,依赖士大夫们的传诵和讲说,所以才没有泯灭。可是世代有的君主却不知道它们的用处。上天赐予皇帝大的才智,开始拿它来查验事物以决断大事。现在又命令训释它的内涵,让天下后世的人都明白,我们父子二人凭借着少量的学识,承担这项光荣的任务。《尚书》中的词语深奥,而我们只能浅显鄙陋地解释它,君主命令非常重大,而我们只能用微弱渺小的能力承担。这等荣誉,就是我们感到惭愧的原因!恭谨地作了此序。

【题解】

本文是王安石给《诗经义》所作的序文，文中先强调《诗经》“上通乎道德，下止乎礼义”的教化功用；然后列举《论语》中子贡和子夏学《诗》有所得而备受孔子肯定的事例来说明《诗经》成就君子和圣人的作用；最后补充他作《诗经义》的原因——对《诗经》的微言奥义独有心得，便想训释其书与天下共之。

《诗[①]义》序

《诗》三百十一篇，其义具存，其辞亡者六篇而已[②]。上既使臣雱训其辞[③]，又命臣某等训其义[④]。书成，以赐太学[⑤]，布[⑥]之天下，又使臣某为之序。谨拜手稽首[⑦]言曰：

《诗》上通[⑧]乎道德，下止[⑨]乎礼义。放其言之文[⑩]，君子以兴[⑪]焉；循其道之序[⑫]，圣人以成[⑬]焉。然以孔子之门人赐也、商[⑭]也，有得于一言[⑮]，则孔子悦而进[⑯]之，盖其说之难明[⑰]如此，则自周衰以迄[⑱]于今，泯泯纷纷[⑲]，岂不宜[⑳]哉？

伏惟皇帝陛下内德纯茂[㉑]，则神罔时恫[㉒]；外行恂达[㉓]，则四方以无侮[㉔]。日就月将，学有缉熙[㉕]于光明，则《颂》之所形容[㉖]，盖有不足道[㉗]也。微言奥义[㉘]，既自得[㉙]之，又命承学之臣训释厥遗[㉚]，乐与天下共[㉛]之。顾[㉜]臣等所闻，如爝火[㉝]焉，岂足以赓[㉞]日月之余光？姑承明制[㉟]，代匮[㊱]而已。传[㊲]曰：“美成在久。”故《棫朴》之作人，以寿

考[38]为言，盖将有来者焉，追琢其章[39]，缵圣志[40]而成之也。臣衰且老矣，尚庶几及见[41]之。谨序。

【注释】

①《诗》：即《诗经》，儒家经典之一，中国最早的诗歌总集，分为《国风》《小雅》《大雅》《周颂》《鲁颂》《商颂》。 ②《诗》三百十一篇，其义具存，其辞亡者六篇而已：《诗经》一共有三百一十一篇，其中《小雅》部分的《南陔》《白华》《华黍》《由庚》《崇丘》《由仪》六篇只有篇名，没有文辞。 ③雱（pāng）：王安石的儿子王雱（1044—1076），曾受诏编《书义》和《诗义》。训其辞：训释《诗经》的文辞。 ④臣某：指王安石自己。训其义：阐释《诗经》的义理。 ⑤以：用以，用来。赐：赏赐，颁赐。太学：国学，是设于京城的最高学府。 ⑥布：颁布。 ⑦拜手稽首：用来表达敬意。 ⑧通：通达。 ⑨止：停止。 ⑩放：通"仿"，效仿。言之文：词句的文义。 ⑪兴：兴起，指心中有所感发。⑫循（xún）：遵守，仿照。道之序：道义的次序。 ⑬成：成功。 ⑭赐：端木赐，字子贡，孔子弟子，他善于雄辩，又善于经商。商：卜商，字子夏，孔子弟子，以文学著称。 ⑮有得于一言：对《诗经》有一点心得体会。 ⑯进：推崇，表扬。 ⑰难明：难以明白、理解。 ⑱周衰：周朝衰败。迄（qì）：至，到。⑲泯（mǐn）泯纷纷：纷乱的样子。这里指后人对《诗经》解读众说纷纭。⑳宜：合适、合理。 ㉑内德：内在的德行。纯茂：纯正美好。 ㉒神：神灵。罔（wǎng）：没有。时：相当于"所"。恫（tōng）：哀痛。 ㉓外行：外在的行为。恂（xún）达：通达。 ㉔四方：四方邦国，指邻国。侮：欺侮。 ㉕就：久。将：长。缉：通"辑"，收集。熙（xī）：光明。 ㉖《颂》：《诗经》中《颂》的部分，主要以祭神的宗庙乐歌为主。形容：形容歌颂。 ㉗不足道：说得不够。㉘微言奥义：精微语言中所包含的深奥含义。 ㉙既：既然，已经。自得：自己理解，有所心得。 ㉚承学之臣：从事学问的大臣。训释：训诂、解释。厥（jué）：代词，其。遗：遗漏的地方。 ㉛乐：乐于。共：共同分享。 ㉜顾：表示轻微的转折，类似于"不过"。 ㉝如：好像。爝（jué）火：炬火，小火。㉞赓（gēng）：连续，持续。 ㉟姑：姑且。承：接受。明制：圣明的诏制。

㊱代匮(kuì):填补空缺。匮,缺乏。 ㊲传:这里指《庄子》。 ㊳作人:培养人才。寿考:长寿。 ㊴追琢:雕琢。章:花纹、文采。 ㊵缵(zuǎn):继承。圣志:圣人(指周文王)的志向。 ㊶尚庶几:表示希望。及见:能够见到。

【译文】

《诗经》三百一十一篇,它们的意义都存在,辞句亡佚的只有六篇而已。皇上已经让王雱训释它的字句,又让我等训释它的诗义。书成以后,颁赐给太学,散布至全天下,又让我做序言。于是我恭谨拜首写道:

《诗经》向上通达于道德,向下停止于礼义。效仿它诗句的文义,君子就能兴起。依循它的道义次序,圣人就能成功。孔子的门徒子贡、子夏仅体会到一句诗,孔子便很高兴并勉励他们。大概《诗经》难以阐明到了如此地步,于是从周代衰落到现在,各家论说纷乱不清,难道不合情理吗?

尊敬的皇帝陛下,你内心的德行纯正美好,精神未增痛苦,外在的行为通达,于是四方的邦国不敢侵犯侮辱。随着日月推移,学习积累渐至于光明之境,那么《颂》所形容歌颂的,可能还有不足以表达的。《诗经》微言中蕴含的大义,您已经领会了,又命令臣下来训释补缺,乐于和天下人共享。可是我们所知道的,像小的炬火,哪里延续得了日月的余光呢?姑且承接英明的制度,代替空缺罢了。

庄子说:“美满的成就需要长久努力。”所以《棫朴》的作者,谈论长寿,大概是希望有人会精心雕琢玉璋,来继承周文王的志向。我已经衰老了,希望有朝一日能见到。我恭谨地作了这篇序文。

【题解】

《史记》中的“世家”是司马迁为世代袭封的公侯所作，孔子无寸土之封而被列入“世家”，后代颇有争议。王安石认为按照孔子的地位和身份，应该列入“传”；按照他的影响和功绩，升入“本纪”都是可以的。可是孔子的德行不会因为列入“世家”而变大，也不会因为列入“传”而变小，所以作者觉得司马迁是自乱其例。本文观点新颖，非常有说服力。

读《孔子世家》[①]

太史公叙帝王则曰“本纪”，公侯传国则曰“世家”，公卿特起则曰“列传”，此其例[②]也。其列孔子为世家[③]，奚其进退无所据[④]耶？孔子，旅人[⑤]也，栖栖衰季[⑥]之世，无尺土之柄[⑦]，此列之以传宜[⑧]矣，曷为[⑨]世家哉？岂以仲尼躬将圣之资[⑩]，其教化之盛[⑪]，舄奕[⑫]万世，故为之世家以抗[⑬]之？又非极挚[⑭]之论也。夫仲尼之才，帝王可[⑮]也，何特[⑯]公侯哉？仲尼之道[⑰]，世[⑱]天下可也，何特世其家哉？处[⑲]之世家，仲尼之道，不从而大；置之列传，仲尼之道，不从而小。而迁也自乱其例[⑳]，所谓多所抵牾[㉑]者也。

【注释】

①《孔子世家》：是司马迁《史记》中的一篇，主要记录孔子及其弟子的言行事迹。 ②太史公：指司马迁。叙：记叙。公侯：公爵与侯爵，泛指贵族。传国：王位传给子孙。公卿：三公九卿的简称，这里泛指大臣。特起：突起，崛起。例：体例。 ③列孔子为世家：司马迁将无官爵的孔子列入“世家”，不符

合《史记》的常例，所以后世的人如王安石都来讨论。 ④奚其：为什么。进退：前进或后退，这里指安排孔子在书中的位置。据：根据、依据。 ⑤旅人：奔走、客居在外的人。 ⑥栖(xī)栖：忙碌不安的样子。衰季：衰微末世。 ⑦无尺土：没有尺土的分封。柄：权柄、权力。 ⑧传：列传。宜：合适，合理。 ⑨曷(hé)为：为何，为什么。 ⑩岂以：难道是因为、凭借。仲尼：孔子，名丘，字仲尼。躬将：身上持有、带有。圣之资：圣贤的资质。 ⑪盛：兴盛。 ⑫舄奕(tuō yì)：连绵不绝。 ⑬抗：对等。 ⑭极挚(zhì)：最恳切的。 ⑮帝王可：可以作帝王。 ⑯何特：哪里只是、仅仅。 ⑰道：指孔子的思想、学说和道义。 ⑱世：这里的“世”是“世家”的世。 ⑲处：位置，位于。 ⑳自乱其例：自己扰乱自己的体例。 ㉑抵牾(dǐ wǔ)：抵触、矛盾。

【译文】

太史公记叙帝王就称之为“本纪”，诸侯袭国就称之为“世家”，公卿中有特别突出的就称之为“列传”，这就是他的体例。但他把孔子列入“世家”，为什么司马迁如此没有依据地安排进退呢？孔子是羁旅之人，忙碌奔走于衰败的末世，没有寸土的权柄。把他放在“列传”中就可以了，为什么要进入“世家”呢？难道因为他身负圣人的资格，可以令教化兴盛，连绵不绝以至万世，所以列入“世家”以匹配他吗？这也不是最中肯的言论。以仲尼的才华，做帝王都可以，何止诸侯呢？仲尼的道义，全天下都可继承，何止让家族继承呢？列入“世家”，仲尼的道义不会随之变大；列入“列传”，仲尼的道义也不会随之变小。司马迁是自己打乱了自己的体例，这就是所谓的矛盾抵触的地方。

【题解】

“战国四君子”养有大量的食客，后人对他们褒贬不一。针对世人称扬“孟尝君能得士”，王安石在读完《史记·孟尝君传》后给予反驳。作者认为孟尝君所养的士，只不过是一群鸡鸣狗盗之徒。如果有真正的贤士，依靠齐国的强大，应该可以战胜秦国。

读《孟尝君传》

世皆称孟尝君能得士①，士以故归之②，而卒赖其力以脱于虎豹之秦③。嗟乎！孟尝君特鸡鸣狗盗之雄耳④，岂足以言⑤得士？不然⑥，擅⑦齐之强，得一士焉，宜可以南面而制秦⑧，尚何取⑨鸡鸣狗盗之力哉？夫鸡鸣狗盗之出其门⑩，此士之所以不至也。

【注释】

①得士：得到、收罗士人。 ②以故：因此，所以。归之：归附、投靠他。 ③卒：最终。赖：依赖、依靠。脱：逃脱。虎豹之秦：像虎豹一般凶残的秦国。 ④特：只是。雄：头领。耳：而已、罢了。 ⑤岂足以言：哪里足够谈得上。 ⑥不然：如果不是这样。 ⑦擅（shàn）：独揽，占有。 ⑧宜：应该。南面：面朝南方。制秦：制服秦国。 ⑨尚何：为什么还。取：采用。 ⑩出其门：出自他的门下。

【译文】

世人都说孟尝君能收罗士人，士人也因此归附于他，而孟尝君也最终依靠士人的力量逃离了虎豹一般的秦国。唉！孟尝君只是鸡鸣狗盗之徒的头领而已，岂能够称得上善于收罗士人？不然，他凭借齐国的强大，真的得到一个贤士，应该可以朝南而坐，制服秦国，又何须依靠鸡鸣狗盗之人的力量呢？那些鸡鸣狗盗之徒都出自他的门下，这就是真正的贤士之所以不来的原因吧。

【题解】

本文是作者在阅读《史记·刺客列传》后的感想。管仲建议齐桓公不要违背答应曹沫的要求是想取信一时；豫让被智伯以国士之礼对待，却不能救智伯于亡，不值得赞扬；聂政和荆轲隐忍以待重用的时机与现在士人求仕类似。王安石的史论往往能独出机杼，不落古人和书本的窠臼，非常精彩。

书《刺客传》后[①]

曹沫将而亡人之城[②]，又劫天下盟主[③]，管仲因勿倍以市信[④]一时，可也。予独怪智伯国士[⑤]豫让，岂顾不用其策[⑥]耶？让诚[⑦]国士也，曾不能逆策三晋[⑧]，救智伯之亡，一死区区[⑨]，尚足校[⑩]哉？其亦不欺其意[⑪]者也。聂政售[⑫]于严仲子，荆轲豢[⑬]于燕太子丹。此两人者[⑭]，污隐困约[⑮]之时，自贵其身[⑯]，不妄愿[⑰]知，亦曰有待[⑱]焉。彼挟道德以待世[⑲]者，何如[⑳]哉？

【注释】

①书《刺客传》后：指王安石读完《刺客传》后将感想写于其后。 ②将：担任将领。亡人之城：败亡君主（指鲁庄公）的城池。 ③劫：劫持。天下盟主：指齐桓公。 ④勿：不要。倍：通“背”，背叛。市信：买取诚信。 ⑤独怪：唯独感觉到奇怪。国士：以国士之礼对待。 ⑥岂：难道。顾：表示轻微的转折，类似于“反而”、“却”。策：计策。 ⑦让：豫让。诚：确实。 ⑧曾(zēng)：竟然。逆策三晋：指预先谋划对付韩、赵、魏三家。 ⑨一死：指豫让因替智伯报仇而被赵襄子杀害。区区：小，少。形容微不足道。 ⑩尚：尚

且,还。足:值得。校(jiào):计校。 ⑪不欺其意:不欺骗、违背自己的意愿。 ⑫售:卖,这里指施展自己的才能。 ⑬豢:喂养,这里指供养。 ⑭此两人者:指聂政和荆轲。 ⑮污隐困约:卑污、隐伏、困顿、屈身。 ⑯自贵其身:自己珍惜他们的身体。 ⑰妄:胡乱,随便。愿:仰慕。 ⑱待:等待(时机)。 ⑲彼:那些。挟:挟持,心中怀有。待世:等待理想的世道。 ⑳何如:即如何,怎么样。

【译文】

曹沫作为大将而败亡君主的城池,又劫持天下的盟主齐桓公,管仲因不想违背诺言而想取信一时,是可以的。我唯独奇怪于智伯的国士豫让,难道是智伯不能听用他的计略吗?豫让是真正的国士,曾经不能预先谋划三晋以拯救智伯的灭亡,区区一人之死,尚且值得计较吗?他也是不违背自己的心愿了。聂政为严仲子施展才能,荆轲由燕太子丹供养,这两个人,处于卑污、隐伏、困顿、屈身之时,珍爱自己的身体,不胡乱让人仰慕和知晓,也是有所等待的。而那些凭借道德来等待理想的世道的人,又怎么样呢?

【题解】

这是一篇替李翱正名的文章。王安石读完李翱的文集之后，认为他持论高尚。可是《唐书·李翱传》中却说他"一不得职，则诋宰相以自快"。作者觉得史官的记载有失公允，史书中的记载是"世之浅者，固好以其利心量君子"，不可尽信。在王安石看来，李文公只是好恶之心太重，而且他以推贤进善为务，"一士之不显，至寝食为之不甘"，是对李翱极大的肯定和赞美。

书《李文公集》[①]后

文公非董子作《士不遇赋》，惜其自待不厚。[②]以予观之，《诗》三百，发愤于不遇者甚众[③]。而孔子亦曰："凤鸟不至，河不出图，吾已矣[④]夫！"盖叹不遇也。文公论高[⑤]如此，及观于史[⑥]，一不得职，则诋宰相以自快[⑦]。今吾于人也，听其言而观其行[⑧]，言不可独信久矣[⑨]。虽然[⑩]，彼宰相名实固有辨[⑪]。彼诚[⑫]小人也，则文公之发[⑬]，为不忍[⑭]于小人可也。为史者[⑮]，独安取其怒之以失职耶[⑯]？世之浅者[⑰]，固好以其利心量[⑱]君子，以为触宰相以近祸[⑲]，非以其私[⑳]，则莫为[㉑]也。夫文公之好恶[㉒]，盖所谓皆过其分[㉓]者耳。方其不信[㉔]于天下，更[㉕]以推贤进善为急。一士之不显[㉖]，至寝食为之不甘[㉗]，盖奔走有力[㉘]，成其名而后已[㉙]。士之废兴[㉚]，彼各有命[㉛]。身非王公大人之位，取其任而私之[㉜]，又自以为贤，仆仆然忘其身之劳[㉝]也，岂所谓知命者耶？《记》曰："道之不行，贤者过之，不

肖者不及[34]也。”夫文公之过[35]也，抑其所以为贤欤[36]？

【注释】

①《李文公集》：李翱（772—844），字习之，唐代陇西成纪（今甘肃秦安）人，官至山南东道节度使，谥号为文，世称李文公。曾师从韩愈学习古文，并协助韩愈推行古文运动。著有《李文公集》。　②文公：李翱。非：否定，反对。董子：即董仲舒（公元前179—前104），西汉广川郡（今属河北省枣强县）人。惜：可惜。自待：对待自己。不厚：不宽厚。　③发愤：激起愤慨。不遇：不被知遇。甚众：很多。　④凤鸟：即凤凰，古人视为祥瑞之鸟，有圣明的君主，会出现凤凰。河图：相传上古伏羲之时，黄河中有龙马背负八卦图而出。已矣：已经快停止完结了。　⑤论高：议论高尚。　⑥及：等到。观于史：读史书中有关李翱的记载。　⑦一不得职：一旦得不到职务。诋，诋毁，毁谤。自快：自我感觉快乐。　⑧今吾于人也，听其言而观其行：这句话的意思是说，现在我看一个人，除了看他的言语之外，还要看他的行动。　⑨言不可独信久矣：这句话的意思是：不能仅相信一个人的言语，很久以来就这样。⑩虽然：虽然这样，但是。　⑪彼宰相：指李逢吉。名实：名目和实效。固有辨：固然需要分辨。　⑫诚：确实。　⑬发：发作，指诋宰相一事。　⑭为：因为。不忍：不能容忍。　⑮为史者：指写史书的人。　⑯独：单单，偏。安：表示疑问，相当于“怎么”。取：取用，引用。其：他，指李翱。怒之以失职：因李逢吉失职而发怒。耶（yé）：表示疑问，相当于“呢”。　⑰世之浅者：世上的浅薄之人。　⑱利心：功利之心。量：度量，衡量。　⑲触：抵触、触犯。以：而。近祸：临近祸害。　⑳非以：不是因为。私：私心、私利。　㉑则：就。莫为：不会做。　㉒好恶：喜欢或厌恶。　㉓皆：都。过其分：即过分，这里指好恶过分鲜明。　㉔方：正当。信：通“伸”，伸展（抱负）。　㉕更：更加。　㉖显：显扬，显达。　㉗至：以至。甘：甜。　㉘奔走有力：积极有力地奔赴效劳。㉙成其名：成就他们的名声。已：停止。　㉚废兴：兴亡和衰败，这里指士人受重用与冷落。　㉛命：天命，命运。　㉜取其任：取代他们的职责。私之：视为自己的。　㉝仆仆然：奔赴劳顿的样子。劳：辛劳。　㉞道：中庸之道。

过：超过。不及：没有达到。 ㉟过：过错。 ㊱抑：表示推测，相当于“或许”。以为贤：自己以为自己很贤能。欤（yú）：文言助词，表示疑问或反诘语气。

【译文】

李文公认为董仲舒虽然自己写了《士不遇赋》，可惜他对待自己却不宽厚，于是对董仲舒有所不满。在我看来，《诗经》三百篇，关于愤慨于自己不被知遇的篇目很多。而孔子也曾说：“凤鸟没有来，黄河中的图版也不出现。我快差不多了吧！”大概是感叹自己不被知遇。李文公的议论高尚到如此程度，等到我读《唐书》时，关于他的记载却是他一旦得不到官职，就用诋毁宰相来自娱。孔子说：“如今我看人，除了听他的言谈还要观察他的行为。”可见，不能只相信言论，很久以来就是这样。

虽然如此，那个宰相的名声和实质固然要分辨。如果他真是小人，那么李文公所发议论，是因为不能容忍小人，是可以的。作为一个史官，怎么可能只记叙他是为了未能作知制诰而发怒呢？世上肤浅的人，向来喜欢用他的功利之心来度量君子，以为得罪宰相而招惹祸害之事，如果不是因为私利就不会去做。

李文公的好恶之心，大概就是我们所说的太过分了。当他不能伸展抱负于天下时，他急切地推荐进用贤才。哪怕有一个士子没有被任用，都会为此而寝食难安。然后奔走效劳，成就他人名声之后才停止。士人的兴废各自有天命安排。本来就没有身居王公大臣的职位，却行使这样的权力而视为自己的，又自以为贤能，奔走劳苦以致忘记了身体的疲劳，难道是所谓的知晓天命吗？《礼记》上说：“道义之不通行，是因为贤能的人过火了，而不肖的人又达不到。”李文公的过失，或许就是因为他作为贤能之人做得太过火了吧？

【题解】

本文是王安石给他舅舅吴蕃的诗集所作的序文。文中先历数吴蕃所居住的灵谷山的独特环境：文章、木材、洞穴和恢谲的景观都出于其中，并且有淑灵和清之气。然后再写吴蕃“孝悌忠信”和“以文学知名”的行能。最后写他的诗文创作，浩然自养，游于山川，“啸歌讴吟，以寓其所好，终身乐之不厌”。

《灵谷诗》[1]序

吾州之东南有灵谷[2]者，江南之名山也。龙蛇之神[3]，虎豹、翚翟之文章[4]，楩柟、豫章、竹箭之材[5]，皆自山出，而神林、鬼冢、魑魅之穴[6]，与夫仙人、释子恢谲之观[7]，咸附托[8]焉。至其淑灵和清[9]之气，盘礴委积[10]于天地之间，万物之所不能得者，乃属[11]之于人，而处士君实生其址[12]。

君姓吴氏，家于山阯[13]，豪杰之望[14]，临[15]吾一州者，盖五六世，而后处士君出焉。其行孝悌[16]忠信，其能以文学知名于时[17]，惜乎其老矣，不得与夫虎豹、翚翟之文章，楩柟、豫章、竹箭之材，俱[18]出而为用于天下，顾[19]藏其神奇，而与龙蛇杂[20]此土以处[21]也。然君浩然有以自养[22]，遨游[23]于山川之间，啸歌讴吟[24]，以寓[25]其所好，终身乐之不厌[26]，而有诗数百篇，传诵于闾里[27]。他日，出《灵谷》三十二篇以属其甥[28]曰：“为我读而序之。”惟君之所得[29]，盖有伏而不见者，岂特尽[30]于此诗而已？虽然[31]，观其镵刻[32]万

物，而接之以藻缋[33]，非夫诗人之巧[34]者，亦孰[35]能至于此。

【注释】

①《灵谷诗》：王安石的舅舅吴蕃所作的诗集。吴蕃，字彦弼。本书收有王安石为他写的《金溪吴君墓志铭》。 ②吾州：王安石的家乡抚州，今江西省抚州市。灵谷：即灵谷山，在江西省抚州市临川区，是道教名山。 ③神：神奇。 ④翚翟(huī dí)：羽毛呈五彩色的长尾野鸡。文章：文采。 ⑤楩柟(pián nán)：黄楩木和楠木。豫章：樟树。竹箭：即筱(xiǎo)，一种细竹。材：木材。 ⑥神林：神仙居住的森林。鬼冢(zhǒng)：有鬼的坟墓。魑魅(chī mèi)：古代神话传说中的山神。穴：洞穴。 ⑦夫：指示代词，相当于"这"或"那"。释子：佛祖释迦牟尼的弟子，即僧人。恢谲(jué)：离奇神异。观：道观，观宇。 ⑧咸：全，都。附托：附着、依托，这里指位于灵谷山中。 ⑨淑灵：美善、灵秀。和清：温和、清朗。 ⑩盘礴(bó)：即"磅(páng)礴"，广大无边的样子。委积：堆积、聚积。 ⑪属(zhǔ)：通"嘱"，托付。 ⑫处士君：这是王安石对他舅舅吴蕃的敬称。处士，有才德而隐居不仕的人。址：地点。 ⑬家：安家。山阯(zhǐ)：山脚下。阯：通"址"。 ⑭望：望族，有名望的家族。 ⑮临：到。 ⑯行：行为。孝悌(tì)：孝顺父母称为孝，敬爱兄长称为悌。 ⑰能以文学知名于时：因为文学方面的才能而闻名当时。 ⑱俱：一起，全。 ⑲顾：表示轻微的转折，类似于"不过"。 ⑳杂：混杂。 ㉑处：居住。 ㉒浩然：即"浩然之气"，正大刚直之气。自养：自我修养。 ㉓遨(áo)游：漫游，游历。遨，游逛。 ㉔啸(xiào)：撮口作声，相当于口哨。讴(ōu)：歌唱。吟(yín)：唱。 ㉕寓：寄寓，寄托。 ㉖厌：厌倦。 ㉗传诵：辗转传播诵读。闾(lǘ)里：乡里。古代二十五家为一闾。 ㉘甥(shēng)：自己姐妹的儿子，这里指王安石。 ㉙惟：文言助词，放在句首，无意义。得：心得，收获。 ㉚岂：难道。特：只，仅仅。尽：穷尽、全部。 ㉛虽然：虽然这样，但是。 ㉜镵(chán)刻：雕琢，这里指刻画，描写。 ㉝接：继续。藻缋(huì)：本指水藻和彩色的布帛，后多用来形容文采。 ㉞巧：灵巧。 ㉟孰：谁。

【译文】

我家乡临川东南边有灵谷山，是江南的名山。龙蛇之类的神物，带有错杂花纹的虎豹、雉鸟，以及楩树、柟树、豫章、细竹之类的树木都从灵谷山产出。而神仙的山林、鬼的坟墓、怪物的洞穴与那些仙人、佛徒等离奇诡谲的观宇，全都依托在山中。灵善和清的山气在天地之间环绕沉积。山中万物所不能得到的灵气，于是都赋予了人，而有个处士就生活在它的山脚下。

处士姓吴，安家于山脚下，是豪门望族，居住在我们这个州县，大概五六世了，之后吴处士才出生。他的行为，孝悌忠信；他的能力，以文章学识闻名当时。可惜他老了，不能与那些虎豹、雉鸟等带错杂的花纹的事物及楩树、柟树、豫章、细竹之类的树木一起出山而作用于天下，只好藏匿起他的神奇，与龙蛇之神混杂于土中相处。但他以浩然之气来修养自身，遨游于山川之间，长啸吟诵，以寄托他的爱好，终身以此为乐而不满足。于是有诗几百篇，于乡里间传诵。某天，他摘出灵谷诗中的三十二篇，嘱咐他的外甥王安石说："为我加上句读并撰写序言。"

吴处士的所有心得成果，大概还有隐藏着而没能呈现的，难道这些诗就是全部了吗？虽然如此，看他在诗中刻画万物，又用文藻加以修饰，如果不是诗人心灵巧妙，谁还能做到这样呢？

【题解】

这是一篇送友人去高邮任官、以示鼓励和劝勉的赠序。李氏虽只是任金陵酒政这种闲散的职务，却没有沉沦，反而乐意去认真履职，并以孔子曾任乘田和委吏以自慰。当再次被任命为高邮的关吏时，他仍然喜悦如初。王安石极力赞扬他这种身处下位而从容应对，不乘机钻营的高尚行为，同时对他不被拔举感到惋惜。

送李著作之官高邮序①

君之才②，缙绅③多闻之。初君眂金陵酒政④，人皆惜君不试于剧而沦于卑冗⑤，君将优为⑥之，曰："孔子尝为乘田、委吏矣，会计当而已矣，牛羊蕃⑦而已矣。"既而又得调高邮关吏⑧，人复⑨惜君不试于剧而沦于卑冗，君言如初，色滋蔓⑩喜。

於戏⑪！今之公卿大夫，据徼乘机⑫，钻隙抵巇⑬，仅不盈志⑭，则戚戚⑮以悲，君乃皦然⑯反之，此蒙所以高⑰君也。抑有猜⑱焉，古之柄⑲国家者，有戢景藏采⑳，恬处下列㉑，拔而致㉒之朝，使相谟谋㉓。今岂不若㉔古邪？奚遂㉕君请而弗拔也？

【注释】

①送：送别，送行。著作：即著作郎，宋代的职官名。之：去，到。官：做官，任职。高邮：地名，今江苏省高邮市。序：古代的一种文体，专门用来送别赠言。　②才：才能、才华。　③缙绅（jìn shēn）：也写作"搢绅"或"荐绅"，原指官员将笏版插在衣服腰间的大带上，后多指官员。缙，插。绅，系在衣服外

面的大带。 ④眡：同“视”，监，担任。金陵：地名，今江苏省南京市。酒政：职官名，掌管有关酒的酿造、买卖和税收等事务。 ⑤惜：可惜，惋惜。试：试任，正式任命之前的一种任用。剧：繁重的事务。沦（lún）：沉没。卑冗（rǒng）：卑微、闲散的职务。 ⑥优为：指富有余力地干事。 ⑦乘田：主管牲畜的小官。委吏：管理仓库的小官。会计：记录出入的账目。当：正确。蕃（fán）：繁多。 ⑧调：调任。关吏：管理关市的官员。 ⑨复：又。 ⑩色：面色、气色。滋蔓：滋长、蔓延，指增加。 ⑪於戏：相当于“呜呼”，表示感叹。⑫据徼（jiǎo）：凭借侥幸。乘机：利用机会。 ⑬钻隙：钻营缝隙。抵：抵触。巇（xī）：缝隙。 ⑭盈志：满足自己的志向。 ⑮戚（qī）戚：忧伤的样子。⑯皦（jiǎo）然：清楚明白的样子。 ⑰高：高看，推崇。 ⑱抑：还是。猜：疑虑。 ⑲柄：执掌。 ⑳戢（jí）：收藏、收敛。景：风景。藏：隐藏。采：文采。㉑恬（tián）：坦然，安然。处：位于。下列：下位，指列于卑贱的位置。㉒拔：提拔、选拔。致：招引，使达到。 ㉓相：辅佐，帮助。谟（mó）谋：谋划，指出谋划策。 ㉔不若：不像。 ㉕奚（xī）：疑问代词，相当于“何”。遂（suì）：成功、实现，表示动作的完成。

【译文】

你的才华，缙绅士大夫们大多都听过。最初，你到金陵去处理有关酒的酿造、专卖和税收方面的事务，人们都叹惜你不能被任用于更重要的职务，而沦为卑微零碎的官职，但你却充满干劲地上任，并说：“孔子曾经还当过乘田和委吏，只要账目计算正确、牛羊繁多就可以了。”过了不久，你又被调到江苏高邮管理关市，人们又都可惜你不被任用于更重要的职务，而沦为卑微零碎的官职。你的话和当初一样，脸上有了更多的喜悦。

唉！如今的公卿大夫，占据小道投机取巧，钻抵空隙，稍稍不满足自己的意志，就显示出悲哀的样子。你却同他们截然相反，这就是我高看你的原因。但是我还有疑虑，古代掌握国家权柄，如果有贤才隐而不仕，安于下位，就要把他们提拔到朝廷上来，使他们一起相互出谋划策。难道现在还比不上古代吗？为什么向国君请求却没被提拔呢？

【题解】

孙侔的兄长要去温州做官，孙侔即将随行，王安石作为他的好友，在临别之际写了这篇赠序。王安石先讨论“时然”和“已然”的关系，认为君子秉承圣人之道，不会诎己从时。同时引用孟子不屈从于杨墨之学，韩愈不跟从佛家道教来举例论证，论说精彩而有理据。文章的后半部分表扬孙侔行古之道，相信他会以孟、韩之心为心而不已，并最终能够成功。其中越人望燕的例子形象通俗，令人叹服。

送孙正之[①]序

时然而然[②]，众人也；己然而然，君子也。己然而然，非私己[③]也，圣人之道在焉尔。夫君子有穷苦颠跌[④]，不肯一失诎己以从时[⑤]者，不以[⑥]时胜道也。故其得志于君[⑦]，则变时而之道若反手然[⑧]，彼其术素修而志素定[⑨]也。时乎杨、墨[⑩]，己不然[⑪]者，孟轲氏[⑫]而已；时乎释、老[⑬]，己不然者，韩愈氏[⑭]而已。如孟、韩者，可谓术素修而志素定也，不以时胜道也，惜[⑮]也不得志于君，使真儒之效不白于当世[⑯]，然其于众人也卓[⑰]矣。呜呼！予观今之世，圆冠峨如[⑱]，大裙襜如[⑲]，坐而尧言[⑳]，起而舜趋[㉑]，不以孟、韩之心为心者，果异众人乎？

予官于扬[㉒]，得友曰孙正之。正之行古之道[㉓]，又善为古文，予知其能以孟、韩之心为心而不已者也。夫越人之望燕[㉔]，为绝域[㉕]也。北辕而首之[㉖]，苟不已[㉗]，无不至[㉘]。孟、韩之道去吾党[㉙]，岂若[㉚]越人之望燕哉？以正之

之不已而不至焉，予未之信也。一日得志于吾君，而真儒之效不白于当世，予亦未之信也。

正之之兄官于温[31]，奉其亲以行[32]，将从之[33]，先为言以处[34]予。予欲默[35]，安得而默也？庆历二年[36]闰九月十一日，送之云尔[37]。

【注释】

①孙正之：孙侔，后改名孙侔，字少述，又字正之，宋吴兴（今浙江湖州）人，与王安石、曾巩等友善。 ②时然而然：当时的人认为什么正确，而自己就认为什么正确。 ③非私已：并非私人维护自己。 ④穷苦颠跌：贫穷、清苦、困顿、挫折。 ⑤一失：犯一次错误。诎（qū）己：违背自己的心志。从时：顺从时俗。 ⑥以：用。 ⑦得志于君：志向得到君主的认可，即被赏识和重用。 ⑧变时而之道：改变时俗，使它归向道义。若：像。反手然：反转自己的手掌一样（容易）。 ⑨彼：他。术素修：术业平时已经修炼好。志素定：志向平时已经立定。 ⑩时乎杨、墨：时众推崇杨子和墨子的学说。 ⑪己不然：自己不这样（指与时俗不一样）。 ⑫孟轲氏：即孟子，名轲，字子舆，战国时期邹（今山东邹城市）人，儒家学说的代表人物，被后世尊奉为亚圣。 ⑬释、老：指佛教和道教。 ⑭韩愈氏：即韩愈（768—824），字退之，河南河阳（今河南省孟州市）人，唐宋八大家之一。 ⑮惜：可惜，惋惜。 ⑯真儒：真正的儒者。效：功用、效用。白：显示、昭显。当世：当代。 ⑰卓：高超，不平凡。 ⑱圆冠：圆形的冠帽，是古时儒者的装束。峨如：帽子高高的样子。 ⑲襜（chān）如：（衣服前后摆动）整齐的样子。 ⑳尧言：引用唐尧的言论。 ㉑舜趋：像虞舜一样行走。 ㉒官于扬：在扬州做官。 ㉓行古之道：践行古人的道义。 ㉔越人之望燕：越国人向北远望燕国。越和燕都是春秋时候的诸侯国，越国的都城在今天的浙江绍兴，燕国的都城在今天的北京。 ㉕绝域：极其遥远的地方。 ㉖北辕：向北边驾车。首之：以燕国为目的地。 ㉗苟不已：如果不停止。 ㉘无不至：不会不达到。 ㉙去：距离。吾党：我

辈。 ㉚岂若：哪里比得上。 ㉛温：温州，治所在永嘉(今浙江温州)。 ㉜奉其亲以行：侍奉、带着他的亲戚一起去温州。 ㉝从之：跟从他的哥哥。 ㉞为言：写文章。处：安，安慰。 ㉟默：沉默不言。 ㊱庆历二年：即公元1042年，庆历是北宋仁宗赵祯使用过的第六个年号，从1041年至1048年，共计八年。 ㊲云尔：语气助词，一般放在句末，表示“如此而已”。

【译文】

当时的人认为正确，自己就认为正确的，是一般人。自己认为正确就正确的，是君子。自己认为怎样就怎样，这并非私下维护自己，而是因为圣人的道义在心中。君子即使遇到穷苦，也不肯犯一次过失，委屈自己去顺从时事，因为他们不认为时事可以战胜道义。所以他们如果得到君王的赏识，就会把时事改向道义，如同翻转手掌一般容易，他们的术业一直在修炼，他们的志向一直很坚定。当时流行杨朱、墨子的学说，而不跟从的只有孟子。当时流行佛教、道教，而自己不跟从的只有韩愈。孟子、韩愈，可以算作术业平日一直在修炼、志向平日一直都很坚定的人了，不为时事战胜道义。可惜他们得不到君王的赏识，真正的大儒家的功效未能在世上施展，但是他们比起众人，也算杰出的了。唉！我看如今的世道，圆帽耸立，大裙摆动，坐下来就引用唐尧的话，站起来就像虞舜一样行走，不把孟子、韩愈那样的心志作为自己心志的人，果真异于常人吗？

我在扬州做官，认识了一个朋友叫孙正之。孙正之践行古人的道义，又擅长写古文。我知道他能把孟子、韩愈的心志作为自己的心志而且是不会停止的。越国人远望燕国，以为那是极远的地方。车辕向北而前行，如果不停止，没有不能到达的地方。孟子、韩愈的道义离我们的距离，难道像越国人远望燕国一样遥远吗？说孙正之坚持不懈也不能达到，我是不会相信的。有朝一日能得到君王的赏识，而真正儒者的功效不能在世上施展，我也不会相信。

孙正之的哥哥在温州做官，侍奉他的亲戚也将一起去，孙正之也要同去，便先以文章来安慰我。我想沉默不说话，可哪里能够沉默呢？所以庆历二年闰九月十一日送他，便说了这些。

【题解】

曾巩与王安石交好，曾写有《怀友一首寄介卿》一篇，作者便作此文以回赠和寄别。文中谈论自己的两个好友曾巩和孙侔，二人一在江南一在淮南，未曾谋面相语，可是他们的言行非常相似，并且相互信任不疑。王安石认为这是他们都学习圣人之道的缘故。曾巩的《怀友一首寄介卿》中提到“望中庸之域”，王安石在回信中说道，愿意与他共同进步。

同学一首别子固[1]

江之南[2]，有贤人焉，字子固，非今所谓贤人者，予慕而友之[3]。淮之南[4]，有贤人焉，字正之[5]，非今所谓贤人者，予慕而友之。二贤人者，足未尝相过[6]也，口未尝相语[7]也，辞币未尝相接[8]也。其师若友[9]，岂尽同[10]哉？予考[11]其言行，其不相似者，何其[12]少也！曰：“学圣人而已矣。”学圣人，则其师若友，必学圣人者。圣人之言行，岂有二[13]哉？其相似也，适然[14]。

予在淮南，为正之道[15]子固，正之不予疑[16]也。还江南[17]，为子固道正之，子固亦以为然。予又知所谓贤人者，既相似又相信不疑也。

子固作《怀友》一首遗[18]予，其大略欲相扳以至乎中庸[19]而后已。正之盖亦常云尔。夫安驱徐[20]行，轥中庸之庭[21]，而造于其堂[22]，舍[23]二贤人者而谁哉？予昔非敢自必[24]其有至也，亦愿从事于左右[25]焉尔。辅而进[26]之，其可

也。噫[27]！官有守[28]，私有系[29]，会合不可以常[30]也，作《同学一首别子固》，以相警且相慰[31]云。

【注释】

①同学：共同学习圣人。一首：一篇，即指这篇文章。别：赠别。子固：曾巩(1019—1083)，字子固，建昌军南丰(今江西省南丰县)人，后来居于临川，北宋散文家、史学家、政治家，唐宋八大家之一。 ②江之南：长江以南。③慕：钦慕。友之：与他结为朋友。 ④淮之南：淮河以南。 ⑤正之：即孙侔。 ⑥足：脚。未尝：未曾，没有。相过：相互拜访、来往。 ⑦相语：相互说话。 ⑧辞币：书信和礼物。接：交接、接触。 ⑨师若友：老师和朋友。若，和、与。 ⑩岂：哪里。尽同：全部相同。 ⑪考：考察、观察。 ⑫何其：多么。 ⑬二：两种，指不一样。 ⑭适然：合理、当然。 ⑮道：说，谈起。⑯不予疑：即不疑予，不怀疑我。 ⑰还江南：回到江南(指江西临川)。⑱遗：给予，赠予。 ⑲扳：通"攀"，指拉着王安石一起。中庸：儒家提倡的道德标准，要求不偏不倚，不要太过，也不要不及。 ⑳驱：驱动、前进。徐：缓慢。 ㉑辚(lìn)：车轮碾过。庭：庭院。 ㉒造：到达。堂：厅堂。 ㉓舍：舍弃。 ㉔自必：自己断定、肯定。 ㉕从事于左右：指追随在曾巩身边，向他学习。 ㉖辅而进：辅佐我，然后让我进步。 ㉗噫(yī)：文言叹词，表示感慨、叹息。 ㉘官有守：当官有一定的职守。 ㉙私有系：个人私下又有杂事牵系。 ㉚会合：指相逢，见面。常：经常。 ㉛警：警示、警戒。慰：安慰，慰问。

【译文】

长江的南边有个贤人，字子固，他并非现在所谓的贤人，我钦慕他而与之成为朋友。淮河的南边有个贤人，字正之，他并非现在所谓的贤人，我钦慕他而与之成为朋友。这两个贤人，脚未曾走到一起，口未曾一起交谈，书信和礼物也未曾相互接受。他们的老师和朋友，难道都相同吗？我考察他们的言行，他们之间不同的地方，多么少啊！原因是：他们都学习圣人。学习圣人，那么他们的老师和朋友，必定也是学习圣人的人。圣人的言行，岂能两样呢？他们相似也就合理了。

我在淮南，向孙侔说起曾巩，孙侔并不怀疑我所说的话。等我回到江南，向曾巩说起孙侔，曾巩也认同我的话。我又明白了，所谓的圣贤之人，既相似且又相互信任且不猜疑。

曾巩写了一篇《怀友》诗赠给我，诗大略是想和我相互促进，一起达到中庸的境界才会停止。孙侔大概也经常这样说。安稳地驾着车，缓缓徐行，而到达中庸的堂室，舍弃这两个贤人，那还有谁能一起呢？我过去不敢认为自己一定能达到，但我也愿意跟随在他们的左右。他们帮助我进步，或许也是可以的。

唉！当官有一定的职守，私事又有牵挂，所以会面相聚不可能经常如愿，于是作《同学一首别子固》，用来相互警示、安慰。

【题解】

本文是王安石为度支副使的厅壁写的题记，目的是记录历任三司副使的政事，强调其职位对于国民生计的重要性。宋代专设盐铁、度支和户部“三司”主理全国的财政，王安石从“合天下之众者财，理天下之财者法，守天下之法者吏”的角度，讨论良吏的作用。有良好的法律制度，再选择优秀的官吏来守之，这样才能理好天下的钱财。而这篇题词的作用就是，记载、考求这些副使的政事，以观察其贤与不肖，供后人借鉴。

度支副使厅壁题名记[①]

三司副使[②]不书前人名姓。嘉祐五年[③]，尚书户部员外郎吕君冲之[④]，始稽之众史[⑤]，而自李纮已上至查道得其名[⑥]，自杨偕已上得其官[⑦]，自郭劝已下又得其在事之岁时[⑧]，于是书石而镵之东壁[⑨]。

夫[⑩]合天下之众者财，理天下之财者法[⑪]，守天下之法者吏[⑫]也。吏不良则有法而莫[⑬]守，法不善则有财而莫理。有财而莫理，则阡陌闾巷之贱人[⑭]，皆能私取予之势[⑮]，擅万物之利[⑯]，以与人主争黔首[⑰]，而放其无穷之欲[⑱]，非必贵强桀大[⑲]而后能。如是[⑳]，而天子犹[㉑]为不失其民者，盖特号[㉒]而已耳。虽欲食蔬衣敝[㉓]，憔悴其身[㉔]，愁思其心[㉕]，以幸天下之给足[㉖]，而安吾政，吾知其犹不得[㉗]也。然则善吾法而择吏[㉘]以守之，以理天下之财，虽上古尧、舜犹不能毋以此为先急[㉙]，而况于后世之纷

纷[30]乎？

三司副使，方今之大吏[31]，朝廷所以尊宠之甚备[32]。盖今理财之法有不善者，其势皆得以议于上而改为[33]之，非特当守成法[34]，吝出入[35]，以从有司之事[36]而已。其职事如此，则其人之贤不肖[37]，利害施[38]于天下如何也！观其人，以其在事之岁时，以求其政事之见于今者[39]，而考其所以佐上理财之方[40]，则其人之贤不肖，与世之治否[41]，吾可以坐而得[42]矣。此盖吕君之志[43]也。

【注释】

①度支副使：宋代职官名，即三司度支副使，主要掌管财政收支。厅壁：官府办公的厅堂中的墙壁。题名记：刻在官署墙壁上，叙述官署的创置、历任官员的文字。　②三司副使：三司是宋代设立的中央财政部门，包括盐铁、度支和户部三个部门。设三司使一人，总理所有事物，三个部分各设一名副使，主管本部门，称为"三司副使"。　③嘉祐五年：即公元1060年，嘉祐是北宋赵祯使用过的第九个也是最后一个年号，从1056年至1063年，共计八年。　④吕君冲之：吕景初，字冲之，宋开封酸枣(今河南延津)人。　⑤始：开始。稽(jī)：稽查，查考。众史：大量的史籍。　⑥李纮(hóng)：字仲纲，宋代宋州楚邱(今河南滑县)人，历任梓州、陕西、河北路转运使，后迁为侍御史知杂事，任三司度支副使。已上：以前。至：到。查道：字湛然，宋代歙州休宁(今属安徽黄山)人，因举贤良方正，授右正言、直史馆，后出为西京转运使，又被召入京任工部员外郎，充任度支副使。得其名：查出他们的名字。　⑦杨偕：字次公，宋代坊州中部(今陕西黄陵)人，以尚书户部员外方郎兼侍御史知杂事，判吏部流内铨，后又改为三司度支副使。得其官：查到了他们的官职。　⑧郭劝：字促褒，宋代郓州须城(今山东东平)人，先以兵部员外郎兼起居舍人出使西夏，后兼侍御史知杂事，权判流内铨，迁工部郎中、度支副使。已下：以后。在事：任职。岁时：时间，年月。　⑨镵(chán)：凿、刻。东壁：东边的墙壁。

⑩夫：发语词，用在句首，无意义。 ⑪理：管理。法：法令。 ⑫守：维护、遵守。吏（lì）：泛指大小官员。 ⑬莫：不，不能。 ⑭阡（qiān）陌：田间小路。东西走向的叫作阡，南北走向的叫作陌。闾巷：街巷，指民间。贱人：身份卑贱的人。 ⑮私：私自拥有。取予之势：指操纵财货的权力。 ⑯擅（shàn）：占有、独揽。万物之利：天下一切货物的利益。 ⑰以：用来。与：和。人主：人民之主，即君王。争：争抢。黔（qián）首：指平民百姓。 ⑱放：放纵、放任。无穷之欲：没有穷尽的欲望。 ⑲贵强桀大：贵族、豪强、俊杰、高大的人物。 ⑳如是：如果这样。 ㉑犹：仍然，还。 ㉒盖：大概，大约。特：只是，仅仅。号：称号。 ㉓食蔬：吃蔬食。衣敝（bì）：穿破旧的衣服。 ㉔憔悴（qiáo cuì）其身：使身体憔悴。 ㉕愁思其心：内心愁苦、思虑。 ㉖幸：希望，侥幸。给（jǐ）足：供给充足。 ㉗不得：无法得到、实现。 ㉘善吾法：完善我们的法令制度。择吏：选择官吏。 ㉙不能毋（wú）：不得不。先急：优先和急切的事。 ㉚纷纷：动乱不安的样子。 ㉛方今：当今，如今。大吏：大官。 ㉜尊宠：尊敬和宠幸。甚：非常。备：完备，周道。 ㉝议于上：在朝堂上商议。改为：改正。 ㉞非特：并非只是。当：应当。守成法：遵守现成的法令。 ㉟吝：过分爱惜财物。出入：支出与收入。 ㊱从有司之事：按照有关部门的职责办事。 ㊲贤不肖（xiào）：贤与不贤。 ㊳利害：好与坏。施：施行。 ㊴政事之见于今者：政令到如今还在施行的。 ㊵佐上：辅佐皇上。方：方法。 ㊶治否：昌盛与否。 ㊷坐而得：坐在哪里，很容易就能知道。 ㊸吕君：指吕景初。志：（刻题于石的）意图。

【译文】

盐铁、度支、户部三个部门的副使，以前历届任此职的人都没有名字记载。嘉祐五年，尚书户部员外郎吕冲之开始稽考大量史书，从李纮以上，直到查道为止，查得到了他们的名字。从杨偕以上，查到了他们的官职，从郭劝以下，又查到了他们的任职年月。于是将他们的姓名、官职和年月刻在石头上，镶嵌在官厅的东壁。

聚合天下之民靠的是钱财，管理天下的钱财靠的是法令，维护天下法令靠的是官吏。官吏不称职，即使有法令也不能坚守。法令不完善，即使有钱财也无法管理。有钱财而无法管理，那么农村和城市身份卑微的人，都可以私自拥有操纵财货的权力，擅自垄断万物的利润，来和皇帝争夺百姓，而放纵无法穷尽的欲望，并非只有贵族豪强才能这样。如果这样，而天子仍然不失去他的人民的话，大概也只是一个名号而已。这时，即使只吃蔬菜、穿破衣服，忙得身体憔悴，内心忧愁，以希望天下能够补给充足而使政权安稳，我知道这也是不行的。既然这样，那么完善我们的法令，选择良吏来守住法令，以法令来管理天下的钱财，即便是上古的唐尧、虞舜，也不能不把这些当成最重要和急切的事。更何况后世的动荡纷纷呢。

三司副使，是今天重要的官吏，朝廷因此尊敬宠幸他们，凡事都完备。大概现在管理钱财的法令有不完善的，三司副使有权在朝廷上议论并修改，而不只是应当维护既定的法令，吝惜钱财的出纳和收支，来完成有司的任务而已。三司副使的职责如此，那么他们的贤或不肖，给全天下带来的利害将怎么样呢？观察他们在位的年月，来寻求他们当时施行并流传至今的措施，再考察他们辅助皇上时管理钱财的方法，那么他们是贤能还是不肖，以及当时政事的治乱，我们只需要坐在这里就可以知道了。这大概就是吕冲之刻题于石的意图吧。

【题解】

城郭之完，甲兵之设是国家抵抗外部侵略最基本的设施。依智高叛乱，能出入各州，就是因为城郭和甲兵的不完备。所以王安石在《桂州新城记》中称扬广南西路经略安抚使余靖修筑桂州城。余靖因为“费之欲以卫其材，劳之欲以休其力”，所以尽管在修城过程中有大费大劳，但百姓并未感到劳累。作者进一步上升到遇到困难，要有可图之具、可守之人和可治之法，才能久存无败的高度，这既是对余靖的肯定，同时也是对在上位者的谏言。

桂州新城记[①]

依智高反南方[②]，出入十有二州[③]。十有二州之守吏[④]，或死或不死[⑤]，而无一人能守其州者。岂其材皆不足欤[⑥]？盖夫城郭之不设[⑦]，甲兵之不戒[⑧]，虽有智勇[⑨]，犹不能以胜一日之变[⑩]也。唯天子亦以为任其罪者不独[⑪]守吏，故特推恩褒广死节[⑫]，而一切贷[⑬]其失职。于是遂推选士大夫所论以为能[⑭]者，付之经略[⑮]，而今尚书户部侍郎余公靖当广西[⑯]焉。寇平[⑰]之明年，蛮越接和[⑱]，乃大城[⑲]桂州。其方[⑳]六里，其木、甓[㉑]、瓦、石之材，以枚[㉒]数之，至四百万有奇[㉓]。用人之力，以工[㉔]数之，至一十余万。凡所以守之具[㉕]，无一求而有不给者焉。以至和元年[㉖]八月始作[㉗]，而以二年之六月成[㉘]。夫其为役[㉙]亦大矣。盖公之信于民也久，而费之欲以卫其材[㉚]，劳之欲以休其力[㉛]，以故为是有大费与大劳，而人莫或以为勤[㉜]也。

古者君臣、父子、夫妇、兄弟、朋友之礼失[33]，则夷狄横而窥中国[34]。方是时[35]，中国非无[36]城郭也，卒于陵夷、毁顿、陷灭而不救[37]。然则[38]城郭者，先王有之[39]，而非所以恃而为存[40]也。及至喟然觉寤[41]，兴起旧政[42]，则城郭之修也，又尝不敢以为后[43]。盖有其患而图之无其具[44]，有其具而守之非其人，有其人而治之无其法[45]，能以久存而无败者，皆未之闻也。故文王之兴也，有四夷之难，则城于朔方，而以南仲[46]；宣王之起也，有诸侯之患，则城于东方，而以仲山甫[47]。此二臣之德[48]，协[49]于其君，于为国之本末与其所先后[50]，可谓知之矣。虑之以悄悄之劳[51]，而发赫赫之名[52]；承之以翼翼之勤[53]，而续明明之功[54]，卒所以攘戎夷而中国以全安[55]者，盖其君臣如此，而守卫之有其具也。

今余公[56]亦以文武之材，当明天子承平日久、欲补弊立废[57]之时，镇抚一方[58]，修捍[59]其民，其勤于今，与周之有南仲、仲山甫盖等[60]矣，是宜有纪[61]也。故其将吏相与谋而来取文，将刻之城隅[62]，而以告后之人焉。至和二年九月丙辰[63]，群牧判官、太常博士王某[64]记。

【注释】

①桂州：宋代属于广南西路，是广南西路经略安抚司所在地，今天的广西省桂林市。新城：新修的城池。记：古代用来记人物、事件、山川名胜或器物建筑的一种文体。 ②侬(nóng)智高反南方：据史书记载，北宋仁宗皇祐四年(1052)，广南蛮夷侬智高在广源州造反，攻破邕州之后连陷九州岛，然后进军广州。建国家，国号为“大南”。第二年被狄青所败，逃往大理国，最后不知所终。 ③出入十有二州：指侬智高先后占领广南东西两路的邕州、横州、贵

州、龚州、浔州、藤州、梧州、封州、唐州、端州、昭州、宾州十二个州郡。④守吏:驻守城池的官员。⑤或死或不死:有的死亡,有的没死。⑥材:才能。皆:全,都。不足:不足够(守城)。欤(yú):文言助词,表示疑问或反诘语气。⑦盖:大概、大约。夫:文言助词,用于句中,舒缓语气。城郭:城指内城的墙,郭指外城的墙,后来泛指城市。设:建设。⑧甲兵:铠甲与兵器,泛指武器和装备。戒:准备。⑨智勇:智谋和勇敢。⑩犹:仍然,还是。以:用来。胜:禁得起。一日:一旦,突然有一天。变:变动,指动乱。⑪唯:助词,放在句首,无意义。任其罪:承担罪责。不独:不仅仅。⑫故:于是,所以。特:专门,特地。推恩:推广、扩大恩惠。褒(bāo)广:夸奖并扩大。死节:为守节义而死。⑬贷:宽恕、饶恕。⑭遂(suì):就。论:论定,议论。能:能干。⑮付:交给,托付,这里指任用。经略:宋代职官名,掌管一路的军政事务。⑯而今:如今。尚书户部侍郎余公靖当广西:余靖,字安道,宋代韶州(今广东韶关)人。余靖是北宋仁宗天圣年间的进士,任集贤校理、右正言。后因支持庆历新政被排挤辞官。后任广南西路经略安抚使,知桂州。⑰寇(kòu)平:盗贼(指侬智高)被平定。⑱蛮越接和:指境内的蛮夷与境外的越人恢复和平的关系。⑲大城:大规模地建城。⑳方:指城的边长。㉑甓(pì):砖。㉒枚:量词,相当于"个"。㉓有奇:还有零头、多余。㉔工:一个人干一天活为"一工"。㉕守之具:守城用的器具。㉖至和元年:即公元1054年。至和是北宋仁宗赵祯的第八个年号,从公元1054到1056年,共计三年。㉗作:兴建、建造。㉘成:建成。㉙役(yì):劳役,劳动。㉚费之:让他们花费。欲:想要,希望。卫其材:保卫他们的财产。㉛劳之:让他们劳动。休其力:休养他们的体力。㉜莫或:没有。勤:劳苦。㉝礼:礼仪规范。失:缺失。㉞夷狄(yí dí):古代夷指中原东边的少数民族,狄指中原北边的少数民族,后来夷狄泛指华夏族以外的其他民族。横:横行,蛮横。窥(kuī):窥探,指偷偷寻找可乘之机。中国:中原地区。㉟方是时:正在这个时候。㊱非无:并非没有。㊲卒:最终,最后。陵夷:衰颓、衰落。毁顿:破败、倒坍。陷灭:沦陷、灭亡。不救:无法拯救。㊳然则:既然这样,那么。 ㊴先王：前代的君主。有之：拥有、修建。 ㊵恃(shì)：依赖，依靠。为存：能够保存。 ㊶及至：等到。喟(kuì)然：形容叹气的样子。觉寤：觉悟，醒悟。寤(wù)，通“悟”。 ㊷兴起：振兴、起用。旧政：旧的政策。㊸后：落在他人之后。 ㊹患：战乱。图：考虑。无其具：没有的抵御的设施。㊺治：治理、管理。法：方法。 ㊻兴：兴起。四夷：对东夷、南蛮、北狄和西戎的合称，泛指少数民族。难：忧患。城：驻扎。朔(shuò)方：北方。以：用。南仲：人名，周文王的卿士；还有一种说法，认为南仲是周宣王的大臣。 ㊼宣王：周宣王，姓姬，名静。西周第十一代君主。仲山甫：周宣王的大臣。㊽二臣：指南仲和仲山甫。德：德行。 ㊾协：协助。 ㊿于：对于。为国：治理国家。本末：这里比喻事情的主次。先后：事情的先后顺序。 51虑：思考、忧虑。悄悄：忧心忡忡的样子。劳：操劳。 52发：发出。赫(hè)赫：显著盛大的样子。名：名声。 53承：承担。翼翼：恭谨谨慎的样子。勤：勤劳。54续：接续、继承。明明：明亮。功：功绩。 55卒：最后。攘(rǎng)：攘除，排斥。戎夷：古代称西方的少数民族为戎，东边的少数民族为夷，这里泛指少数民族。全安：完整而安定。 56余公：即余靖。 57明天子：圣明的天子。承平：治平相承接，即持久太平。日久：长久。欲：想要。补弊：补救弊端。立废：恢复荒废的事。 58镇抚：镇守、安抚。一方：一片地区。 59修：治理。捍(hàn)：捍卫，保护。 60等：相等，相同。 61宜：应该。纪：记载。 62城隅(yú)：城墙的某个角落。 63丙辰：古代干支纪年和纪日，丙辰指农历九月初一，公历九月二十四日。 64群牧判官：宋代职官名，是群牧司的属官，协助群牧使管理马政。太常博士：宋代职官名，属于太常寺，主管礼仪。王某：即王安石。

【译文】

依智高在南方造反，进出十二个州。而这十二个州的守将，有死的有没死的，但是没有一个人能守住州城。难道是他们的才能不足以守城吗？大概是城墙没有建设好，兵器都没准备好，即使有智有勇，还是不能应对突如其来的变故。皇上也以为承担罪名的并非只有守城的官吏，所以只对殉节的人广加施恩和褒奖，而宽免其他的人一切失职行为。于是就推选士大夫们所论定以为有能力的人，托付他们担任经略安抚使，而命如今尚书户部侍郎余靖经略广西。

盗贼平叛的第二年，蛮越等少数民族接受议和，于是桂州大建城池。这座城方圆六里，使用的木头、砖、瓦、石头等材料，论个数计算，有四百多万之多。使用的人力，以工作日来计算，达二十多万。凡是守城的器具，没有一件要求而不供给的。从至和元年(1054)八月开始建造，在至和二年(1055)六月建成。使用的劳役也算很多了，大概受到人民的长期信任，余公花费钱财的时候想着保卫人民的财产，劳役人民的时候想着让他们休息，所以即使是这样的大费与大劳，人民也并未感到太劳累。

古时候，君臣、父子、夫妇、兄弟、朋友之间的礼仪都消失了，于是夷狄强横便来窥探中原。那个时候，中原并非没有城郭，但最后还是衰落、破败，陷灭而不能拯救。既然这样，那么这些城郭，是先王拥有，并非是用来恃以存活的保障。等到觉醒了，重修旧政，而城郭的修建也不敢滞后。大概是有忧患才考虑到没有防御的设施，有防御的设施而镇守的又不是有才能的人，有才能的人镇守而治理他们又不得其法，所以能长久存在而不败亡的，从来都没有听过。所以文王兴起之时，有来自四方各少数民族的忧患，于是在北方建城，用南仲来镇守；等到周宣王时期，有诸侯的叛乱，于是在东方建城，用仲山甫来镇守。这两个臣子有德行，辅助他们的君王，对他们国家的本末先后，可以说是很明白的。忧心忡忡地思虑和操劳，发出他的赫赫威名，承继前人的勤勉，延续显赫的功劳。最后之所以能清除夷狄而让中原保全安定，大概是因为他们君臣有这样的德行，且具备防御的设施。

如今余公凭借文武之才，处于明君之位太平已久，想要修补弊病、重新恢复荒废的旧政的时候，他镇守一方，休养保护这里的人民，他如今的勤勉，和周朝的南仲、仲山甫大致相同，这应该有所记录。所以他的部下相互谋划而来找我索要文章，将这些刻在城角上，来告诉后来的人。至和二年九月丙辰日，群牧判官、太常博士王安石记。

【题解】

太丘陈氏家中有灵芝生于庭，因而专门建阁楼贮藏。王安石便因此事而作了这篇《芝阁记》。可是文中没有描写阁楼和灵芝本身，而是专门探讨灵芝在真宗和仁宗时期所受到的天壤之别的待遇。真宗封禅泰山，喜欢祥瑞之物，"上有所好，下必甚焉"，于是全国的大臣野老极力搜寻。仁宗谦让不德，禁止祥瑞之物，将灵芝等神奇之产捐弃于原野。作者在讥讽和褒奖的同时，还发出了士之贵贱与时机相关的感慨。

芝阁[①]记

祥符[②]时，封泰山以文[③]天下之平，四方以芝来告者万数。其大吏[④]，则天子赐书以宠嘉[⑤]之，小吏若[⑥]民，辄锡金帛[⑦]。方是时[⑧]，希世有力[⑨]之大臣，穷搜而远采[⑩]，山农野老[⑪]，攀缘狙杙[⑫]，以上至不测之高[⑬]，下至涧溪壑谷[⑭]，分崩裂绝，幽穷隐伏[⑮]，人迹之所不通[⑯]，往往求[⑰]焉。而芝出于九州四海[⑱]之间，盖几于尽[⑲]矣。

至今上[⑳]即位，谦让不德[㉑]。自大臣不敢言封禅，诏有司以祥瑞告者皆勿纳[㉒]。于是神奇之产[㉓]，销藏委翳于蒿藜榛莽[㉔]之间，而山农野老不复[㉕]知其为瑞也。则知因一时之好恶[㉖]，而能成[㉗]天下之风俗，况于行先王之治[㉘]哉？

太丘陈君[㉙]，学文而好奇[㉚]。芝生于庭，能识其为芝，惜其可献而莫售[㉛]也，故阁于其居之东偏[㉜]，掇取[㉝]而藏

之。盖其好奇如此。

噫[34]！芝一[35]也，或贵[36]于天子，或贵于士，或辱于凡民[37]，夫岂不以时[38]乎哉？士之有道，固不役[39]志于贵贱，而卒[40]所以贵贱者，何以异哉？此予之所以叹也。

皇祐五年十月日[41]记。

【注释】

①芝阁：收藏灵芝的阁楼。芝，灵芝，古代视为仙草，预示着祥瑞。②祥符：即大中祥符，是北宋真宗赵恒的第三个年号，从公元1008年至公元1016年，共计九年。 ③封泰山：战国时期，有些儒生认为五岳中的泰山最高，君王应登泰山筑坛祭天，称之为“封”；在山南梁父山辟基祭地，称之为“禅”。后世很多帝王都去泰山封禅，以示自己政绩辉煌，天下太平。文：文饰。 ④大吏：大官。 ⑤赐书：颁赐诏书。宠嘉：宠爱嘉奖。 ⑥若：和。⑦辄(zhé)：就。锡：通“赐”，赏赐。金帛：黄金和丝绸，泛指钱财。 ⑧方是时：正在这个时候。 ⑨希世：迎合世俗。有力：拥有权力。 ⑩穷搜：极力搜寻。远采：四处采摘。 ⑪山农野老：山野的老农。 ⑫攀缘：援引其他东西而上升，这里指攀登。狙杙(jū yì)：猴子爬木桩，形容动作矫捷。 ⑬不测之高：不可测量的高度。 ⑭涧(jiàn)溪：涧的溪水。壑(hè)谷：山沟。⑮幽穷隐伏：幽深隐蔽。 ⑯人迹：人的足迹。不通：无法通过。 ⑰求：寻求。 ⑱九州四海：指全国各地。 ⑲几于尽：几乎穷尽，指灵芝被采完了。⑳今上：如今的皇上，指北宋仁宗赵祯，公元1022年至1063年在位。 ㉑谦让：谦虚礼让。不德：不认为自己有德行。 ㉒诏：皇帝发布的文书命令。以：用。祥瑞：吉祥的征兆，是儒家认为的表达天意、对人有益的自然现象。告：上告，告诉。勿纳：不要采纳。 ㉓产：物产。 ㉔销藏：销毁、藏匿。委：通“萎”，枯萎。翳(yì)：通“殪”，枯死，倒伏于地。蒿藜榛莽(hāo lí zhēn mǎng)：蒿草、蒺藜、榛子、野草。泛指各种丛生的杂草。 ㉕不复：不再。㉖好恶：喜欢或厌恶。 ㉗成：养成，形成。 ㉘况：何况。行先王之治：推行

先王的政教。 ㉙太丘：地名，位于今天河南省永城。陈君：名字和生平事迹不详。 ㉚好奇：喜欢神奇的事物。 ㉛可献：可以进献。莫售：无法卖出，指朝廷不接受。 ㉜阁：名词用作动词，建阁楼。居：居住的地方。东偏：东边。 ㉝掇(duō)取：摘取。 ㉞噫(yī)：文言叹词，表示感慨、叹息。 ㉟芝一：灵芝还是一样，没有变化。 ㊱贵：珍视。 ㊲辱：辱没，埋没。凡民：平凡的农民。 ㊳时：时机。 ㊴固：固然，本来。役：使唤，驱使。 ㊵卒：最终，最后。 ㊶十月日：十月某日。

【译文】

大中祥符年间，宋真宗封禅泰山以文饰天下太平，全国四方拿灵芝来报告朝廷的数以万计。其中高级别的官吏，天子就赏赐诏书加以恩宠和嘉奖；低级的官吏和平民百姓，就赏赐金银和布帛。那个时候，迎合世俗又掌握重权的大臣们，派人一个劲儿地搜集灵芝，跑到远方去采集。山野里的老农，攀援上山，像猕猴一样爬树，向上到达不可测量的山崖，向下到达山涧和峡谷。那些分绝崩裂、幽深隐蔽而人迹罕至的地方，往往都有人跑去寻求。而灵芝出于九州四海之间，却差不多都快被采光了。

等到如今皇上即位，他谦让，不以德行自居。从大臣以下不敢提及封禅之事，诏告有关部门，以祥瑞来报告的，不要接纳。于是神奇的物产都被销毁、藏匿、委弃于杂草丛林之间，而山野老农不再知道什么是祥瑞的事物了。于是我们知道一时的好恶，就能形成天下的风气和格调，更何况是推行先王的政教呢？

太丘县的陈君，钻习文学又喜欢奇异的东西。灵芝生长在他的庭院中，惋惜它可以呈献朝廷，却不能施行。于是他在住房的东边建了一个阁楼，采了灵芝将它藏在阁楼中。大概他喜欢奇异之物到了这般地步。

唉！灵芝从来都是一样的，有的被天子所珍视，有的被士人所珍视,有的被平民所辱视,难道这不都是时机不同的缘故吗?有道义的士人,固然不会将志向放在是否贵贱上面,但最终有贵贱的分别,这与灵芝的遭遇又有什么差异呢?这就是我之所以感叹的原因。

嘉祐五年(1053)十月某日记。

【题解】

皇祐三年(1051),张衡治理信州的第二年,发生水灾,城池遭到严重破坏。等到水降之后,他便开始兴修城池。王安石的《信州兴造记》就是记录这件事情。文中详细记载钱物、木材和人力的来源和使用情况。同时还描述了建造牢狱、驿站、宅屋、亭榭、梁舟、城垣等细节。张公善于规划调度,所以城郭室屋全部建完后,百姓丝毫没有被财物和役力所累。于是作者铭记他救灾补败的政绩。

信州兴造[①]记

晋陵张公治信之明年[②],皇祐三年[③]也,奸强帖柔[④],隐诎发舒[⑤],既政大行[⑥],民以宁息[⑦]。夏六月乙亥,大水[⑧]。公徙囚于高狱[⑨],命百隶戒[⑩],不共有常诛[⑪]。夜漏半[⑫],水破城[⑬],灭府寺[⑭],苞民庐居[⑮]。公趋谯门[⑯],坐其下,敕吏士以桴收[⑰]民,鳏孤老癃[⑱]与所徙之囚,咸[⑲]得不死。

丙子,水降[⑳]。公从宾佐按行隐度[㉑],符县调[㉒]富民水之所不至者,夫钱户[㉓]七百八十六,收佛寺之积材[㉔]一千一百三十有二。不足,则前此公所命富民出粟以赒[㉕]贫民者二十三人,自言曰:"食新[㉖]矣,赒可以已[㉗],愿输粟直以佐材费[㉘]。"七月甲午,募人城[㉙]水之所入,垣郡府之缺[㉚],考监军[㉛]之室,立司理之狱[㉜]。营州之西北亢爽之墟[㉝],以宅屯驻[㉞]之师,除其故营[㉟],以时教士刺伐坐作之法[㊱],故所无也[㊲]。作驿[㊳]曰饶阳,作宅曰回车。筑二亭于南门之外，左曰仁，右曰智，山水之所附[39]也。梁[40]四十有二，舟[41]于两亭之间，以通车徒之道[42]。筑一亭于州门之左，曰宴，月吉所以属宾[43]也。凡为梁一，为城垣九千尺，为屋八。以楹数[44]之，得[45]五百五十二。自七月九日，卒[46]九月七日，为[47]日五十二，为夫一万一千四百二十五。中家[48]以下，见城郭室屋之完[49]，而不知材之所出，见徒之合散[50]，而不见役使之及己[51]。凡故之所有必具[52]，其所无也，乃[53]今有之。故其经费卒不出县官之给[54]。公所以救灾补败之政[55]如此，其贤于世吏[56]远矣。

今州县之灾相属[57]，民未病灾[58]也，且有治灾之政[59]出焉。弛舍之不适[60]，裒取之不中[61]，元奸宿豪舞手以乘民[62]，而民始病。病极[63]矣，吏乃始警然[64]自喜，民相与诽[65]且笑之，而不知也。吏而不知为政，其重困民[66]多如此。此予所以哀[67]民，而闵[68]吏之不学也。由是而言，则为公之民[69]，不幸而遇害灾，其亦庶乎无憾[70]矣。十月二十日，临川王某[71]记。

【注释】

①信州：地名，北宋属江南东路，今江西省上饶市。兴造：施工建造。②晋陵张公：指张衡，晋陵（今江苏省常州市）人。治信：治理信州，指担任信州知州。明年：第二年。③皇祐三年：即公元1051年。皇祐是北宋仁宗赵祯使用过的第三个年号，从公元1049至公元1054年，共计六年。④奸强：邪恶豪强之人。帖柔：服帖、柔顺。⑤隐诎（qū）：隐藏的冤屈。发舒：发散舒展。⑥既：既而，随即。政大行：政教盛行。⑦宁息：安定休息。⑧大水：发大水，水灾。⑨徙（xǐ）：迁徙，迁移。囚（qiú）：囚犯，犯人。高狱：高山。狱，通“岳”。⑩命百隶戒：命令一百个隶役警戒看守。⑪不

共：不遵守法令（指逃跑）。共，通“恭”。常诛：一定的刑罚。 ⑫夜漏半：指半夜。 ⑬水破城：大水冲破城池。 ⑭灭：淹没。府寺：官署。 ⑮苞：通“包”，包围。庐居：房屋。 ⑯趋（qū）：迅速地走。谯（qiáo）门：有瞭望楼的城门。 ⑰敕（chì）：告诫、命令。吏士：泛指官府属吏。以：用。桴（fú）：小竹筏。收：营救。 ⑱鳏（guān）：没有妻子或妻子过世的男子。癃（lóng）：年老多病的人。 ⑲咸：全，都。 ⑳水降：水退下去了。 ㉑从：带领。宾佐：幕宾佐吏。按行：巡行。隐度：审度。 ㉒符县：用官符号令下属各县。调：调拨。 ㉓户：每户。 ㉔积材：沉积的木材。 ㉕粟（sù）：粟米，即小米。赒（zhōu）：救济。 ㉖食新：吃新收获的粮食。 ㉗已：停止。 ㉘愿：愿意。输：捐献。粟直：卖粟的钱。直，通“值”，价钱。佐：资助，辅佐。材费：材料花费。 ㉙募（mù）人：招募工人。城：修城，筑城。 ㉚垣（yuán）：城墙，这里用作动词，修筑城墙。郡府：郡守的官署。缺：残缺。 ㉛考：考察，察看。监军：地方军队中负责监察工作的武官。 ㉜立：建立，兴建。司理之狱：宋代地方监狱归司理参军管辖，所以被称为“司理之狱”。 ㉝营：经营，建设。亢爽：地势高旷。墟（xū）：土丘。 ㉞宅：居住，这里用作动词，指提供住所。屯驻：驻扎。 ㉟除：废除。故营：旧的军营。 ㊱以时：按时。教士：教授士兵。刺伐坐作：刺杀、砍伐、后退、前进。法：战法。 ㊲故所无也：是过去所没有的。 ㊳驿（yì）：驿站，古代给传递公文的人中途休息、换马的地方。 ㊴附：依附，环绕。 ㊵梁：桥梁。 ㊶舟：这里用作动词，行船。 ㊷通车徒之道：车和人的通道。徒，人。 ㊸月吉：每月初一。属宾：聚集宾客。 ㊹楹（yíng）：堂屋前部的柱子。数：计算。 ㊺得：得到。即总计。 ㊻卒：完成，竣工。 ㊼为：用。 ㊽中家：中等家庭。 ㊾完：重新整修。 ㊿合散：聚合和分散。 (51)役使：劳役、使用。及己：发生到自己身上。 (52)故之所有必具：过去所有的，现在一定都具备了。 (53)乃：才。 (54)给：支付。 (55)救灾：拯救灾害。补败：修补破败。政：政令。 (56)世吏：当今的官吏。 (57)相属：相接连。 (58)病灾：因灾难受到损害。 (59)治灾之政：治理灾难的政绩。 (60)弛舍之不适：指对富人摊派钱物宽松不适度。弛舍，松弛、舍弃。

㉑裒(póu)取:收取(物资)。裒,聚集。不中:不适当。 ㉒元奸:大奸之人。宿豪:长期存在的豪强。舞手:耍弄手段。乘民:乘人之危。 ㉓极:极端,顶点。 ㉔謷(áo)然:傲慢的样子。 ㉕诽(fěi):背地议论、指责。 ㉖重困民:加重了人民的痛苦。 ㉗哀:同情、怜悯。 ㉘闵(mǐn):通“悯”,怜悯。 ㉙为公之民:成为张公治下的百姓。 ㉚庶乎:几乎,差不多。憾:遗憾。 ㉛王某:即王安石。

【译文】

晋陵张公治理信州的第二年,即宋仁宗皇祐三年,奸猾强横之人都服帖了,冤屈得到伸张,政教盛行,人民宁静休息。这年夏天六月乙亥日,发大水。张公把囚犯们转移到高山上,命令一百个官隶看管,下令如果他们不恭敬想逃跑就会有刑罚。到了半夜,水冲破城墙,淹没了官舍,包围了人民房舍。张公赶忙跑到有瞭望楼的城门,坐在楼下,敕令官兵们用竹筏营救人民,孤寡老弱和转移的囚犯都得以不死。

丙子日,水退了。张公带领宾客随从出巡视察、审度,传令下属各县水没到过其家的富民,每户出钱七百八十串,收集寺庙积累的木材一千一百三十二根。仍不够,先前张公所命令再拿出粟谷来接济贫民的三十三个富民,主动说:“新粮收割后,救济就可以停止,愿意拿出买粮食的钱来资助修理房屋的费用。”于是张公招募人民修建大水冲毁的城墙,修补官舍残缺的矮墙,考察监军的房室,建立司法监狱,营造信州西北方的地势高旷的土丘成为营房,来驻扎军队,废除原来的旧营房,时常教士兵们刺、砍、坐、立的方法,这是原来所没有的。营造驿站叫饶阳,营造的住房叫回车。又修筑两个亭子于南门外,左边的叫仁,右边的叫智,依附于山水旁边。有四十二座桥,又用船在两座亭子之间作为车辆和行人的通道。修筑一个亭子在州城门的左边,叫宴亭。每月初一,用来会聚宾客。共建造城墙九千尺,建造房屋八间。数一下楹柱，有五百五十二根。从七月甲午日开始到九月丙戌日完成，共用了五十二天，用了一万一千四百二十五个人力。中等以下的人家，看到城墙房屋重新整修，却不知道木材从哪里来，看见人们聚合散开，却不见劳役波及自己。凡是原来旧有的必定具备，原来没有的，如今也有了。张公救济灾害、恢复破坏的政绩就是这样，他比当下一般官吏要贤良很多。

现今州县的灾害接连不断，人民没有害怕灾难，而且有治理灾害的政绩出现。施舍不恰当，聚敛索取不合理，大奸贼和豪强耍弄手段以欺凌人民，人民就开始害怕了。人民害怕，官吏们便开始傲慢自喜，人民都争相责骂嘲笑他们也不知道。官吏做官却不知道去治理政务，只是加重了百姓的困难，他们大多都是像这样。这就是我怜悯百姓，而痛惜官吏不学习的原因。如此说来，作为张公的臣民，即使不幸遭遇灾害，他们也几乎没有遗憾了。某月某日临川王安石记。

【题解】

王安石在多篇文章中强调上古学校制度和井田法在人才培养和任用方面的重要作用。可是到了宋代学校早就已经衰颓为孔庙，甚至是佛寺和道观。宋仁宗虽然革旧变法，允许立学校于天下，但州县中士人的数量要达到两百才可以立学。慈溪县的士人只能在孔庙中学习。刘在中曾想修复破败的孔庙，没有开始便被调走。后来林肇才因民钱以作孔庙，又请杜醇为师。至此学校才得以建立，教化才有望复兴。王安石详细记录了建学的始末，表达了他的喜悦心情。

慈溪县学[①]记

天下不可一日而无政教[②]，故学不可一日而亡于天下。古者井天下之田[③]，而党庠、遂序、国学[④]之法立乎其中。乡射饮酒[⑤]、春秋合乐[⑥]、养老劳农[⑦]、尊贤使能[⑧]、考艺选言[⑨]之政，至于受成、献馘、讯囚[⑩]之事，无不出于学[⑪]。于此[⑫]养天下智仁、圣义、忠和之士，以至一偏一伎一曲[⑬]之学，无所不养。而又取士大夫之材行完洁[⑭]，而其施设已尝试于位而去[⑮]者，以为之师。释奠、释菜[⑯]，以教不忘其学之所自[⑰]；迁徙、逼逐[⑱]，以勉其怠而除其恶[⑲]。则士朝夕[⑳]所见所闻，无非所以治天下国家之道，其服习[㉑]必于仁义，而所学必皆尽其材[㉒]。一日取以备公卿大夫百执事[㉓]之选，则其材行皆已素定[㉔]，而士之备选者，其施设亦皆素所见闻而已，不待阅习[㉕]而后能者也。古之在上者，事不虑而尽[㉖]，功不为而足[㉗]，其要[㉘]如此而已。

此二帝、三王所以治天下国家而立学之本意[29]也。

后世无井田之法，而学亦或存或废[30]。大抵[31]所以治天下国家者，不复皆[32]出于学。而学之士，群居、族处[33]，为师弟子之位[34]者，讲章句、课[35]文字而已。至其陵夷之久，则四方之学者，废[36]而为庙，以祀[37]孔子于天下，斫木抟[38]土，如浮屠、道士法[39]，为王者象[40]。州县吏春秋帅其属释奠于其堂[41]，而学士者或不预[42]焉。盖庙之作[43]，出于学废，而近世之法然[44]也。今天子[45]即位若干年，颇修[46]法度，而革近世之不然者[47]。当此之时，学稍稍[48]立于天下矣，犹[49]曰县之士满二百人，乃得[50]立学。于是慈溪之士，不得有学，而为孔子庙如故[51]，庙又坏不治[52]。今刘君在中言于州[53]，使民出钱，将修而作之，未及为而去[54]。时[55]庆历某年也。

后林君肇[56]至，则曰："古之所以为学者吾不得而见[57]，而法者吾不可以毋循[58]也。虽然[59]，吾之人民于此，不可以无教。"即因民钱[60]，作孔子庙，如今之所云[61]，而治其四旁为学舍[62]，讲堂其中[63]，帅[64]县之子弟，起先生杜君醇[65]为之师，而兴于学[66]。噫[67]！林君其有道者耶[68]！夫吏者，无变今之法[69]，而不失古之实[70]，此有道者之所能也。林君之为，其几于此[71]矣。

林君固贤令[72]，而慈溪小邑[73]，无珍产淫货[74]，以来四方游贩[75]之民；田桑[76]之美，有以自足[77]，无水旱之忧[78]也。无游贩之民，故其俗一而不杂[79]；有以自足，故人慎刑而易治[80]。而吾所见其邑之士，亦多美茂之材[81]，易成[82]也。杜君者，越之隐君子[83]，其学行宜为[84]人师者也。夫以小

邑得贤令，又得宜为人师者为之师，而以修醇一[85]易治之俗，而进美茂易成之材，虽拘[86]于法，限于势[87]，不得尽[88]如古之所为，吾固信其教化之将行[89]，而风俗之成[90]也。夫教化可以美风俗，虽然，必久而后至于善。而今之吏，其势不能以久也。吾虽喜且幸[91]其将行，而又忧夫来者之不吾继[92]也，于是本其意以告来者[93]。

【注释】

①慈溪：地名，即今天的浙江省宁波市慈溪县。县学：古代供生员读书的学校。慈溪县学在慈溪孔庙。 ②政教：政治和教化。 ③井天下之田：用井田法划分全天下的土地。 ④党：古代的地方户籍编制单位，五百家为一党。庠：古代的学校。遂：道路。序：与“庠”一样，都指古代的学校。国：都城。学：国学。 ⑤乡射饮酒：据《仪礼·乡射礼》记载，每年春秋，乡下属的各州要聚集民众学习射箭，来教导他们学习礼让。而在行乡射礼之前，要先行乡饮酒礼。 ⑥春秋合乐：郑玄注《礼记》记载，古代学生春季入学，用菜祭奠先师，秋季考核评定才艺高低。春季要合舞，秋季要合声。 ⑦养老：赡养老者。劳农：慰劳农民。 ⑧尊贤：尊重贤才。使能：任用能人。 ⑨考艺：考核技艺。选言：选择言论。 ⑩受成：接受议和。献馘：古代战争中割敌人的左耳朵来计数献功。讯囚：审讯囚犯。 ⑪学：学校。 ⑫于此：如此。 ⑬一偏：偏向于某一个方面。一伎：相当于一技之长。一曲：局部的知识。曲，偏僻的地方。 ⑭材行：才能和品行。完洁：完备高洁。 ⑮施设：措施。尝：曾经。试：试用、试行。位：官位。去：离开，指退休。 ⑯释奠：古代在学校设置酒食以祭奠先圣先师的一种典礼。释菜：古代入学时祭祀先圣先师的一种典礼。 ⑰自：起源。 ⑱迁徙(xǐ)：被流放到边远地区。逼逐：驱逐。 ⑲勉：勉励。怠(dài)：懈怠，怠慢。除：去除，铲除。恶：不好的人。 ⑳朝夕：早晨和傍晚，指整天。 ㉑服习：熟悉。 ㉒尽其材：竭尽他们的才能。 ㉓一日：一旦。百执事：百官。执事，掌管事情的人，即官员。 ㉔素定：事先

确定。 ㉕不待：不用等待，即用不着。阅习：训练演习。 ㉖虑：忧虑、考虑。尽：完备。 ㉗功：功绩、政绩。不为：不作为。足：足够、充足。 ㉘要：要害，核心。 ㉙二帝：唐尧和虞舜。三王：夏禹、商汤和周文王。立学：设立学校。本意：本来的意愿。 ㉚或存或废：有的保存有的废弃。 ㉛大抵：大概，大致。 ㉜不复：不再。皆：都，全。 ㉝群居：成群地聚居于一处。族处：像家族一样住在一起。 ㉞位：位分。 ㉟课：学习。 ㊱废：废卒。㊲祀(sì)：祭祀。 ㊳斫：用刀、斧等砍。抟：用手揉。 ㊴浮屠：也作“浮图”，指佛教，或佛教徒。法：做法。 ㊵为王者象：为王者做塑像。 ㊶州县吏：州和县的官员。春秋：春天和秋天。帅其属：带领他们的下属。堂：指庙宇的大堂。 ㊷预：参与。 ㊸作：兴起。 ㊹法然：法度就是这样。 ㊺天子：即宋仁宗。 ㊻颇(pō)：很，相当地。修：治理。 ㊼革：革除，变革。不然者：不正确的事。 ㊽稍稍：逐渐。 ㊾犹：仍然，还是。 ㊿乃得：才能。 51如故：像原来一样。 52治：修理。 53刘君在中：刘在中，生平事迹不详。言于州：向州里进言。 54未及为：没来得及做。去：离开。 55时：当时。56林君肇：林肇，据《宝庆四明志》记载，林肇于庆历五年任慈溪县令。 57古之所以为学者：古代是怎么样创办学校的。吾不得而见：我无法见到。
58法者：国家的法令，指“县之士满二百人，乃得立学”。毋(wú)：不。循(xún)：遵守。 59虽然：虽然这样。 60即：于是，立即。因：依靠。民钱：人民的钱财。 61如今之所云：像今天的法律所说的那样。 62治：修建。四旁：指孔庙的四周。学舍：学校的房舍。 63讲堂其中：将讲堂设在中间。64帅：同“率”，率领。 65起：兴用，聘用。杜君醇：杜醇，原来是浙江一带的隐士，后居慈溪，学者称他为石台先生，是“庆历五先生”之一。 66而兴于学：最后终于兴办起了县学。 67噫(yī)：文言叹词，表示感慨、叹息。
68有道者：有道德之人。耶(yé)：文言语气助词，用于句末，表示判断、感叹。
69无变今之法：不改变当今的法令。 70不失古之实：不失去古代学校的本质。 71几于此：差不多像这样了。 72固贤令：固然是贤德的县令。
73小邑(yì)：小的县城。邑，城市。 74珍产：珍贵的物产。淫货：奢侈工巧的货物。 ⑮以:用以,用来。来:招来,招揽。游贩(fàn):往来贩卖。 ⑯田桑:农田和桑树,比喻农业。 ⑰自足:满足自己。 ⑱水旱之忧:水灾和干旱的忧虑。 ⑲俗一而不杂:风俗单一而不杂乱。 ⑳慎刑而易治:慎重对待刑罚而容易治理。 ㉑美茂之材:美好、优秀的人才。 ㉒易成:容易成就事业。 ㉓越:本指春秋战国时期的越国,后来用指浙江东部一代的地区。隐君子:隐士。 ㉔学行:学识和德行。宜:适合。为:成为,作为。 ㉕修:治理。醇(chún)一:纯正,纯一。 ㉖拘:限制。 ㉗限于势:被形势所限制。 ㉘尽:完全。 ㉙固信:坚信。行:盛行。 ㉚成:养成,形成。 ㉛幸:高兴,庆幸。 ㉜不吾继:即不继吾,不能继承我们(现在的做法)。 ㉝本其意:基于林肇的意图。告来者:告诉后来之人。

【译文】

天下不可一日没有政教,所以天下不可一日没有学校。古代按井田法划分天下的田地,而党中的庠、遂中的序和国的太学体制也由此建立。乡里射箭、饮酒、春秋合唱、奉养老人、慰劳农民、尊重贤才、任用能人、考核技艺、选择言论的政治,以至于接受议和、贡献敌人首级、审讯囚犯之类的事,没有不是出自学校的。在这里培养全天下智慧、仁德、圣贤、节义、忠诚、谦和的士人,甚至于偏向于某一个方面、某一种技能和某一方面的知识,没有什么不培养的。选取士大夫之中才能德行完备高洁,又曾经在官任上得以施展又退休的人来做老师。举行释奠、释菜的礼仪,是为了教育学生不能忘记他们所学的东西从哪里来。用升迁和驱逐来劝勉他们的懈怠、消除他们的恶行。于是士子们朝夕所见所闻,无非是如何治理天下的道理,他们所服从和学习的必须是仁义的,而所学的知识必定都是竭尽他们的才能。某天成为公卿大夫和百官的候选,那么他们的才能和德行已经早被确定,而备选的士人,那些政务也是平常见过听过的,不需要重新学习之后才能着手做。古时在上位的人,事情不用考虑就能做好,功勋不去建立就足够了，其中要害如此而已。这就是唐尧、虞舜二帝和夏禹、商汤、周文三王治理天下的凭据和建立学校的本意。

后世没有井田法，学校也有的保存，有的废弃。治理天下国家的人，不再都从学校中选拔。而求学的士人，像家族一样群居在一起，分为老师和学生两种位分，只是讲经书中的章句和学习文字而已。等到衰败很久以后，四方的学者，废弃学校而改立成庙宇，来祭祀孔子于全天下。他们砍伐木头，捏泥巴，像和尚和道士那样，给孔子建了王者塑像。州县的官吏在春秋两季，带领臣属在庙堂上以酒食祭奠孔子，而学士们有的并不来参加。大概庙的兴建，是由于学校的废弃而起，近世的法度就是这样。

如今天子已经即位若干年了，大力地修明了法度，革除了近世不对的地方。在这个时候，学校才稍稍建立于天下，可仍然规定，县里的学士满二百人才可以建立学校。因为这样慈溪县的学生不能建学校，还要像过去一样祭祀孔庙。可是孔庙破败而没有修理，现在刘在中上书州里，让人民出钱来修理兴建孔庙，可还没开始他就调走了。当时是庆历年间的某一年。

后来林肇来了，他说："古人怎么建立学样，我没法看见。但国家的法令，我们又不可以不遵循。虽然这样，我们有人民在此地，不可以没有教化。"即依靠人民的钱修建孔庙，像今天的法律所说的那样，在四边修建学舍，在中间构建讲堂。他率领县中的子弟，拜杜醇先生做老师，从而兴起了学校。唉！林肇是有道之人啊！作为官吏，不改变今天的法令，又不失古代学校的本质，这是有道之人才能做到的。林肇君的行为，大概就是这样啊。

林肇固然是贤德的县令，但是慈溪是小县城，没有珍贵的特产和奢侈的货物，来招徕四方的商贩。但田地和桑林的美好，能够自给自足，又没有水旱的忧虑。没有商贩，所以这里的风俗淳正而不杂乱。能自给自足，所以人们慎重对待刑罚而人民容易治理。而我所见到的县中的士人，也很多优秀的人才，容易成就事业。杜醇，是越地隐居的君子，他的学识和德行适宜做老师。小县城得到了贤明的县令，又得到适宜做老师的人为师。具有美好淳朴容易治理的风俗，而进献有优秀又易于成就的人才，虽然局限于法令和形势，不能完全像古人那样作为，但我还是坚信，这里的教化会大行于世，而风俗也会形成。教化可以美化风俗，虽然这样，但是必须过很久后才会完善。而如今官员的任期，势必不能长久，我虽然高兴并且庆幸将会成功，又担忧后来的官吏不能好好继承，所以基于这个意图来告诉后来之人。

【题解】

浮屠慧礼曾经对王安石表达自己想要修整寺庙，然后传给有道之人的心愿。可是当时慧礼以乞食度日，王安石权当戏言。没想到四年之后，他真修建成百二十楹的佛寺，令王安石惊讶和钦佩不已。王安石把佛家与儒士对比观之，士人不像浮屠一般苦身窘形，离性禁欲，优越的环境没有培养出好的德行与才能，这是我们应该深思的问题。

扬州龙兴讲院[①]记

予少时，客游金陵[②]，浮屠慧礼者从予游[③]。予既吏淮南[④]，而慧礼得龙兴佛舍[⑤]，与其徒日讲其师之说[⑥]。尝出而过[⑦]焉，庳屋数十椽[⑧]，上破而旁穿[⑨]，侧出而视后[⑩]，则榛棘出人[⑪]，不见垣端[⑫]。指以语予[⑬]曰："吾将除此而宫[⑭]之。虽然，其成也，不以私[⑮]，吾后必求时之能行吾道者付[⑯]之。愿记以示后之人[⑰]，使不得私焉。"当是时[⑱]，礼方丐食饮以卒日[⑲]，视其居枵然[⑳]。余特戏[㉑]曰："姑成[㉒]之，吾记无难者[㉓]。"后四年，来曰："昔之所欲为，凡百二十楹[㉔]，赖[㉕]州人蒋氏之力，既[㉖]皆成，盍有述[㉗]焉？"噫[㉘]！何其能[㉙]也！

盖[㉚]慧礼者，予知之，其行谨洁[㉛]，学博而才敏[㉜]，而又卒之[㉝]以不私，宜[㉞]成此不难也。世既言佛能以祸福语倾天下[㉟]，故其隆向[㊱]之如此，非徒然[㊲]也，盖其学者之材，亦多有以动世[㊳]耳。今夫衣冠[㊴]而学者，必曰自孔氏[㊵]。孔

氏之道易行也，非有苦身窘[41]形，离性禁欲[42]，若彼之难[43]也。而士之行可一乡、才足一官[44]者常少，而浮屠之寺庙被四海[45]，则彼其所谓材者，宁独礼耶[46]？以彼之材，由[47]此之道，去至难而就甚易[48]，宜其能也。呜呼[49]！失之此而彼得焉[50]，其有以[51]也夫！

【注释】

①扬州：今江苏省扬州市，北宋时是淮南路的治所。龙兴：龙兴寺，位于扬州。讲院：讲经的寺院。 ②客游：在外游历。金陵：今江苏省南京市。 ③浮屠：也作"浮图"，指佛教或佛教徒。从予游：跟随我一起游玩。 ④予既吏淮南：指宋仁宗庆历二年(1042)，王安石中进士，被授予淮南节度判官。 ⑤得：得到，这里指主持。佛舍：佛堂，这里指寺庙。 ⑥徒：徒弟。日讲：每天讲习。说：学说。 ⑦尝：曾经。出：外出。过：经过、拜访。 ⑧庳(bēi)屋：低下的房屋。数十：几十。椽(chuán)：本指房檩上支撑着屋顶的木条，后来代指房屋的间数。 ⑨旁穿：旁边穿洞。 ⑩侧出而视后：从侧面出去，再看后面。 ⑪榛棘：泛指各种荒草。出人：超出人身，即比人还高。 ⑫垣(yuán)端：墙的顶端。 ⑬指以语予：指着这些对我说。 ⑭除：清除。宫：名词用作动词，建造宫室。 ⑮私：私自占有。 ⑯行吾道者：践行我道义的人。付：托付，交给。 ⑰愿记以示后之人：希望(王安石)写下(慧礼)的话用来给后来的人看。 ⑱当是时：在这个时候。 ⑲礼：即慧礼。方：正在。丐(gài)食饮：乞讨吃的和喝的。卒日：度日。 ⑳居：住处，房屋。枵(xiāo)然：空虚的样子。 ㉑特：特意，故意。戏：戏弄。 ㉒姑：姑且。成：建成。 ㉓无难者：没有什么困难的。 ㉔凡：共。百二十：一百二十。楹(yíng)：堂屋前部的柱子。 ㉕赖：依赖，依靠。 ㉖既：已经。 ㉗盍(hé)：何不。述：陈述，记录。 ㉘噫(yī)：文言叹词，表示感慨、叹息。 ㉙何其能：多么能干。 ㉚盖：发语词，用于句首，无意义。 ㉛谨洁：恭谨高洁。 ㉜学博：学识渊博。才敏：才思敏捷。 ㉝卒之：最终。 ㉞宜：应该，理所当然。

㉟既言：既然说。祸福语：谈论祸福。倾天下：倾覆天下。 ㊱隆向：尊崇而向往。 ㊲徒然：无缘无故，偶然。 ㊳动世：震撼世人。 ㊴衣冠：穿上衣服，戴上帽子，指儒者的装束。 ㊵自：源自。孔氏：孔子。 ㊶窘：穷困。 ㊷离性禁欲：远离本性、禁止欲望。 ㊸若彼之难：像他们（浮屠）一样艰难。 ㊹行可一乡：德行得到一乡人的认可。才足一官：才能足以做官。 ㊺被：覆盖。四海：古人认为中国的四周都被大海环绕，所以用“四海”指代全国。 ㊻宁独礼耶（yé）：难道只有慧礼一个人吗？耶，文言语气助词，用于句末，表示反问。 ㊼由：经由。 ㊽去至难而就甚易：抛开最困难的而接近最容易的。 ㊾呜呼：表示感叹。 ㊿失之此而彼得焉：指儒家失去的，而被佛家得到。 51有以：是有原因的。

【译文】

我年轻的时候，在金陵城游玩，慧礼和尚跟我一起游玩。我到淮南任职后，慧礼在扬州主持龙兴寺，给他的徒弟每天讲授他老师的学说。我曾外出经过，那里矮屋几十间，屋顶破败，旁边穿洞，从侧面出去，再看后面，榛棘比人还高，看不见墙头。慧礼指着告诉我说：“我将清除这里来建造宫室。虽然如此，等建成后，不会私自占有，必定要寻求当世能践行我的道义的人然后托付给他。希望你记下来给后来人看，让他们不能私自占有。”当时，慧礼靠乞讨饮食来度日，他的住处也很空虚。我戏弄他说：“如果建成了，我写记也没什么难的。”四年以后他来找我，说：“我过去想建造的宫室，共一百二十根柱子，凭借州县人蒋氏的力量，已经全部建成，为何不记录此事呢？”啊！他是何等能干啊。

慧礼这个人，我了解他。他的行为恭谨高洁，学识渊博而才思敏捷，而且始终没有私心，应该说建成宫室并不难。世间说佛能用谈论祸福来倾覆天下，所以才能如此兴隆，并非平白无故。大概那些有学识佛徒的才智，也有很多让世人震憾的。当今那些穿戴衣冠的学者，必定要说自己出于孔子。孔子之道容易实行，并不需要让自己身体困苦、形象窘迫，远离本性、禁止欲望，不像佛徒一样艰难。而士子中行为受到一乡人的认可，才能足以当官的人经常缺少，而和尚的寺庙却遍布四海，那么他们所说的才能之人，难道只有慧礼吗？凭借他的才能，由这条道路前进，抛开最困难的而接近最容易的，他当然能做到。唉！儒家失去的却被佛家得到了，这大概是有原因的吧！

【题解】

扬州的治所庳狭，与它江南大都会的地位不符。于是刁约重新修建城墙、沟壑、爱思堂、隶武亭；同时有射埒，岁时教士以战射、坐作之法。所有的这些劳役，力出于兵，材资于宫之饶，地瞰于宫之隙，没有烦扰百姓，所以王安石作《扬州新园亭记》来铭记。

扬州[①]新园亭记

诸侯宫室台榭[②]，讲军实[③]，容俎豆[④]，各有制度。扬，古今大都[⑤]，方伯所治处[⑥]。制度狭庳[⑦]，军实不讲，俎豆无以容，不以逼[⑧]诸侯哉？宋公至自丞相府[⑨]，化清事省[⑩]，喟然[⑪]有意其图之也。今太常刁君[⑫]，实集[⑬]其意，会公去镇郓[⑭]，君即而考[⑮]之，占府乾隅[⑯]，夷茀而基[⑰]，因城而垣[⑱]，并垣而沟[⑲]，周[⑳]六百步，竹万个覆[㉑]其上。故[㉒]高亭在垣东南，循而西三十軏[㉓]，作堂曰“爱思”，道僚吏[㉔]之不忘宋公也。堂南北乡[㉕]，袤八筵[㉖]，广[㉗]六筵。直北为射埒[㉘]，列树八百本[㉙]，以翼其旁[㉚]。宾至而享[㉛]，吏休[㉜]而宴，于是乎在。又循而西十有二軏，作亭曰“隶武”，南北乡，袤四筵，广如之[㉝]。埒如堂[㉞]，列树以向[㉟]，岁时教士战、射、坐作之法[㊱]，于是乎在。始[㊲]庆历二年十二月某日，凡若干日卒功云[㊳]。初，宋公之政，务[㊴]不烦其民，是役[㊵]也，力出于兵，材资于宫之饶[㊶]，地瞰于公宫之隙[㊷]，成公志[㊸]也。噫[㊹]！扬之物与监[㊺]，东南所规仰[㊻]，天子宰相所垂意而选[㊼]，继乎宜[㊽]有若宋公者，丞[㊾]乎宜有若刁君

者。金石可弊[50],此无废[51]已。庆历三年[52]四月某日,临川王某[53]记。

【注释】

①扬州:今江苏省扬州市,北宋时是淮南路的治所。 ②诸侯:古代中央政府所分封的各国国君的统称。台榭(xiè):古代在地上夯土做成的高墩称为台,台上的木构房屋称为榭,两者合称为台榭。 ③讲:练习,操练。军实:军事。 ④俎(zǔ)豆:古代祭祀、宴会时用来盛肉类等食物的两种器皿。⑤扬:即扬州。大都:大都市,大都会。 ⑥方伯:商周时期指一方诸侯之长,后来泛指地方长官。治处:治所,官署。 ⑦狭庳(bēi):狭窄低下。庳,低下。 ⑧逼:狭窄。 ⑨宋公:宋庠,字公序。至自丞相府:从丞相府中来到这里。 ⑩化清事省:教化清明、政事简省。 ⑪喟(kuì)然:迅疾的样子。⑫太常:掌管祭祀事务的官员。太常刁君:刁约,字景纯,丹徒(今江苏丹徒)人,曾知太常礼院,后任扬州通判。 ⑬实:真正地。集:成就,成功。⑭会:等到。公:宋公庠。镇郓(yùn):镇守郓州。今山东东平。 ⑮即而:随即。考:考察。 ⑯占:占据。府:府衙,即办公的地方。乾隅(yú):西北角。⑰夷:铲除。茀(fú):杂草。基:打地基。 ⑱因城而垣(yuán)):挨着城墙而修起围墙。 ⑲并垣而沟:和围墙并行挖沟渠。 ⑳周:周长。 ㉑万个:一万株。覆:覆盖。 ㉒故:原来的。 ㉓循:沿着。軏(yuè):本指车上置于辕前端与车横木衔接处的销钉,这里指车辕两端的距离。 ㉔道:表明。僚吏:官员。 ㉕南北乡:南北朝向,即坐北朝南。乡,通"向"。 ㉖袤(mào):南北距离的长度。筵(yán):本指竹席,这里指竹席的长度,约一丈。 ㉗广:东西距离的长度。 ㉘直北:正北。射埒(liè):射箭用的墙。 ㉙本:根,棵。㉚以翼其旁:像羽翼一样在两边遮护。 ㉛享:宴请。 ㉜休:休沐,休息。㉝广如之:即广像袤一样,也是四筵。 ㉞埒如堂:射埒像爱思堂一样。㉟向:与亭相对。 ㊱岁时:每年按时。战、射、坐作:战斗、射箭、后退和前进。法:战法。 ㊲始:开始。 ㊳卒功:完工。云:言语助词,放在句末,无意义。 ㊴务:务必,一定。 ㊵是:这。役(yì):劳役,劳动。

㊶材：材料。资：取资。官：官府。饶：富饶。 ㊷瞰(kàn)：从高处往下看，这里指选中。隙(xì)：空隙，指空地。 ㊸成公志：成全了宋公的志向。 ㊹噫(yī)：文言叹词，表示感慨、叹息。 ㊺物与监：指建筑的规模与形制。 ㊻东南：东南地区。规仰：效法和仰慕。 ㊼垂意：注意，留意。选：即选注，遇有官职缺员时，遴选有资格者补充。 ㊽继：继承。宜：应该。 ㊾丞：辅佐，副手。 ㊿金石：金属和石头。弊：毁坏。 (51)此：指这篇记文。无废：不能废弃。 (52)庆历三年：即公元1043年。 (53)王某：即王安石。

【译文】

诸侯的宫殿堂室、亭台楼榭，用来讲习军事，安放礼器，各有制度。扬州是古往今来的大都会，是地方长官的官署所在地，但它建造得狭小，军事不能讲习，礼器无处安放，这不是让诸侯过于狭窄而感到难堪吗？宋公从丞相上任来到这里后，教化清明，政事简省，马上就想有所作为。现任的太常刁君真正地完成了宋公的意愿，等到宋公去镇守郓州，刁君马上就考察，占据府衙的西北角，夷除杂草而建立墙基，挨着城墙而修起围墙，和围墙并行挖沟渠，四周总长六百步，一万根竹子种在上面。原来的高亭在城墙东南边，沿墙向西三十轭的距离，建厅堂，名叫爱思，为了表明官员们不忘记宋公的教化。爱思堂是南北朝向，长八筵，宽六筵，正北建射墙，种树八百棵，像羽翼一样在两边遮护。宾客来了酒宴的款待，官员休息时的宴请，都在这里进行。沿墙向西十二轭建造亭子，名叫隶武，南北朝向，长四筵，宽也一样四筵，墙像爱思堂一样，排列种树与亭相对，每年按时教士兵们战斗、射箭、后退和前进的方法，就在这里进行。从庆历二年(1042)十二月某日开始建造，一共若干天才完工。最初，宋公管理政事，务必不烦劳人民。这次的劳役，人力出自士兵，财物依赖官府的富饶，地方选在官府宫殿的空隙之处，这都是为了成全宋公的志向。唉！扬州建筑的规模与形制，被东南一带人所效法和仰慕，被天子和宰相所留意并为其选择官员。所选拔的继任者应该是像宋公这样的人，副手应当是像刁君这样的人。金石是可以毁坏烂掉，这篇记文不能废弃。庆历三年(1043)四月某日，临川王安石记。

【题解】

这篇文章是王安石同诸人一同游褒禅山后写的游记。文章前半部分记事，写褒禅山各种异名的来源和游后洞半途而废的经过。后半部分议论，世上奇伟瑰怪、非常之观，常在险远而人迹罕至之地。想要尽情游览这些风景要有志向、体力、不随便怠惰、有物以相之等各种条件。同时王安石还因为路边石碑文漫灭，联想到很多古书散佚不存，而后世谬传，提醒学者深思而慎取之。

游褒禅山[①]记

褒禅山亦谓[②]之华山，唐浮图慧褒始舍于其址[③]，而卒葬[④]之，以故其后名之曰褒禅[⑤]。今所谓慧空禅院者，褒之庐冢[⑥]也。距其院东五里，所谓华阳洞者，以其乃华山之阳[⑦]名之也。距洞百余步，有碑仆道[⑧]，其文漫灭[⑨]，独其文犹可识[⑩]，曰花山。今言“华”如“华实”之“华”[⑪]者，盖音谬[⑫]也。其下平旷[⑬]，有泉侧出[⑭]，而记游者甚众[⑮]，所谓前洞也。由山以上五六里，有穴窈然[⑯]，入之甚寒，问其深[⑰]，则其好游者不能穷[⑱]也，谓之后洞。余与四人拥火[⑲]以入，入之愈[⑳]深，其进愈难，而其见愈奇[㉑]。有怠[㉒]而欲出者，曰：“不出，火且尽[㉓]。”遂与之俱[㉔]出。盖予所至[㉕]，比好游者尚不能十一[㉖]，然视其左右，来而记之者已少。盖其又深，则其至又加[㉗]少矣。方是时[㉘]，予之力[㉙]尚足以入，火尚足以明[㉚]也。既其[㉛]出，则或咎其欲出[㉜]者，而予亦悔其随之[㉝]，而不得极夫[㉞]游之乐也。

于是予有叹[35]焉。古人之观于天地、山川、草木、虫鱼、鸟兽,往往有得[36],以其求思之深而无不在[37]也。夫夷以[38]近,则游者众;险以远,则至者少。而世之奇伟瑰怪非常之观[39],常[40]在于险远,而人之所罕[41]至焉。故非有志者[42]不能至也。有志矣,不随以止[43]也,然力不足者,亦不能至也。有志与力,而又不随以怠,至于幽暗昏惑而无物以相[44]之,亦不能至也。然力足以至焉,于人为可讥[45],而在己为有悔。尽吾志也而不能至者,可以无悔矣,其孰[46]能讥之乎?此予之所得也。余于仆碑,又以悲夫古书之不存[47],后世之谬其传而莫能名[48]者,何可胜道[49]也哉!此所以学者不可以不深思而慎取[50]之也。

四人者,庐陵萧君圭君玉[51],长乐王回深父[52],余弟安国平父[53]、安上纯父[54]。至和元年[55]七月某日,临川王某[56]记。

【注释】

①褒禅山:位于安徽省马鞍山市含山县。　②亦谓:也叫作。　③浮图:指佛教或佛教徒。始:最开始。舍:名词用作动词,建房舍。址:基址,这里指山脚下。　④卒:最终。葬:埋葬。　⑤以故:因这个人缘故,即因此。禅:泛指和佛教的人和事物。　⑥庐冢(zhǒng):古人死后,亲友为了在坟墓旁守护而盖的屋舍。这里指慧褒的弟子在慧褒墓旁盖的屋舍。　⑦阳:古时把山的南面、水的北面称为“阳”,山的北面、水的南面称为“阴”。　⑧碑:石碑。仆道:跌倒在路边。　⑨其文:石碑上的文字。漫灭:因风化剥落而模糊不清。　⑩独:唯独,仅仅。文:指残存的文字。犹:仍然,还。可识:可以识别。⑪言:说。“华”如“华实”之“华”:“华山”的“华”字,写成“华实”的“华”。⑫盖:文言连词,表示原因。音:读音。谬(miù):错误。　⑬平旷:平坦开阔。

⑭泉:泉水。侧出:从旁边流出。 ⑮记游:在洞壁上题诗文留念。甚众:非常多。 ⑯穴:洞穴。窈(yǎo)然:深远幽暗的样子。 ⑰问其深:问洞有多深。 ⑱好游者:喜欢游览的人。穷:穷尽。 ⑲拥火:拿着火把。 ⑳愈(yù):越,更。 ㉑奇:神奇。 ㉒怠(dài):懒惰,松懈。 ㉓火且尽:火把将要烧尽。 ㉔遂:就。俱:都,一起。 ㉕盖:文言助词,放在句首,表示推测。所至:所达的地方。 ㉖尚:尚且,还。不能十一:不到十分之一。 ㉗加:更加。 ㉘方是时:正当这个时候。 ㉙力:力气,体力。 ㉚明:照明。 ㉛既:已经。其:音节助词,无意义。 ㉜则:于是,就。或:有人。咎(jiù):责怪。欲出:想要出来的人。 ㉝悔:后悔。随之:跟随他们一起出来。 ㉞极:尽。夫:指示代词,这。 ㉟叹:感慨。 ㊱得:心得。 ㊲以:因为。其:他们。求思:探求、思索。深:深入。无不在:无所不在,即没有不求思的。 ㊳夷:平坦。以:连词,表示并列关系。 ㊴奇伟瑰怪:神奇、伟岸、瑰丽、怪异。非常之观:非同寻常的景观。 ㊵常:时常。 ㊶罕:稀少。 ㊷有志者:有志向的人。 ㊸不随以止:不跟随别人而停止。 ㊹幽暗:幽深昏暗。昏惑:迷乱。相:帮助、辅佐。 ㊺于人:对于别人来说。为:是。可讥:可以笑。 ㊻其:加强反问语气的副词,相当于"难道"。孰:谁。 ㊼悲:悲伤。存:保存。 ㊽传:流传。莫能名:不能弄清真相。 ㊾胜:能承受。 ㊿慎取:谨慎取舍。 51庐陵:地名,今江西吉安。萧君圭君玉:萧君圭,字君玉。 52长乐:地名,今福建长乐。王回深父:王回,字深父。 53余弟:我(王安石)的弟弟。安国平父:王安国,字平父。 54安上纯父:王安上,字纯父。 55至和元年:即公元 1054 年。 56王某:即王安石。

【译文】

褒禅山也叫华山,唐朝的和尚慧褒最开始居住在这山的山脚下,他死后就埋葬在这里,因为这个缘故,在他之后,人们就叫这座山为褒禅山。今天所谓的慧空禅院,就是慧褒的房屋和坟墓。距禅院东边五里地,有所谓的华阳洞,因为它在华山的南边,所以这样命名。距华阳洞一百多步,有石碑倒在道路上。上面的文字磨灭不全,只有

“花山”几个文字可以识别。现在称“华山”,“华”写成“华实”的“华”,大概是因为同音而产生的谬误。华山洞下面很平坦开阔,还有泉水从旁边流出来,而在这里游玩题字留念的人非常多,这就是所谓的前洞。沿着山路爬五六里,有个洞穴,很幽深,进去后感觉十分寒冷。问它到底有多深,就是那些喜欢游玩的人都没能走到尽头过,人们称它为后洞。我和四个人拿着火把进去,进得越深,路越难走,而见到的东西也越神奇。有人累了想要出去,说道:“再不出去,火把就要烧尽了。”于是就都和他一起出来了。大概我们到达的地方,比起喜欢游玩的人,尚且不及他们的十分之一。然而看洞中左右,进来题记的已经很少了。大约里面更深的地方,进去的人又更加少了。那个时候,我的力量还能够前进,火把也足以照明。等到出来之后,就有人责怪那个想要出来的人,而我也后悔随他一起出来,以致没有充分享受到游玩的乐趣。

于是我有了感慨。古人观看天地、山川、草木、虫鱼、鸟兽,往往会收获知识,那是因为他们追求思虑的深入,而又无所不思。那些平坦又近的,游人就多;危险又远的,能到的人就少。可是世上神奇、伟岸、瑰丽、怪异而又非同寻常的景观,经常处在危险又遥远的地方,而很少有人能到达。所以没有意志的人,不能到达。有意志,不跟随别人而停止,但体力不足,也不能达到。有意志与体力,而又不跟随别人一起放弃,到了幽深昏暗、迷乱的地方,没有东西帮忙,也不能达到。然而体力能够达到,却没有去,在别人心中只有讥讽,在自己这里只有后悔。竭尽我的意志都不能达到,也就不后悔了,谁又能讥讽我呢？这就是我的心得。对于仆倒的石碑,悲哀于古代的书籍没有保存下来,后世就错误地传播而不能明白真相的,哪里能列举得尽呢？这正是学者们不得不深思而慎重取舍的原因啊。

和我一起游玩的四个人是：庐陵的萧君圭，字君玉；来自长乐的王回，字深父；我的弟弟王安国，字平父；我的弟弟王安上，字纯父。至和元年(1054)七月某日，临川王安石记。

【题解】

方仲永五岁时未曾读书识字，却能写诗，堪称神童。可是他的父亲终日让他拜见他人以牟利，却不让他加强后天的学习，以致十四五岁时“泯然众人矣”。于是王安石非常有感触，方仲永有受于天的通悟，却因后天不学于人而成为众人；如今天生的普通人，再不加强后天的学习，则会连众人都不如。所以他作了这篇《伤仲永》警示人们重视学业。

伤[1]仲永

金溪民[2]方仲永，世隶耕[3]。仲永生[4]五年，未尝识书具[5]，忽啼求[6]之。父异[7]焉，借旁近与[8]之，即书[9]诗四句，并自为其名[10]。其诗以养[11]父母、收族为意[12]，传一乡[13]秀才观之。自是指物作诗立就[14]，其文理[15]皆有可观者。邑人奇之[16]，稍稍宾客其父[17]，或以钱币丐[18]之。父利其然[19]也，日扳仲永环谒[20]于邑人，不使学[21]。

予闻之也久，明道中[22]，从先人[23]还家，于舅家见之，十二三矣。令[24]作诗，不能称前时之闻[25]。又七年，还自扬州[26]，复[27]到舅家，问焉。曰：“泯然众人[28]矣。”

王子[29]曰：仲永之通悟[30]，受之天[31]也，其受之天也，贤于材人[32]远矣。卒[33]之为众人，则其受于人者不至[34]也。彼其受之天也，如此其贤也，不受之人，且[35]为众人。今夫不受之天，固[36]众人，又不受之人，得为众人而已[37]耶！

【注释】

①伤：哀伤，叹息。 ②金溪：地名，在今天江西金溪。民：人民，民众。③世：世代。隶：隶属，属于。耕：耕地。 ④生：出生。 ⑤未尝：未曾，没有。识：认识。书具：指书写的工具，笔、墨、纸、砚等等。 ⑥啼（tí）：哭。求：要。 ⑦异：感到诧异、惊奇。 ⑧旁近：附近，指邻居。与：给。 ⑨即：随即，马上。书：写书。 ⑩自为其名：自己为诗题名。 ⑪养：赡养、奉养。⑫收族：团结宗族。收，聚集、团结。为意：作为主题。 ⑬一乡：全乡。⑭自是：从此以后。指物作诗：指定一件事物，以它为中心写诗。立就：立即就完成。 ⑮文理：文采和事理。 ⑯邑（yì）人：同乡之人。邑，城市。奇之：对他感觉惊奇。 ⑰稍稍：渐渐。宾客其父：用宾客之礼对待他的父亲。⑱丐：求取。 ⑲利其然：认为这样有利可图。 ⑳日：每天。扳（bān）：通“攀”，牵引，带领。环：四周，到处。谒（yè）：拜见。 ㉑不使学：不让他学习。㉒明道中：明道年间。明道二年（1033），王安石的祖父在临川去世，他随父回老家服丧。 ㉓先人：指王安石的父亲王益。 ㉔令：让。 ㉕称：符合，相当。前时之闻：以前的名声。 ㉖还自扬州：从扬州回来。 ㉗复：又。㉘泯（mǐn）然：消失穷尽的样子。众人：常人。 ㉙王子：王安石自称。㉚通悟：通达、聪慧。 ㉛受之天：从先天得来。 ㉜材人：即才人，有才能的人。 ㉝卒：最后。 ㉞不至：没有达到。 ㉟且：尚且。 ㊱固：本来。㊲已：停止。

【译文】

金溪县有一个农民方仲永，世代从事农耕。方仲永五岁的时候，从没有见过笔墨纸砚等文具，却哭着要这些东西。父亲感到诧异，就向附近的人借来给他。方仲永立即就写下四句诗，并且为诗题名。他的诗以侍养父母、聚集族人为内容。后来又被传给全乡的秀才看。从此以后指物作诗，立即就能完成，文采和义理都有可看之处。县里的人觉得他很奇特，渐渐地用宾客之礼款待他的父亲。有的人还把钱财给他父亲,他父亲贪图这些钱财,日日带着方仲永拜谒县里的人而不让他学习。

我很久以前就听闻了这件事,明道年间,我跟着先父回家,在舅舅家见到了他,已经十二三岁了。让他作诗,不能和以前的传闻相称了。又过了七年,我从扬州还家,又到舅父家问他的情况,回答说:“才能已经消失,成了一个普通人了。”

我(王安石)说:“方仲永的通达觉悟,是受于上天。因为他是受于上天,所以比一般的人才要贤能很多。最后却成为普通人,则是因为他后天没有受到人的教育。他受于上天而如此贤能,可是不受于人,都变成了普通人。如今我们不受于天,本来就是普通人,如果再不受于人,岂不是连常人都不如了?”

【题解】

祖无择想收集王安石的诗文呈献给皇上，于是王安石写了这封书信，探讨“文”的相关问题。作者认为圣人所谓的“文”，是写在书简上的治教政令，可以用来施行于天，而且本末先后、权势制义，都会统一于最终的法则。二帝、三王、孔孟就是其中的代表。王安石说自己虽然对有意于圣人所谓的“文”有所心得，但还不足以书于策，施于友朋，这是他的谦辞。

与祖择之书[1]

治教政令，圣人之所谓文也。书之策[2]，引而被[3]之天下之民，一[4]也。圣人之于道也，盖心得[5]之，作而为[6]治教政令也，则有本末先后[7]，权势制义[8]，而一之于极[9]。其书之策也，则道其然而已[10]矣。彼陋者不然[11]，一适[12]焉，一否[13]焉，非流焉则泥[14]，非过焉则不至[15]。甚者置[16]其本求之末，当后者反先之[17]，无一焉不悖于极[18]。彼其于道也，非心得之也，其书之策也，独[19]能不悖耶？故书之策而善，引而被之天下之民反不善焉，无[20]矣。二帝、三王[21]引而被之天下之民而善者也，孔子、孟子书之策而善者也，皆圣人也，易地则皆然[22]。

某[23]生十二年而学，学十四年矣。圣人之所谓文者，私有意[24]焉，书之策则未也[25]。间或悱然动于事而出于词[26]，以警戒其躬[27]，若施于友朋[28]，褊迫陋庳[29]，非敢谓之[30]文也。乃者[31]，执事欲收而教之使献[32]焉，虽自知

明[33],敢自盖[34]邪?谨书所为书、序、原、说若干[35]篇,因叙所闻与所志献左右[36],惟赐览观[37]焉。

【注释】

①与:给。祖择之:祖无择,字择之(1006—1085),上蔡(今河南上蔡)人。书:书信。 ②策:古代编好的竹简,泛指书。 ③引:引用。被:覆盖。 ④一:一样。 ⑤得:体会、得到。 ⑥作:创造。为:成为。 ⑦本末:本指树的根与梢,这里比喻事情的主次。先后:事情的先后顺序。 ⑧权势:权衡于形势。制义:受制于道义。 ⑨一之于极:统一于最终的法则。 ⑩道其然:讲出这种道理。而已:罢了。 ⑪彼:那些。陋者:浅陋的人。不然:不这样。 ⑫一:有的。适:适用,采用。 ⑬否:否定,即不采用。 ⑭非流焉则泥:不是流于俗就是拘泥于古。 ⑮非过焉则不至:不是超过就是达不到。 ⑯置:放置,搁置。 ⑰当后者反先之:应当先行的,反而推后。 ⑱无一焉不悖(bèi)于极:没有一件不是违背最终的法则。 ⑲独:难道,岂。 ⑳无:没有(这样的文章)。 ㉑二帝:唐尧和虞舜。三王:夏禹、商汤和周文王。 ㉒易地:交换地方。皆然:都会是这样(善)。 ㉓某:即王安石自己。 ㉔私有意:私底下有自己的想法。 ㉕书之策则未也:(这种想法)写到书策就体现不出来了。 ㉖间或:有时。悱(fěi)然:想说而说不出的样子。动于事:被事情所触动。出于词:通过文章表达出来。 ㉗躬:自身,自己。 ㉘若:倘若,假如。施:施行。友朋:即朋友。 ㉙褊(biǎn)迫陋庳(bēi):狭小、窄迫、浅陋、低下。 ㉚非敢:不敢。谓之:称之为。 ㉛乃者:最近。 ㉜执事:掌管事情的人,即官员,这里指祖无择。欲收而教之:想收集我的文章来帮我校正。献:呈献上去。 ㉝自知明:有自知之明。 ㉞敢自盖:岂敢自我掩盖。 ㉟谨书:恭谨地抄写。所为:所创作的。书、序、原、说:都是古代的文体,书指上书给皇帝的奏文或书信,序指专门用来送别赠言,原指对事物的本原进行探究和讨论的论说文。若干:用来指不确定的数量。 ㊱因:于是,因此。叙:叙述。所闻与所志:见闻和看法。左右:左右两边的人。对人不直称其名,只称左右,以表示尊敬。 ㊲惟:希望。赐:恩赐,赏光。览观:浏览、

观看。

【译文】

教化和政令就是圣人们所说的文。将书写在竹简上，引用并施行于全天下的人民，是一样的。圣人对于写文章的道理，大概是内心体会到，然后写下来创造成教化和政令，于是有本末先后的不同，但审时度势，因地制宜，而统一于最终的法则。那些记录在简策上的，就是讲出这种道理而已。那些鄙陋之人却不是这样。有人适用它，有人却否定它，不是流于俗就是泥于古，不是超过了就是达不到。更严重的舍本逐末，前后倒置，没有一件不是违背最终法则的。他们对于道理并不是内心体会到的，那他们书写到简策上去的能不悖逆吗？所以写到书策上是好的，引用施行到全天下的人民反倒不好，这样的文章是没有的。唐尧、虞舜二帝，夏禹、商汤、周文三王施行于天下人民的政教是好的，孔子、孟子写到简策上的文章也是好的，他们都是圣人，政教和文章对调也都会是好的。

我十二岁开始求学，已经学了十四年。圣人所谓的文，我私底下有想法，可写到书策就体现不出来了。有时被事情触动想脱口而出便写成文章，以来警诫自己而已。至于施与朋友，则显得狭隘浅薄了，都不敢把它们称为文章。近来，执事都想收集我的文章来帮我校正，让我呈献上去，虽然我有自知之明，但哪里敢自己掩藏呢？所以恭谨抄写我所创作的书、序、原、说若干篇，凭借记叙我的见闻和志向呈献给你，希望你赐教浏览。

【题解】

这是一篇延请杜醇入县学任老师的邀请函。王安石先陈述老师的重要性——师可以正君臣关系，然后君臣才可以操持礼乐、刑政、文物、数制、事为等具体事物，进而调和父子、夫妇、兄弟、宾客、朋友间的人伦关系。然后论说古代贤者以师心自任的责任意识，拜请先生教养县子弟也就顺理成章了。

请杜醇[①]先生入县学书一

人之生久矣，父子、夫妇、兄弟、宾客、朋友，其伦[②]也。孰持[③]其伦？礼乐、刑政、文物、数制、事为[④]，其具[⑤]也。其具孰持之？为之君臣[⑥]，所以持之也。君不得师[⑦]，则不知所以为君[⑧]；臣不得师，则不知所以为臣。为之师，所以并[⑨]持之也。君不知所以为君，臣不知所以为臣，人之类[⑩]，其不相贼杀以至于尽[⑪]者，非幸欤[⑫]？信乎其为师之重[⑬]也。

古之君子，尊其身[⑭]，耻在舜下[⑮]。虽然，有鄙夫问焉而不敢忽[⑯]，敛然后其身似不及[⑰]者。有归之以师之重而不辞[⑱]，曰："天之有斯道[⑲]，固将公之[⑳]，而我先得之[㉑]，得之而不推余[㉒]于人，使同我所有[㉓]，非天意[㉔]，且有所不忍[㉕]也。"

某得县于此逾年[㉖]矣，方因孔子庙为学[㉗]，以教养县子弟[㉘]，愿先生留听而赐临[㉙]之，以为之师，某与有闻[㉚]焉。伏惟先生不与古之君子者异意[㉛]也，幸甚[㉜]。

【注释】

①杜醇:原来是浙江一带的隐士,后居慈溪,学者称他为石台先生,是"庆历五先生"之一。 ②伦:伦理关系。 ③孰:什么。持:维持。 ④文物:指朝廷的礼乐制度。数制:数目和制度。事为:指百工技艺。 ⑤具:指操作的具体方法。 ⑥为之君臣:建立君臣关系。 ⑦师:老师。 ⑧不知所以为君:不知道怎么样做君主。 ⑨并:一并,一起。 ⑩人之类:即人类。 ⑪相:相互。贼杀:杀害。尽:穷尽,灭亡。 ⑫幸:幸运,侥幸。欤:文言助词,表示疑问或反诘语气。 ⑬信:确实。重:重要。 ⑭尊其身:看重自己的身份。 ⑮耻在舜下:以在虞舜之下为耻。 ⑯鄙夫:庸俗浅陋的人。问:询问。忽:忽视。 ⑰敛然:自我约束的样子。后其身:身体后退。似不及:好像比不上他。 ⑱归:交给、托付。师之重:老师的重任。辞:推辞。 ⑲道:道义。 ⑳固将公之:固然要将它公布于众。 ㉑先得之:比普通人先领会。 ㉒推余:推广我(的心得)。 ㉓使同我所有:使他同我一起拥有。 ㉔非天意:不是上天的本意。 ㉕且:况且。不忍:不忍心(得之而不推余于人)。 ㉖某:指王安石。得县于此:在此作县令。逾(yú)年:超过一年。 ㉗方因孔子庙为学:正凭借孔子庙建立学堂。 ㉘教养:教育、培养。县:鄞县。子弟:子与弟,泛指子侄辈。 ㉙留听:留心听取(子弟们的请求)。赐临:赐教光临。 ㉚与有闻:参与听闻您的教导。 ㉛伏惟:趴伏在地上想,下对上陈述时用来表示敬意。异意:意愿相违背。 ㉜幸甚:非常庆幸、幸运。

【译文】

人生活在这个世上很久了,有父子、夫妇、兄弟、宾客、朋友五种伦理关系。是什么在维持这些伦理关系呢?礼乐、刑政、文物、数制,这些事都可以作为维持伦理的手段、方法。这种方法由谁来操持呢?建立君臣关系,就是用来操持它们的。君王如果没有老师,就不知道如何成为君王;臣子没有老师,就不知道如何成为臣子。作为他们的老师,是一同把持这些的。君王不知道如何成为君王,大臣不知道如何成为臣子,人类之间仍没有相互残杀以致灭亡,难道不是侥幸吗?老师实在是很重要啊。

古代的君子,把自己的身份看得很尊贵,以在虞舜之下为耻。虽然这样,浅陋者来问他也不敢忽视对待,收敛辞色,身体后退,好像自己比不上他一样。但有人把当老师的重任交给他却不推辞,说道:"上天有这种大道义,固然要将它公布,而我先得到了它,得到了却不推及其他人,使之与我共同拥有,这就不是上天的旨意,而且我也有所不忍心。"

我在鄞县做县令一年多了,正凭借孔子庙建立学堂,用来教育本县的子弟,希望先生您留意倾听,并赐教光临来当他们的老师,我也能参与听闻您的教导。还请先生不要与古代君子们的意愿相违背,如果这样那就太好了。

【题解】

王安石写了第一封邀请函后，杜醇引用孟子“人之患在好为人师”和柳宗元“不敢为人师”来推辞。于是作者又写了第二封，对孟子、柳宗元和韩愈三人关于为师的观点加以解释。同时希望杜醇不要顾忌士人的诽谤或赞誉，而秉承“适于义而已”的信念，以培养后进为责任，去县学担任老师。

请杜醇先生入县学书二①

惠书②。何推褒之隆而辞让之过③也。仁人君子有以教人④，义不辞让⑤，固已为先生道⑥之。今先生过引孟子、柳宗元之说以自辞⑦。孟子谓“人之患在好为人师⑧”者，谓无诸中而为有之⑨者，岂先生谓哉⑩！彼宗元恶知道⑪？韩退之毋为师⑫，其孰⑬能为师？天下士将恶乎师⑭哉？夫谤与誉⑮，非君子所恤⑯也，适于义⑰而已矣。不曰适于义，而唯谤之恤，是薄世终⑱无君子，唯先生图⑲之。示诗质而无邪⑳，亦足见仁人之所存，甚善㉑，甚善！

【注释】

①请杜醇先生入县学书二：王安石给杜醇写了第一封《请杜醇先生入县学书》后，杜醇有回复，于是王安石又写了第二封信。 ②惠书：承蒙恩惠给我写信。 ③何：多么。推褒：推崇、褒扬。隆：隆盛。辞让：推辞谦让。过：过分。 ④有以教人：有能力来教导别人。 ⑤义不辞让：即义不容辞。⑥固：原来。已：已经。道：说。 ⑦引：引用。说：言论。以自辞：来自我推辞。 ⑧人之患在好为人师：出自《孟子·离娄上》：“人之忌，在好为人师。”

⑨无诸中：胸中没有才能。为有之：伪装成有才能。 ⑩岂先生谓哉：哪里是说先生这样的人呢。 ⑪彼：那个。宗元：即柳宗元。恶知道：哪里懂得道义。 ⑫韩退之：韩愈(768—824)，字退之，河南河阳(今河南省孟州市)人，唐代著名文学家。唐代古文运动的倡导人，唐宋八大家之一。毋为师：不作老师。 ⑬孰：谁。 ⑭恶乎师：去哪里找老师。 ⑮谤与誉：毁谤和赞誉。⑯恤(xù)：忧虑，担心。 ⑰适于义：合乎道义。 ⑱薄世：浇薄之世。终：最终。 ⑲唯：希望。图：考虑。 ⑳示诗：给我展示的诗歌。质而无邪：质朴而没有邪恶之气。 ㉑甚善：非常好。

【译文】

承蒙恩惠给我写信。信中对我的推崇褒扬多么隆盛而对自己的推辞谦让又多么过分。仁人君子，有能力可以教授人，就要义不容辞，我已经同先生讲明这个道理了。如今先生你过度引用孟子、柳宗元的言论来推辞。孟子说“人的忧虑在于喜好做别人的老师”，指的是胸中没有才能而装作有的人，哪里是说先生这样的人呢！那柳宗元哪里懂得道义呢？韩愈要是不做老师，那谁还能成为老师呢？天下士人将去哪儿找老师学习呢？

至于毁谤和赞誉，不是君子所应该担忧的，只要合乎道义就行了。不说合乎道义而只担忧被毁谤，所以浇薄之世终将没有君子，希望先生考虑一下。你给我看的诗质朴无邪，也足以说明世上还是有仁人存在的，非常好，非常好！

【题解】

这是一篇给孙沔出于礼节性的回信。王安石在信中说，自己没有先主动拜访和写信给孙沔是因为“不敢辄有意于求通”，以求闻名于从者。然后又进一步解释自己没立即回信的原因，如今又派使者前来，令作者不胜惶恐。《答孙元规大资书》只是一般性的应付书信，但王安石文辞优雅，态度不卑不亢，仍然值得一读。

答孙元规大资[①]书

某不学无术[②]，少孤[③]以贱，材行无可道[④]，而名声不闻于当世[⑤]。巨公贵人之门无可进之路[⑥]，而亦不敢辄有意于求通[⑦]。以故闻阁下之名于天下之日久[⑧]，而独未尝得望履舄[⑨]于门。比者得邑海上[⑩]，而闻左右之别业实在敝境[⑪]，犹不敢因是以求闻名于从者[⑫]。卒然蒙赐教督[⑬]，读之茫然不知[⑭]，其为愧且恐[⑮]也。伏惟[⑯]阁下，危言说[⑰]论，流风善政[⑱]，简[⑲]在天子之心，而讽[⑳]于士大夫之口。名声之盛，位势之尊[㉑]，不宜以细故苟自贬损[㉒]。今咳唾[㉓]之余，先加于新进之小生[㉔]，疑左右者之误[㉕]，而非阁下之本意也。以是不敢即时报谢[㉖]，以忤视听[㉗]，以累[㉘]左右，而自得不敏之诛[㉙]，顾未尝一日而忘拜赐[㉚]也。今兹使来[㉛]，又拜教之辱[㉜]，然后知阁下真有意其存[㉝]之也。夫礼之有施报[㉞]，自敌以下不可废[㉟]，况[㊱]王公大人而先加礼新进之小生，而其报谢之礼缺然[㊲]者久之，其为罪也大矣。虽聪明宽闳[㊳]，其有以容而察[㊴]于此，而独区区[㊵]之心，不

知所以裁[41]焉。

【注释】

①孙元规：孙沔(996—1066)，字符规，北宋越州会稽(今浙江绍兴)人，曾任资政殿大学士。大资：资政殿大学士的简称。孙沔任大资应该是王安石写这封信之后的事，“大资”很可能是后人在编王安石文集时所加。 ②某：指王安石。不学无术：没有学问和本领。 ③少孤：王安石的父亲王益于宋仁宗宝元二年(1039)卒于江宁任上，当时王安石十九岁，所以他称自己为“少孤”。 ④材行：才能和德行。无可道：没有值得称道的。 ⑤闻于当世：被当世之人知闻。 ⑥巨公：指职位高的官员。路：路径。 ⑦辄(zhé)：总是，就。求通：寻求往来。 ⑧以故：所以。闻：听闻，听说。阁下：用于对尊贵之人的敬称。日久：很久。 ⑨独：唯独。未尝：未曾，没有。得望：得以望见。履舄(lǚ xì)：鞋子。 ⑩比者：近来。得邑(yì)海上：指王安石于北宋仁宗庆历七年(1047)任鄞县(今浙江宁波)知县。 ⑪左右：左右两边的人。对人不直称其名，只称左右，以表示尊敬。别业：别墅。业主往往原有一处住宅，而后来又营造别墅，称为“别业”，以与“旧业”或“宅第”相对。实在：在。“实”表示对这种情况进行强调。敝境：对人谦称自己所管辖的地区。 ⑫犹：仍然。因是：因为这个原因。以：来。求闻名：求得出名。从者：指孙沔的随从人员，与“左右”都表示尊敬。 ⑬卒然：即“猝然”，突然，出乎意料。蒙赐：承蒙恩赐。教督：教导督促，指孙沔的来信。 ⑭茫然：失意的样子。不知：不知所措。 ⑮为愧且恐：感到惭愧而又惶恐。 ⑯伏惟：趴伏在地上想，下对上陈述时用来表示敬意。 ⑰危：正直。谠(dǎng)：正直。 ⑱流风善政：留传下来的美好的政绩。 ⑲简：选择，这里指存在。 ⑳讽：背诵、传诵。㉑位势：地位和权势。尊：尊贵。 ㉒不宜：不应该。以：因为。细故：细小的事情。苟：随便，马虎。自：自己。贬损：贬低和损毁。 ㉓咳唾(ké tuò)：本指咳嗽吐唾液，后来比喻别人优美的言语或诗文等。 ㉔加：表扬。新进：指初入仕途或新被任用。小生：即晚生，这是王安石的谦辞。 ㉕疑：怀疑。左右者：身边的侍从。误：失误。 ㉖即时：立即。报谢：答谢，这里指回信。

㉗以：以免。忤（wǔ）：违背，忤逆。视听：看和听。 ㉘累：使劳累、受累。 ㉙自得：自己落得。不敏：不敏捷，不明事理。诛：责备。 ㉚顾：表示轻微的转折，类似于“不过”。未尝：未曾，没有。忘：忘记。拜赐：拜谢（你的）赏赐。 ㉛今兹：现在。使来：派使者过来。 ㉜拜教：拜受教导，敬辞。辱：指辱没对方，谦辞。 ㉝存：存问，问候。 ㉞施报：施与和报答。 ㉟自：从。敌：指身份匹敌，相等。废：废除。 ㊱况：何况。 ㊲缺然：缺失。 ㊳宽闳（hóng）：即宽宏，心胸开阔，度量大。 ㊴容：包容。察：明察。 ㊵独：难道。区区：小，形容微不足道。 ㊶裁：裁定，判断。

【译文】

我不学无术，很小时就成了孤儿并且贫贱，才能和德行没有值得称道的地方，名声在当今之世也不显闻，我没有踏进达官贵人家门的途径，而我也不敢特意寻求往来交接，所以听闻您的大名在普天之下已经很久了，但我却未曾期望踏足于您的门庭。近来我在海边的鄞县做官，听闻您的别墅就在我管辖的境内，我仍然不敢因为这个而寻求闻名于您，突然承蒙您来信赐教督察，读完信后茫然无措，真是惭愧而又惶恐啊。

尊敬的阁下您正言宏论，留传下来的善政，留存在天子的心中，传诵在士大夫们的口中，您的名声盛大，地位尊贵，不应当因细小的事情随便让自己的名声受到贬低和损毁。今天您来信，先对我这个新来的晚生加以称扬，我怀疑是您身边的人失误，而并非您的本意。所以我不敢及时回信，以免违背您的视听，让您左右的人受累，而我自己得到不敏捷的责备。虽然这样，但我未曾有一天忘记去拜谢您的赏赐。

现在派使者过来，又拜受您赐教，让您受到侮辱，然后知道您是真心诚意来问候我。从礼仪上来讲，有施与就要有报答，从与我身份相同及以下的人都不能废除这种施报，何况您这样的王公大人，是行礼于我这个新进晚生,但是报谢的礼节暂缺了很久了,这种罪过实在太大了。即便您聪明又宽宏大量,能包容和明察我这种行为,可我的内心难道还不知道怎样裁定吗?

【题解】

本文是王安石在宋神宗元丰七年(1084)给苏轼写的一封回信。苏轼从黄州(今湖北省黄冈市)出任汝州团练副使,期间路过江陵,与王安石相见,二人诵诗谈佛,相处甚欢。苏轼离开金陵后给王安石写了一封信,表达了希望再聚的想法,同时向他推荐秦观,并称扬他的人品和诗文,于是王安石写下这封回信:先表明分别逾月后自己惆怅的心情,然后写自己读秦观诗后手不释卷的欢喜;还引用了他的侄婿叶涛对秦观诗的评价"以为清新妩丽,与鲍、谢似之";最后站在秦观的角度,提出他可能嘲笑王安石和秦观嗜好过度的担忧。

回苏子瞻简①

某启②:承诲喻累幅③,知尚盘桓江北④,俯仰逾月⑤,岂胜感怅⑥。得秦君⑦诗,手不能舍弃,致远适见⑧,亦以为清新妩丽⑨,与鲍、谢似⑩之。不知公意如何?余卷正冒眩尚妨细读⑪,尝鼎一脔,旨⑫可知也。公奇⑬秦君,数口之不置⑭,吾又获诗,手之不舍。然闻秦君尝学至言妙道⑮,无乃笑我与公嗜好过⑯乎?未相见,跋涉自爱⑰,书不宣悉⑱。

【注释】

①回苏子瞻简:回简,即回信。简:古代用来写字用的竹板,这里指代书信。苏子瞻:即苏轼(1037—1101),字子瞻,号东坡居士,宋眉州眉山(今属四川省眉山市)人,"唐宋八大家"之一。 ②某启:古人写信,常在正文开头用"某启","某"表示自己,"启"表示向对方启告。 ③承:承蒙。诲喻:教诲晓

谕。累幅：形容信的篇幅长。 ④知：知道。尚：尚且，仍然。盘桓(huán)：徘徊，逗留。江北：长江以北。 ⑤俯仰：本指低头与抬头，这里形容时间过得很快。逾(yú)月：超过一个月。 ⑥岂：哪里，如何。胜：能承担、承受。感怅：惆怅。 ⑦秦君：即秦观(1049—1100)，字少游，一字太虚。宋江苏高邮人，学者称他为淮海居士。宋代著名词人，被尊为婉约派的宗师，"苏门四学士"之一。 ⑧致远：叶涛，字致远，宋处州龙泉(今浙江龙泉)人。适见：刚巧看见。 ⑨妩丽：妩媚而亮丽。 ⑩鲍、谢：指南朝著名诗人鲍照和谢朓。鲍照，字明远，东海郡(今江苏省涟水县)人。谢朓，字玄晖，陈郡阳夏(今河南省太康县)人。二人的诗歌都以清俊飘逸闻名。似：相似。 ⑪余卷：剩下的篇卷。正：正当。冒眩：头晕眼花。尚：尚且，仍然。妨：妨碍。细读：仔细阅读。⑫尝：品尝。鼎：古代用来烹煮食物用的器具，用青铜浇铸，一般三足圆形或四足方形，两耳。脔(luán)：切成小块的肉。旨：美味。 ⑬奇：惊异，引以为奇。 ⑭数口之不置：即赞不绝口。数口，多次称赞。不置：不停。 ⑮至言妙道：指佛教经典与理论。 ⑯无乃：莫非，表示委婉测度的语气。嗜(shì)好：喜好。过：过分，过度。 ⑰跋涉：登山涉水，形容旅途艰辛。自爱：自我爱惜。 ⑱书：书信。宣悉：详尽叙说。宣，说出。悉，详尽地叙述。

【译文】

我王安石向你启告：承蒙你长信教诲晓谕，得知你尚在江北盘桓逗留，至此已经分别超过一个月了，令人不胜感伤。我收到了秦观的诗作，拿在手中舍不得放下，叶涛正好也看见了，他也认为此诗清新、妩媚而亮丽，与鲍照、谢朓的风格相似，不知你意下如何？其余的，因为正赶上我头晕目眩的时候，这妨碍我细读，不过尝过鼎中一块肉，其余滋味就都能知道了。你觉得秦观是个奇才，对他赞不绝口，我又获得了他的诗，拿在手里不忍放开。可是我听说秦观曾经学习佛家的至言妙道，他该不会嘲笑我和你嗜欲太过分了吧？我和你尚未相见，旅途跋涉中多加爱惜自己，书信中就不再详细宣告了。

【题解】

本文是王安石于宋仁宗末年在鄞县任知县时写给张几的回信。信中先讨论了世人入仕做官为了信身而不得已诎道的现状，并提到曾撰《进说》一文，劝诫能停止践踏道义的人马上放弃做官，但尚未见到这样高洁之人。可是没有想在鄞县遇到的张几竟然就是这样的人，他虽然穷困得无以自存，却以进士为耻，贵其身而以文自娱。信中称他是“此尤所以为难者”，可以看出王安石对他的赞扬之意。

答张几[①]书

张君足下[②]：某常以今之仕进[③]，为皆诎道而信身[④]者，顾有不得已[⑤]焉者。舍为仕进则无以自生[⑥]，舍为仕进而求其所以自生，其诎道有甚[⑦]焉，此固[⑧]某之亦不得已焉者。独尝为《进说》以劝得已之士焉，得已而已焉者，未见其人也，不图[⑨]今此而得足下焉。

足下耻为进士[⑩]，贵其身而以自娱于文[⑪]，而贫无以自存[⑫]，此尤所以为难[⑬]者。凡今于此，不可毋进谒[⑭]也，况如[⑮]某少知义道之所存乎？今者足下乃先贬损而存[⑯]之，赐之书[⑰]，词盛指过[⑱]，不敢受而有[⑲]也。惟是不敏[⑳]之罪，不知所以辞[㉑]，敢布左右[㉒]，惟幸察[㉓]之而已。

【注释】

①张几：生平事迹不详。 ②足下：古代对对方的尊称。 ③某：王安石自称。仕进：入仕，做官。 ④为：是。诎（qū）道：委曲道义。信身：伸展自己，指达到目的。 ⑤顾：表示轻微的转折，类似于“反而”、“却”。不得已：指

违背本意而必须去做。 ⑥舍：舍弃，放弃。自生：自己生存。 ⑦甚：超过，胜过。 ⑧固：本来，原来。 ⑨不图：没有想到。 ⑩耻为进士：以做进士为耻辱。 ⑪贵其身：看重自己的身体。自娱于文：用写文章来自我娱乐。 ⑫自存：自己存活。 ⑬尤：更加，格外。难：难得。 ⑭毋：不。进谒(yè)：拜见上司。 ⑮况：何况。如：像。 ⑯贬损：贬低损毁，指张几自己降低身份。存：存问，慰问。 ⑰赐之书：指给王安石写信。 ⑱词盛：文辞繁盛。指过：旨意溢美。指，通“旨”。 ⑲受而有：接受而拥有。 ⑳敏：聪明。 ㉑辞：措辞，指回信。 ㉒敢：胆敢，谦辞，相当于冒昧。布：公布，陈述。左右：对人不直称其名，只称左右，以表示尊敬。 ㉓惟：希望。幸：有幸，希望。察：察看。

【译文】

张君足下：我经常以为当今做官的人都是委曲道义而伸展自己，他们之中当然也有迫不得已的人。舍弃做官，就无法生存。如果以舍弃做官这种方式来寻求另外的生存的方法，可能会更加违背道义，这也是我不能停止做官的原因。我曾经写《进说》一文来劝说那些心甘情愿不想做官的那些人，但那些能停止而真停止的人，我还没有见到，可没想今天在这里看到了你。你以做进士为耻，看重自己的身体而以做文章自娱自乐，却贫穷得无法生活，这尤其难得。现在这种处境，我是不可以不去进谒拜访你的，更何况像我这样从小就知晓道义所存于何处的人呢？现在你竟然先委屈自己来慰问我，并赐予我文章，你的文辞繁盛，旨意溢美，我是不敢接受的。由于我不聪明的罪过而不知道怎么回信，只能冒昧地告诉你身边的人，希望你察看。

【题解】

本文是宋仁宗庆历七年(1047)王安石刚任鄞县知县时,写给他上司,时任两浙转运使杜杞学士的一封书信。信中以“开河”为中心,先介绍鄞县“跨负江海”、“沟渠浍川,十百相通”的自然环境和营田之制废弃多年的现状。然后分析鄞县的渠川浅塞而山谷中的水无法汇聚,虽然现在因雨水时至而未造成大旱,但如果一旦旬日不雨,河流马上就会干涸。于是他向上建议,应该趁人民富余闲暇之时,“大浚治川渠,使有所潴”。书信有理有据,结构清晰,体现了作者为官心系百姓,一心为民的责任意识。

上杜学士言开河[1]书

十月十日,谨再拜奉书运使学士阁下[2]:某愚[3],不更[4]事物之变,备官节下[5],以身得察于左右[6],事可施设[7],不敢因循苟简[8],以孤大君子推引[9]之意,亦其职宜[10]也。

鄞之地邑[11],跨负江海[12],水有所去,故人无水忧[13]。而深山长谷[14]之水,四面而出,沟渠浍川[15],十百相通[16]。长老言钱氏时置营田吏卒[17],岁浚治[18]之,人无旱忧[19],恃以丰足[20]。营田之废[21],六七十年,吏者因循,而民力不能自并[22],向[23]之渠川,稍稍浅塞,山谷之水,转以入海而无所潴[24]。幸而雨泽时至[25],田犹不足于水,方夏历[26],旬[27]不雨,则众川之涸[28],可立而须[29]。故今之邑民最独畏[30]旱,而旱辄连年[31]。是皆人力不至[32],而非岁之咎[33]也。

某为县[34]于此，幸岁大穰[35]，以为宜乘人之有余[36]，及其暇时[37]，大浚治川渠，使有所潴，可以无不足水[38]之患。而无老壮稚少[39]，亦皆惩旱之数[40]，而幸今之有余力，闻之翕然[41]，皆劝趋[42]之，无敢爱力[43]。夫小人可与乐成，难与虑始[44]，诚有大利[45]，犹将强之[46]，况其所愿欲[47]哉！窃以为此亦执事之所欲闻[48]也。

伏惟[49]执事，聪明辨智[50]，天下之事，小之为无间[51]，大之为无崖岸[52]，悉已讲而明[53]之矣，而又导利去害[54]，汲汲若不足[55]。夫此最长民之吏当致意[56]者，故辄具以闻州[57]，州既具以闻执事矣。顾其厝事[58]之详，尚不得彻[59]，辄复条件[60]以闻。唯执事少留聪明[61]，有所未安[62]，教而勿诛[63]，幸甚[64]。

【注释】

①杜学士：杜杞，字伟长，宋常州无锡（今江苏省无锡市）人，从宋仁宗庆历六年（1074）起任两浙转运使。杜杞曾担任集贤院直学士，所以又称他为“杜学士”。言：进言。开河：开挖河道。 ②谨：恭谨。再拜：拜两次，表达敬意。奉书：致书，即写信。运使：两浙转运使。学士：集贤院直学士。阁下：用于对尊贵之人的敬称。 ③某：王安石自称。愚：愚笨，王安石自谦之词。④更：经历。 ⑤备官：居官，是官员们常用的谦辞。节下：部下，麾下。⑥察于左右：指在杜杞身边任职。 ⑦施设：实施、办理。 ⑧因循：沿袭，照旧不变。苟简：苟且简慢。 ⑨孤：同“辜”，辜负。大君子：对杜杞的尊称。推引：推荐、引进。 ⑩职：职责。宜：应该。 ⑪鄞（yín）：鄞县，即今天的浙江宁波。地邑（yì）：地区，地方。 ⑫跨：跨越。负：背靠。江：甬江，在鄞县境内。海：东海。 ⑬忧：忧患。 ⑭长谷：长长的山谷。 ⑮渠（qú）：水道。浍（kuài）：田间的水沟。川：河流。 ⑯十百相通：数十成百的相互连通。⑰长老：年长的人。钱氏：即钱镠（liú）（852—932），五代十国时吴越国的开创

者。置：设置。营田：利用军人、农民和商人开垦、耕种土地。吏卒：泛指大小官员。　⑱岁：每年。浚(jùn)：疏通，挖深。治：治理。　⑲旱忧：干旱的忧患。　⑳恃(shì)：依靠。丰足：(衣食)丰富充足。　㉑废：废除。　㉒自并：自行组织合并。　㉓向：过去，原来。　㉔潴(zhū)：水积聚。　㉕雨泽：雨水。时至：偶尔降临。　㉖方：正当，正值。夏历：夏天。　㉗旬：十天。㉘涸(hé)：河水干枯。　㉙立而须：站立在这里等它到来，形容事情即将要发生。须，等待。　㉚独：特别。畏：害怕。　㉛辄(zhé)：总是，就。连年：连续多年。　㉜不至：没有做到。　㉝岁：年岁，即上天、大自然。咎(jiù)：过失，罪过。　㉞为县：担任县令。　㉟穰(ráng)：庄稼丰熟。　㊱乘：趁着，就着。有余：生活有富余。　㊲及：等到。暇(xiá)时：空闲的时候。　㊳不足水：水不足，即干旱缺水。　㊴无：无论。稚(zhì)少：年幼之人。　㊵惩(chéng)：苦于。数(shuò)：屡次，多次。　㊶翕(xī)然：一致的样子。　㊷劝：勉励，劝勉。趋：奔赴。　㊸爱：吝惜。力：体力。　㊹小人：指百姓。乐成：享受成果。虑始：谋划事情的开始。　㊺诚：果真，的确。大利：很大的利益。㊻犹：尚且。强之：强迫他们去做。　㊼况：何况。愿欲：愿意、想要。㊽窃：私下，偷偷。执事：掌管事情的人，即官员，这里指杜杞。欲闻：想要听到的。　㊾伏惟：趴伏在地上想，下对上陈述时用来表示敬意。　㊿辨智：善辨事理又有才智。　51无间：没有空隙，指极微小的事情。　52无崖岸：即无边无际，指大的事情。　53悉：全，都。讲：谋划，商议。明：明白。　54导利去害：引向利益，除去祸害。　55汲(jí)汲：急切的样子。若不足：像无法满足。　56最：最吏，古代考核官员政绩或军功时划分的等级，以上等为最。长民之吏：即官吏。当：应该。致意：关注，关心。　57故：所以。辄：立即，就。具：完备，详尽。闻州：即上报州府。　58顾：表示轻微的转折，类似于“不过”。厝(cuò)事：安置事情，即办事。　59尚：尚且，还。彻：彻底。　60复：又。条件：指逐条逐件写成文字。　61少留：稍稍留心。聪明：听觉灵敏为联，视觉灵敏为明，这里指留心。　62未安：不妥当的地方。　63诛：责怪。64幸甚：非常庆幸、幸运。

【译文】

十月十日，恭谨地再拜奉书信给运使学士阁下：恕我愚笨没有经历过事物的变更，在你部下任职，能寄身于你身边。可以实施办理的事，我不敢循守前例，苟且从简，而辜负了你推引我的好意，而这也是我的职责所在。

鄞县，跨于甬江两岸，背靠大海，河水有可去之处，所以当地没有水患。深山长谷中的水，从四面流出，田间沟渠河道，都相互流通。听长者说钱氏在五代统治时曾设置都水营田使，每年疏通治理，人们没有旱灾，凭借这个过得很丰足。营田使废弃已经六七十年了，后来的官吏因循守旧，而百姓没有能力自行组织，原来的河渠山川渐渐变浅拥塞。山谷中的水，转流入海中而没有蓄留。幸好有时会下雨，但田里水仍然不够。方将夏天，十天不下雨，众河流就会干枯，人可站在这里等它到来。所以现在县民惟独最怕干旱，旱灾一来就连续多年。这都是人力没有做到，而并非上天的罪责。

我在这里任县令，幸而今年庄稼丰收，我认为应当趁人们有富余且农闲的时候，大力疏通治理河渠，使流水有所蓄留，可以没有缺水的忧患。无论老壮幼小，都经常受苦于旱灾，而有幸现在有余力，听说后都一致相互劝勉跑来，不敢吝惜自己的力气。小民可以和他们一起享受成功的欢乐，而很难与他们一起谋划最开始的行动。如果真有大的利益，尚且要强迫他们做，更何况他们愿意而又想要做呢！我认为这件事你也是想要知晓的。

尊敬的执事，你聪明、善辨事理又有才智，天下的事，小到细密无间隙，大到没有崖岸，无边无际，你都已经谋划明白了，而且又引导人们趋于利益，除去祸害，心情急切唯恐不足。这是最应该治理百姓的官员所应该留意的事情，所以我就上书告知了州府，州府已经上书告诉你了。但想到安置的详情,尚且没有说得彻底明白,于是就又一条条、一件件详细地告诉你。但愿你稍微留意,有不妥当的地方,还请教诲我而不要责备。我将感到非常荣幸。

【题解】

本文是宋仁宗庆历八年(1048),王安石的上司杜杞由两浙转运使迁任河北转运使时,王安石写给他的书信。信中主要表达了对杜杞离开的不舍,以及对他按临河北的庆贺。书信的第一部分叙述转运使按举部中官吏、纠诘朝中权贵、干预国家政令的重任;第二部分写河北路"左河右山",与强国为邻,是皇帝不敢疏忽的重要位置。第三部分王安石表达对杜杞任职两浙,马上就要调离的惋惜与不舍。

上杜学士[①]书

窃[②]闻受命改使河北,伏惟庆慰[③]。国家东西南北,地各万里,统而维[④]之,止十八道[⑤]。道数千里,而转运使独[⑥]一二人。其在部中[⑦],吏无崇卑[⑧],皆得按举[⑨]。虽将相[⑩]大臣,气势烜赫[⑪],上所尊宠[⑫],文书指麾[⑬],势不得恣[⑭]。一有罪过,纠诘按治[⑮],遂行不请[⑯]。政令有大施舍[⑰],常咨而后定[⑱]。生民有大利害[⑲],得以罢而行之[⑳]。金钱粟帛[㉑],仓庾库府[㉒],舟车漕引[㉓],凡上之人[㉔],皆须我主出[㉕]。信[㉖]乎,是任之重[㉗]也。而河北又天下之重处[㉘],左河右山[㉙],强国之与邻[㉚],列而为藩者[㉛],皆将相大臣,所屯无非天下之劲兵悍卒[㉜],以惠则恣[㉝],以威则摇[㉞]。幸时无事[㉟],庙堂之上[㊱],犹北顾而不敢忽[㊲];有事,虽天子其忧未尝不在河北也。

今执事按临[㊳]东南,无几何时[㊴],浙河东西十有五州[㊵]之官吏士民,未尽受察[㊶],便宜当行[㊷],害之可除去者,犹

未毕[43]也。而卒然举河北以付[44]执事，岂主上与一二股肱之臣[45]，不惟付予[46]必久，而后可要以效[47]哉？且以为世之士大夫无足寄以重[48]，独执事为能当[49]之耳。伏惟执事名行于天下，而材[50]信于朝廷，而处之宜[51]，必有补[52]于当世。故虽某蒙恩德最厚，一日失所依据[53]，而释然[54]于心，不敢恨望[55]，唯公义之存，而忘所私焉。

【注释】

①杜学士：见《上杜学士言开河书》注。　②窃：私下，偷偷。　③庆慰：庆贺和欣慰。　④统：统一。维：维系，连续。　⑤止：只，仅。道：即路，唐代称道，这里是用唐代的称谓。　⑥转运使：最初由唐代设置的官名，主管中央或地方运输事务。独：只，仅。　⑦部中：指衙署之中。　⑧无：无论。崇卑：崇高或低下，指官位。　⑨按举：检举揭发。　⑩将相：将帅和丞相，泛指朝中的文武大臣。　⑪炟赫(dá hè)：形容声势强盛。　⑫上：皇上。尊宠：尊敬宠爱。　⑬文书：公文、书信。指麾(huī)：即"指挥"，发令调度。　⑭恣：放纵。　⑮纠诘按治：检举、责问、巡视、治理。　⑯遂行不请：直接行动，不用请求。　⑰施舍：施舍或舍弃，即"兴废"。　⑱常咨而后定：常常要咨询他们然后再决定。　⑲生民：人民。利害：利益或灾害。　⑳罢而行之：指罢免灾害，推行有利的事。　㉑粟(sù)帛：粟米和布帛，泛指粮食和衣服。　㉒仓庾(yǔ)：贮藏粮食的仓库。库府：国家贮藏财物、兵甲的处所。　㉓漕(cáo)引：即"漕运"，利用水道(河道和海道)向京城调运粮食。　㉔凡：凡是，全部。上之人：在任上的官员。　㉕我主出：由我们(转运使)主管。　㉖信：确实是这样，指"是任之重"。　㉗是：这，指转运使。任：责任、职责。重：重大。　㉘河北：河北路，大致相当于今天河北全境，以及河南、山东黄河以北之地。治所在魏州，今河北大名东北。重处：重要的位置。　㉙左河右山：左边是黄河，右边是太行山。　㉚强国之与邻：指河北路北边与契丹相邻。　㉛列而为藩者：这里指担任河北路转运使的人。　㉜屯：驻军防守。劲兵：精锐的部

队。悍卒：强悍的士兵。 ㉝以：用，给。惠：恩惠。恣：放纵。 ㉞威：威严。摇：动摇。 ㉟幸时无事：有幸无战事的时候。 ㊱庙堂之上：指朝廷。 ㊲犹：仍然。北顾：向北望。忽：疏忽。 ㊳执事：掌管事情的人，即官员，这里指杜杞。按临：巡视。 ㊴无几何时：没有多长时间。 ㊵浙河东西：浙江地区以钱塘江为界分为浙东和浙西。十有五州：即两浙路下属的杭、越、苏、润、湖、婺、明、常、温、台、处、衢、严、秀十四州及江阴军。 ㊶未尽受察：没有全部受察访。 ㊷便宜当行：指便于公宜于私应该办理的事情。 ㊸犹：仍然，尚且。毕：完成。 ㊹卒然：即“猝然”，突然，出乎意料。举：拿，用。付：托付。 ㊺股肱之臣：比喻皇帝身边重要得力的大臣。 ㊻不惟：不仅，不但。付予：托付，委任。 ㊼要：通“徼”(jiǎo)，探求，求取。效：仿效，效法。 ㊽无足寄以重：不足以寄托重任。 ㊾当：担当，充当。 ㊿材：才能。 51处之宜：身居合适的官位。 52补：好处。 53一日：一旦。依据：依靠，指杜杞离任两浙。 54释然：释怀，指心中的疑虑、嫌隙消释后平静的样子。 55恨望：怨望，怨恨。

【译文】

我听说你受命改任河北转运使，向你表示庆贺和欣慰。国家东西南北四方，土地各有万里，统一维系，划分为十八道。每道地方千里，而转运使单单只有一二人而已。他们在衙署中，官吏无论职位高低，任何官吏都可以检举揭发。即便是将相大臣，权势显赫，深受皇上的宠幸，也可以用文书法令来指挥，让他们不能肆意妄为。一旦他们犯了罪，转运使就会检举、责问、巡视、治理，并且可以直接执行不用向皇上请示。政令有大的兴废，常常要咨询他们然后再决定；人民遇到的大利害，得要通过他们罢免或推行。金钱、粟谷、布帛、仓库、车库、舟车、漕运，但凡在任上的官吏，都归转运使主管。这个职务确实重要啊。而且河北又是天下重要的位置，左依黄河，右靠太行山，与强国契丹接邻，列为守藩之人都是将相大臣，所驻扎的都是全天下最精锐强悍的士兵，给他们恩惠则会使其放纵，给他们施威则会动摇军心。国家有幸无事的时候，朝堂之上仍北顾而不敢疏忽怠慢；一旦有事，即便是天子的忧虑也未尝不在河北。

如今你巡视东南还没有多久，浙江东西十五州的官吏士民尚未全部受察访，于公于私应该办理的事情和可以除去的弊端尚未完毕。然而突然将河北托付给你，皇上和一两个股肱大臣是要将其长久托付于你，看你以后的成效吧？且以为世间的士大夫没有足以寄托重任的，惟独你能担当此任。

尊敬的执事，你的名声在全天下流行，你的才能被朝廷信任，现把你放到合适的位置，必定对当下的政治大有帮助。虽然我承蒙你的恩德最多，但有一天失去你的依靠，内心也会释然，不敢有所怨恨。只是因为公义的存在，而忘记了自己的私心。

【题解】

本文是王安石在鄞县任县令的第二年，给他上司两浙转运使孙甫所上的书信，针对他推行的“令吏民出钱购人捕盐”措施进行规谏。王安石认为居住于海边的人贩盐，是不可能通过屠杀来禁止的。更何况是让吏民摊派钱财、雇人来抓捕走私食盐的人，这不仅会使艚户失业，令他们沦为盗贼，相互仇杀，而且让吏民出钱，只会让那些小户卖田以应责，大户也会破产失职。所以王安石对孙甫的方法提出质疑。然后王安石又上升到“不由先一之道而主于利”的高度，认为孙甫迫于公家用调的不足而以财利为债的方法，并不是解救一切的办法，譬如抱薪救火，最后只能事与愿违。

上运使孙司谏[1]书

伏见阁下令吏民出钱购人捕盐[2]，窃以为过[3]矣。海旁之盐，虽日杀人而禁[4]之，势不止[5]也。今重诱之使相捕告[6]，则州县之狱必蕃[7]，而民之陷刑[8]者将众，无赖奸人将乘[9]此势，于海旁渔业之地搔动艚户[10]，使不得成其业。艚户失业，则必有合而为盗，贼杀以相仇者[11]，此不可不以为虑[12]也。鄞于州为大邑[13]，某为县于此两年[14]，见所谓大户者，其田多不过百亩，少者至不满百亩。百亩之直[15]，为钱百千，其尤良[16]田，乃[17]直二百千而已。大抵[18]数口之家，养生送死[19]，皆自田出，州县百须[20]，又出于其家。方今田桑之家[21]，尤不可时得[22]者，钱也。今责购[23]而不可得，则其间必有鬻田以应责[24]者。夫使良民鬻田以

赏无赖告讦[25]之人，非所以为政也。又其间必有扞州县之令而不时[26]出钱者，州县不得不鞭械以督[27]之。鞭械吏民，使之出钱，以应捕盐之购，又非所以为政也。且吏治宜何所师法[28]也？必曰古之君子。重告讦之利以败俗[29]，广诛求之害[30]，急较固之法[31]，以失百姓之心，因国家不得已之禁而又重[32]之，古之君子盖未有然[33]者也。犯者不休[34]，告者不止[35]，粜盐之额不复于旧[36]，则购之势未见其止也。购将安出[37]哉？出于吏之家而已，吏固多贫而无有[38]也；出于大户之家而已，大家将有由此而破产失职[39]者。安有仁人在上，而令下有失职之民乎？在上之仁人有所为，则世辄指以为师[40]，故不可不慎[41]也。使世之在上者，指阁下之为此而师之，独不害阁下之义[42]乎？上好[43]是物，下必有甚[44]者。阁下之为方尔[45]，而有司或以谓[46]将请于阁下，求增购赏[47]，以励告[48]者。故某窃以谓阁下之欲有为[49]，不可不慎也。

天下之吏，不由先王之道而主于利[50]。其所谓利者，又非所以为利[51]也，非一日之积[52]也。公家日以窘[53]，而民日以穷而怨[54]。常恐天下之势[55]，积而不已[56]，以至于此，虽力排[57]之，已若无奈何[58]，又从而为之辞[59]，其与抱薪救火何异[60]？窃独为阁下惜[61]此也。在阁下之势，必欲变今之法，令如古之为[62]，固未能[63]也。非不能也，势不可也。循[64]今之法而无所变，有何不可，而必欲重之乎？伏惟[65]阁下，常立天子之侧[66]，而论古今所以存亡治乱，将大有为于世，而复之乎二帝三代之隆[67]，顾[68]欲为而不得者也。如此等事，岂待讲说而明[69]？今退而当财利责[70]，盖迫于

公家用调[71]之不足，其势不得不权[72]事势而为此，以纾[73]一切之急也。虽然，阁下亦过矣，非所以得财利而救一切之道。阁下于古书，无所不观，观之于书，以古已然之事验[74]之，其易知较然[75]，不待某辞说[76]也。枉尺直寻而利[77]，古人尚不肯为，安有此而可为者乎？今之时，士之在下者，浸渍成俗[78]，苟以顺从为得[79]，而上之人亦往往憎[80]人之言，言有忤[81]己者，辄怒而不听之。故下情不得自言于上，而上不得闻其过，恣[82]所欲为。上可以使下之人自言者惟阁下，其职不得不自言者某也，伏惟留思[83]而幸听之。文书虽已施行，追而改之，若犹愈于遂行[84]而不反也。干犯云云[85]。

【注释】

①孙司谏：即孙甫，字子翰，宋许州阳翟（今河南禹州）人，宋仁宗天圣八年进士，历任江东和两浙转运使。运使：即转运使，最初由唐代设置的官名，主管中央或地方运输事务。司谏：职官名，主要掌管讽谕规谏之事。　②伏见：伏身看见，谦辞，即看到。阁下：用于对尊贵之人的敬称。购人：即雇人。捕盐：搜捕私自贩盐之人。　③窃：私下，偷偷。过：过分，错误。　④日：每天。禁：禁止。　⑤势不止：形势也不能停止。　⑥重诱：用重利引诱。捕告：抓捕、告发。　⑦狱：指监狱里的犯人。蕃：多。　⑧陷刑：身陷刑罚。⑨无赖：游手好闲、刁猾强横的人。奸人：邪恶、狡诈的人。乘：趁机。　⑩搔动：同“骚动”，即扰乱。艚（cáo）户：指用船只贩盐的人家。　⑪贼杀：杀害。相仇者：相互仇恨的人。　⑫虑：考虑，忧虑。　⑬鄞（yín）：鄞县（今浙江宁波）。州：当时鄞县隶属明州，治所在今天的浙江宁波。大邑（yì）：大都市。⑭某为县于此两年：王安石于北宋仁宗庆历七年（1047）任鄞县县令。⑮直：通“值”，价钱。　⑯尤（yóu）良：非常好。　⑰乃：才。　⑱大抵：大概。⑲养生送死：供养活着的人，埋祭死去的人。　⑳百须：指官府的各种需求，

即各种税收。 ㉑方今：现在。田桑之家：以耕田和采桑为生的家庭，即农家。 ㉒不可时得：不能够按时得到。 ㉓责购：责令百姓出钱雇人搜捕私自贩盐的人。 ㉔鬻(yù)：卖。应责：应付官府的责求。 ㉕告讦(jié)：告发。讦，揭发。 ㉖扞(hàn)：同“捍”，抵御。令：命令。不时：不按时。 ㉗鞭械：皮鞭鞭打、刑具(木枷或镣铐之类)捆系。督：督促。 ㉘吏治：官吏的作风和治理的政绩。宜：应该。何所师法：从哪里学习和效法。 ㉙重：加大，看重。利：利益。败俗：败坏风俗。 ㉚广：推广，扩大。诛求：强行征收。害：危害。 ㉛急：迫切，急于推行。较固：即“校锢”，这里指垄断，具体指对盐的专买专卖。法：法令。 ㉜因：因循。禁：禁令，指禁止私人贩盐。重：加重。 ㉝盖：大概。然：这样。 ㉞犯者不休：犯法的人不休止。 ㉟告者不止：告发的人不停止。 ㊱粜(tiào)：卖。额：数额，数量。不复于旧：没有恢复到过去的水平。 ㊲购将安出：雇人用的钱从哪里来。 ㊳固：本来。多贫：大多贫困。无有：没有，匮乏。 ㊴失职：失去产业。 ㊵辄(zhé)：总是，就。指以为师：把他作为老师。 ㊶慎：谨慎，慎重。 ㊷害：妨害。义：仁义，道义。 ㊸好：喜欢，爱好。 ㊹甚：超过。 ㊺为：行为，作为。方尔：刚这样，即刚开始。 ㊻有司：古代设官分职，后泛指官员。或：有的。以谓：认为，以为。 ㊼求增购赏：请求增加雇佣的赏金。 ㊽以：来。励告：激励告发的人。 ㊾有为：有所作为。 ㊿由：经由，顺从。主于利：以利益为主导。 (51)为利：产生利益。 (52)积：积累。 (53)公家：政府，国家。日以窘(jiǒng)：越来越困窘。 (54)怨：怨恨。 (55)势：形势，局势。 (56)已：停止。 (57)力排：尽力避免、排斥。 (58)已若：已经好像。无奈何：没有什么办法。 (59)为之辞：为他辩解、开脱。 (60)抱薪救火：抱着柴草去救火，比喻想消灭灾害，反而使灾害扩大。何异：有什么不同。 (61)惜：惋惜。 (62)令如古之为：使它像古代的作为一样。 (63)固未能：固然不可能。 (64)循：遵守，依照沿袭。 (65)伏惟：趴伏在地上想，下对上陈述时用来表示敬意。 (66)立：站立，侍奉。侧：身边。 (67)复：恢复。二帝：唐尧和虞舜。三代：夏、商、周。隆：隆盛。 (68)顾：表示轻微的转折，类似于“可是”。 (69)岂待讲说而明：难道还要等别人说才能明白吗。 ⑩退:退而求其次。当:主领。财利:财物货利。责:索取。⑪用调:费用、调度。 ⑫权:衡量,估计。 ⑬纾(shū):缓和,解除。 ⑭已然之事:已经发生的事。验:检验。 ⑮较然:明显的样子。 ⑯辞说:即说。⑰枉尺直寻:只屈折一尺而会伸直一寻,比喻忍受小委屈而以求得更大的好处。利:获利。 ⑱浸渍:本指浸在液体中泡透,多用来形容浸染。成俗:形成风气。 ⑲苟:苟且,随便。顺从:服从,不违抗。得:得到好处。 ⑳憎(zēng):厌恶、恨。 ㉑忤(wǔ):忤逆,不顺从。 ㉒恣:放纵,无拘束。㉓留思:留心。 ㉔若:这样,如此。愈:较好,胜过。遂行:实行。 ㉕干犯:冒犯。云云:一般用于句末,表示有所省略。

【译文】

我看到阁下命令人民出钱雇佣人来抓捕私自采盐贩盐的人,我私下认为错了。私采海边的盐,即使通过每天杀人来禁止,形势也是不能停止的。如今用重利引诱他们,使之相互抓捕告发,那么州县的监狱的犯人一定会增多,而人民中陷于刑罚的也会很多。无赖奸诈之人将趁这个机会,在海边渔业之地扰乱船民,使他们不能继续自己的产业。船民失业,就一定会合起伙来当强盗,砍杀相互有仇的人,这是不能不考虑的事。

鄞县是明州的大县,我在这里做县令两年了。看见的所谓大户,他们的田地最多的不超过一百亩,少的还不满一百亩。百亩田的价值,可以抵十万钱,其中最好的田,一百亩也不过二十万钱罢了。大约几口人的家庭,供养活人、埋祭死人的花费,都得从田地中得来。州县的上百种税收又要出自家庭中。如今种田采桑的人家,最不可按时得到的就是钱。现在责令雇佣人的钱无法得到,那么他们中间必定有卖田换钱来塞责的。让良民卖田换钱去奖赏给那帮无赖检举告发之人,不是处理政事的办法。并且期间必定有违抗州县的命令而不按时出钱的人,州县又不得通过皮鞭和刑具督促他们。鞭打拘留人民来让他们出钱，以满足抓捕私自贩盐的花费，也不是处理政事的办法。

那么官吏的作风和治理的政绩应该从哪里学习和效法呢？回答一定是："古代的君子。"重视检举揭发的利益而败坏风俗，扩大强行征税的危害，加强垄断盐务的法令而失去民心，顺着国家不得已而发出的禁令，并加重它，古代的君子大概没有这样做的。犯法的人不停止，告发的人也不会停止，卖盐的数额不像原来一样多，那么雇佣的形势也未见停止。雇佣的费用从哪里出呢？出自小吏之家吗？可小吏本来就很多贫困而没有积蓄；出于大户吗？大户将有因此而破产失业的。怎么会有仁人在上，而让下有失去职业的人民呢？在上的仁人有了作为，那么世人就会把他作为老师，所以不可以不慎重啊。假使当世在上的人，指着阁下你的作为而效仿，不就损害阁下的道义吗？上位的人喜欢这个事物，下位的人一定会变本加厉。阁下正在这样做，有关部门可能认为，要请你增加雇佣的赏金来激励告发者。所以我私下以为，阁下你想有所作为的话，不可以不谨慎。

普天下的官员，不遵循先王之道而只以利益为主导。但他们所谓的利，又不是能真正产生利益，这并非一天就积累成这样的。国家一天天困窘，而人民一天天因贫困而心生怨恨。我经常担心天下的形势，一天天积累而不停止，以至到了如此地步。即使用力去排解，好像是无可奈何了，又为它回护推辞，这与抱薪救火有什么区别呢？我私下替阁下你感到惋惜。以阁下你所处的形势，一定想要变革现今的法令，像古代那样作为，肯定是不可能的。也不是不可能，而是当下的形势不允许。依循当今的法令而无所改变，有何不可呢？而一定要加重它吗？

尊敬的阁下，你常站在天子身旁，谈论古今所以存亡治乱的原因，将大有作为于当世，而恢复到唐尧、虞舜二帝和夏禹、商汤、周文三王时的兴隆，只是想有所为而不能实现。像这种事，难道还要等到别人说才能明白吗？现在退而求其次却责索财利，大概是迫于公家的费用调度，当前的形势不得不加以权衡才这样做，以缓解一切的急务。虽然这样，阁下你做得也太过分了，财利并不是解救一切的办法。没有什么古书是你没看过的，用古代已发生的事来检验这个办法，这显然很容易明白，不用待我再说了。委屈自己的一点点心志来换取更多的利益，古人尚且不肯做，你怎么可能会做这种事呢？

现在，士人处于下的，都浸染了流俗，苟且地顺从上级以得到好处；而在上的人又往往憎恨别人的言论。言论中有冒犯自己的，就恼怒而不听从。于是下面的实情不能告诉在上者，而在上者也不能听见自己的过错，进而恣意妄为。在上者能使在下之人进言的只有阁下你了，因职责所在，我不得不说这些，希望你留意思考而有幸听从。让吏民出钱雇人的文书虽然已经施行了，但追回来改正，还是比果断施行要好。有所冒犯。

【题解】

关于这篇上书的写作时间，后世存在一定的争议，直到现在还没有定论。文中请求丞相答应自己辞官归家奉养祖母以及“殡先人之丘冢”的意愿。信中以古人“材瞽聋、侏儒之道”和《诗经·行苇》中表现的仁义为开端，又以之结尾，前后呼应。书信还表达了王安石既要取食于不腆之禄以养数十口之家，又必须回家奉养年事已高的祖母的矛盾心情。而身处苟贱的不廉之地，却不敢贪财共裘葛，具鱼菽，以防伤害先人的英明和君子的德行，表明王安石虽然身处困境，但仍高洁其行的节操。

上相府书

某闻古者极治[①]之时，君臣施道以业[②]天下之民，匹夫匹妇有不与其泽[③]者，为之焦然[④]耻而忧之。瞽聋、侏儒[⑤]，亦各得以其材食之[⑥]有司。其诚心之所化[⑦]，至于牛羊之践[⑧]，不忍不仁[⑨]于草木，今《行苇》之诗[⑩]是也。况于所得[⑪]士大夫也哉？此其所以上下辑睦[⑫]而称极治之时也。

伏惟阁下方[⑬]以古之道施天下，而某之不肖[⑭]，幸以此时窃官[⑮]于朝，受命佐[⑯]州，宜竭罢驽[⑰]之力，毕思虑[⑱]，治百姓，以副吾君吾相于设官任材、休息元元之意[⑲]，不宜以私恩[⑳]上，而自近于不敏之诛[㉑]。抑其势有可言[㉒]，则亦阁下之所宜怜[㉓]者。

某少失先人[㉔]，今大母春秋[㉕]高，宜就养[㉖]于家之日久

矣。徒以内外[27]数十口，无田园以托[28]一日之命，而取食不腆之禄[29]，以至于今不能[30]也。今去而野处[31]，念自废于苟贱不廉之地[32]，然后有以共裘葛[33]，具鱼菽[34]，而免于事亲之忧[35]，则恐内伤先人之明[36]，而外以累君子养完人材之德[37]。濡忍以不去[38]，又义之所不敢出[39]也。故辄上书阙下[40]，愿殡先人之丘冢[41]，自托于筦库[42]，以终犬马之养[43]焉。

伏惟阁下观古之所以材[44]瞽聋、侏儒之道，览[45]《行苇》之仁，怜士有好修[46]之意者，不穷之于无所据以伤其操[47]，使老者得养，而养者[48]虽愚无能，无报[49]盛德，于以广[50]仁孝之政，而曲成士大夫为子孙之谊[51]，是亦君子不宜得已[52]者也。黩冒[53]威尊，不任皇恐之至[54]。

【注释】

①极治：指政治修明，社会升平。 ②施道：推行道义。业：使有产业。 ③匹夫匹妇：泛指平民百姓。与：参与，即分享。泽：恩泽。 ④焦然：憔悴的样子。 ⑤瞽(gǔ)：盲人。聋：聋子。侏儒：身材非常矮小的人。 ⑥以：用，凭借。材：才能。食之：提供粮食。 ⑦化：教化。 ⑧践：踩，踏。 ⑨不忍：不忍心，不愿意。不仁：不仁义的行为。 ⑩《行苇》之诗：指《诗经·大雅》中的诗篇，诗中有“敦彼行苇，牛羊勿践履”。 ⑪得：得到，这里指任用。 ⑫辑睦：和睦。 ⑬伏惟：趴伏在地上想，下对上陈述时用来表示敬意。阁下：用于对尊贵之人的敬称。方：正在。 ⑭不肖(xiào)：不才，不才贤，这是王安石的谦辞。 ⑮窃官：窃取官位，这也是王安石的谦辞。 ⑯佐：辅佐。 ⑰宜：应当。竭：竭尽，用尽。罢驽(pí nú)：低劣的马，比喻人的才能低下，这是王安石的谦辞。 ⑱毕：用尽。思虑：心思，心智。 ⑲副：相配，相称。吾君吾相：指皇帝宋仁宗和丞相。设官：设置官职。任材：任用人才。休息：休

养生息。元元：平民百姓。意：用意，意图。 ⑳宜：应该。私：私事，私情。慁(hùn)：扰乱，打扰。 ㉑近：接近，靠近，这里指使自己陷入。不敏之诛：因不敏而受到惩罚。不敏，不聪明。诛，责罚。 ㉒抑：文言连词，表示转折，相当于“但是”。势有可言：迫于形势，需要说出来。 ㉓怜：体恤，爱怜。㉔某少失先人：王安石的父亲王益于宋仁宗宝元二年(1039)卒于江宁任上，当时王安石十九岁，所以他称自己“少失先人”。 ㉕大母：祖母。春秋：指年龄。 ㉖就养：侍奉。 ㉗徒：只，仅。以：因为。内外：总指家中男女尊卑长幼之人。 ㉘田园：指土地。托：寄托。 ㉙取食：获取食物。不腆(tiǎn)之禄：不丰厚的俸禄。 ㉚不能：指不能辞官回家奉养大母。 ㉛去而野处：指离开朝廷，在外地任官。 ㉜念：想到。自废：自我废弃。苟贱：卑鄙下贱。不廉之地：不廉洁的地方。 ㉝有以：具备某种条件。共：同“供”，提供，供给。裘葛(qiú gě)：泛指四时的衣服。裘，冬天穿的皮衣。葛，夏天穿的用葛布做的衣服。 ㉞具：备，办。菽(shū)：豆类的总称，泛指食物。 ㉟免：免除。事亲：侍奉亲人。忧：忧虑。 ㊱则：可是，却。恐：恐怕，担心。内：对内。伤：伤害，损毁。先人之明：父亲的英明。 ㊲外：对外。累：连累。养完：培养、成就。人材：即人才。德：德义。 ㊳濡忍：柔顺忍受。不去：不辞官。 ㊴义之所不敢出：指道义所不容。 ㊵辄(zhé)：就。阙(què)下：官阙之下，指皇帝居住的宫廷，这里指丞相。 ㊶殡：停放灵柩或把灵柩送到墓地去，这里指回家守孝。丘冢(zhǒng)：坟墓。 ㊷筦库：即“管库”，指管理仓库的小官。 ㊸终：完成。犬马之养：供养父母的谦辞。 ㊹材：名词用作动词，使尽其才。 ㊺览：看，阅读。 ㊻怜：爱怜，爱惜。好修：本指喜爱修饰仪容，后多用来形容重视道德修养。 ㊼穷：困穷。无所据：没有凭据，形容贫穷。操：操守，操行。 ㊽养者：养育老者的人，指王安石自己。 ㊾无报：无法报答。 ㊿广：推广，扩大。 51曲成：用曲折的方法成全。为：作为。谊：情谊。 52已：停止，阻止。 53黩(dú)冒：冒犯。 54不任：不能承受。皇恐：即“惶恐”。之至：达到顶点。

【译文】

我听说古代政治修明、社会升平的时候，君臣都是用道义使天下的人民各司其业，平民百姓中有享受不到恩泽的，他们便面貌憔悴，感到羞耻而忧愁。盲人、聋子和侏儒也都能各尽其才，由官府提供粮食。他们诚心教化，到了牛羊践踏却不忍心有不仁义的行为施于草木的地步，《诗经·行苇》这首诗说的就是这个。更何况对于所任用的士大夫呢？这就是他们之所以能上下和睦而被称作太平盛世的原因。

尊敬的阁下，你正在用古人的道义来治理天下，而我不肖，侥幸于此时在朝廷任官，被任命为舒州通判。本应竭尽我年老的气力，用尽思虑以治理百姓，来符合我们的君王和宰相建立官制、任用人才、休养百姓的意旨，不该用私事来打扰上司，而让自己靠近不明智的责备。但还是有件事迫于形势，我需要说出来，而且也是阁下你应当体恤的。

我小时就失去父亲，如今祖母年纪大了，本来早就应该辞官回我家奉养她。只是因为我家内外共十几口人，没有田园可以寄托一日的生活，而只是靠我微薄的俸禄生活，以至于到今天也没能辞官回家奉养祖母。现在我离开朝廷而到外地做官，想着自我荒废于卑鄙轻贱之地，赚取不义之财，然后就有了提供冬裘夏葛，准备鱼豆的钱财，从而免除了奉养亲人的忧虑。但又恐怕对内伤害了父亲的英明，对外连累了君子培养成就人才的德义。我柔顺忍耐而不辞职，又是情义难容的。于是我就上书给你，但愿能去先父的坟墓，把自己托付于管理仓库的职务上，来最终完成犬马报答养育之恩的志愿。

尊敬的阁下，你明察古人之所以使盲人、聋子和侏儒各尽其才的道理，浏览《行苇》诗的仁义，怜惜士人喜欢修身养德，不让他穷到一无所有来损害他的操守，使老人得以侍养。而我这个奉养的人，虽然愚笨无能，无以报答你的盛德，但这对于推广仁孝之德政，用曲折的方法成全士大夫为人子孙的情谊，这也是君子不应该阻止的。冒犯了你的尊威，不胜惶恐之极。

【题解】

本文是王安石任淮南路节度判官的第二年，在扬州写给当时的右正言田况的书信。信中委婉地对田况任右正言之职却不敢谏言的批评。书信开头先称扬田况“介然立朝，无所跛倚”，并道二人的亲近关系。然后回顾田况在对贤良方正策时并非只想取得名位的志向，可是后来他却没有向皇帝进谏只言片语，于是王安石质问“何向者斥之切而今之疏也”。接着王安石为田况找了“造辟而言，诡辞而出”和进言不被采纳两条辩解的理由，可是王安石又逐一推翻。最后向田况提出“不矜宠利，不惮诛责，一为天下昌言，以寤主上；起民之病，治国之疵，蹇蹇一心，如对策时”的要求与希望。

上田正言[①]书

正言执事：某五月还家，八月抵官[②]。每欲介西北之邮布一书[③]，道区区之怀[④]，辄以事废[⑤]。扬[⑥]，东南之吭[⑦]也。舟舆至自汴[⑧]者，日十百数[⑨]，因得问汴事与执事息耗甚详[⑩]。其间荐绅道执事介然立朝[⑪]，无所跛倚[⑫]，甚盛[⑬]，甚盛！顾犹有疑[⑭]执事者，虽某亦然[⑮]。某之学[⑯]也，执事诲[⑰]之；进[⑱]也，执事奖[⑲]之。执事知[⑳]某，不为浅矣[㉑]，有疑焉不以闻，何以偿执事之知[㉒]哉？

初，执事坐殿庑[㉓]下，对方正策[㉔]，指斥天下利害[㉕]，奋不讳忌[㉖]。且曰：“愿陛下行之[㉗]，无使天下谓制科为进取一涂耳[㉘]。”方此时，窥执事意[㉙]，岂若今所谓举方正者猎取名位[㉚]而已哉？盖曰行其志云尔[㉛]。今联谏官朝夕耳

目天子行事[32]，即一切是非无不可言[33]者。欲行其志，宜莫若此时[34]。国之疵[35]、民之病亦多矣，执事亦抵职[36]之日久矣。向之所谓疵者，今或痤然若不可治[37]矣；向之所谓病者，今或痼然若不可起[38]矣。曾未闻执事建一言寤主上[39]也。何向者斥之切而今之疏[40]也？岂向之利于言而今之言不利耶[41]？岂不免若今之所谓举方正者猎取名位而已邪？人之疑执事者以此[42]。为执事解[43]者，或[44]曰："造辟而言，诡辞[45]而出，疏贱[46]之人，奚遽知其微[47]哉？"是不然[48]矣。《传》[49]所谓"造辟而言"者，乃其言则不可得而闻[50]也，其言之效[51]，则天下斯[52]见之矣。今国之疵，民之病，有滋而无损[53]焉，乌[54]所谓言之效邪？复[55]有为执事解者，曰："盖造辟而言之矣，如不用何？"是又不然。臣之事[56]君，三谏不从则去[57]之，礼也。执事对策时，常用是著[58]于篇。今言之而不从，亦当不翅[59]三矣。虽惓惓[60]之义，未能自去，孟子不云乎："有言责者，不得其言[61]则去。"盍亦辞[62]其言责邪？执事不能自免[63]于疑也，必[64]矣。虽坚强[65]之辩，不能为执事解也。乃如[66]某之愚，则愿执事不矜宠利[67]，不惮诛责[68]，一为天下昌言[69]，以寤主上；起民之病，治国之疵，蹇蹇[70]一心，如对策时，则人之疑不解自判[71]矣。惟执事念[72]之。如其不然，愿赐教答[73]。不宣。

【注释】

①田正言：田况（1005—1063），字符均，开封（今河南开封）人。北宋仁宗天圣年间进士，曾任右正言。主要掌握规谏讽喻之事。　②抵官：到任。③介：通过，依靠。西北之邮：通往西北的邮差。布：传达。书：书信。④道：告诉。区区：小，形容微不足道。怀：心怀。　⑤辄（zhé）：总是，就。以

事废：因为杂事而废止。 ⑥扬：扬州，今江苏扬州。 ⑦东南之吭（háng）：东南地区的咽喉。 ⑧舟舆（yú）：船和车。至：到，到达。自：从。汴：汴梁，北宋的都城，在今天河南开封。 ⑨日：每天。十百数：数量有几十上百。⑩因：因此。得：得以，能够。问：询问。汴事：汴梁的事情。执事：掌管事情的人，即官员，这里指田况。息耗：指事物的盛衰、盈亏、吉凶，这里指田况的消息。甚详：非常详细。 ⑪荐绅（jiàn shēn）：也写作"搢绅"或"缙绅"，多指官员。介然：坚定执着的样子。立朝：站立在朝堂。 ⑫跛倚（bǒ yǐ）：站立歪斜不正，倚靠于物，形容偏向某一方。 ⑬甚盛：非常好。 ⑭顾：表示轻微的转折，类似于"可是"。犹：仍然，还是。疑：怀疑，疑虑。 ⑮虽某亦然：即便是我也这样，指怀疑。 ⑯学：学问。 ⑰诲：教诲，教导。 ⑱进：晋升。 ⑲奖：奖掖，奖励提拔。 ⑳知：了解。 ㉑不为浅矣：即不浅，很深入。 ㉒偿：报答。知：知遇。 ㉓殿庑（wǔ）：大殿前的郎屋。 ㉔方正：贤良方正的简称，是汉代选拔人才的科目之一。策：古代用来写字用的竹简。㉕指斥：指摘，斥责。利害：好与坏的方面。 ㉖奋：奋勇。讳忌：避忌某些言语或举动。 ㉗行之：推行我的对策。 ㉘涂：通"途"，途径。耳：而已，罢了。 ㉙窥（kuī）：从小孔、缝隙或隐蔽处偷看。意：用意，意图。 ㉚岂若：哪里像。猎取：获取。名位：声名和地位。 ㉛盖：大概。曰：是。行其志：推行、实现自己的志愿。云尔：语气助词，一般放在句末，表示"如此而已"。㉜联谏官：和谏官们联结在一起，即成为谏官中的一员。朝夕：早上和晚上，指整天。耳目：耳闻目睹。行事：行为，所作所为。 ㉝即：则，那么。是非：对与错。言：进言。 ㉞宜：应该，适合。莫若此时：不会像现在这样（适合）。㉟疵（cī）：毛病，问题。 ㊱抵职：任职。 ㊲痤（cuó）然：像脓包一样。治：治理，根治。 ㊳痼（gù）然：像痼疾一样。痼，经久难治愈的病。不可起：不能站起来，指病重。 ㊴曾：竟，还。建一言：一句建议的言论。寤（wù）：同"悟"，醒悟。主上：指君主。 ㊵何：为何，为什么。向者：过去。切：急切。疏：疏懒。 ㊶利：便利。邪（yé）：同"耶"，表示疑问。 ㊷以此：因为这个。㊸解：辩解，解释。 ㊹或：有的人。 ㊺造：到去。辟：君主。诡辞：假话。

㊻疏贱：关系疏远、地位低下的人。 ㊼奚(xī)：疑问代词，相当于"何"。遽(jù)：就。微：微妙，微妙。 ㊽是不然：情况不是这样。 ㊾《传》：即《春秋谷梁传》，儒家经典之一，是为《春秋》作注解的书，与《左传》、《公羊传》合称为"《春秋》三传"。 ㊿乃：至于。不可得而闻：无法听见。 [51]其言之效：这句话产生的后果。 [52]斯：则，就。 [53]滋：滋生，增加。损：减损，减少。 [54]乌：疑问代词，相当于"哪里"、"何"。 [55]复：又。 [56]事：侍奉。 [57]谏(jiàn)：臣子规劝君主，使其改正错误。不从：不听从。去：离开，指辞职。 [58]常：曾经。著：写。 [59]当：应当。翅：通"啻(chì)"，只。 [60]惓(quán)惓：忠心耿耿的样子。 [61]言责：进言的职责。不得其言：进言不被听从。 [62]盍(hé)：何不。辞：辞职，辞去。 [63]自免：自己幸免。 [64]必：肯定。 [65]坚强：强固而有说服力。 [66]乃：至于。如：像。 [67]矜(jīn)：自夸，自恃。宠利：恩宠和利禄。 [68]惮(dàn)：怕，畏惧。诛责：惩罚，责罚。 [69]昌言：指直言不讳。 [70]謇謇：忠心正直的样子。 [71]判：区别，分辨。 [72]念：考虑。 [73]愿：希望。赐：给。教答：教诲答复。

【译文】

田正言执事：我(王安石)五月回到家中，八月到达任所。每次想靠去西北的邮差发封信给你，谈谈我的心意，却因杂事而废止。

扬州是东南地方的咽喉，船和马车从汴梁到这里的，每天会有成十上百。因此我得以询问京城和你的好坏消息，都很详尽。这段时间官员说道你耿然立于朝中，没有偏颇于哪一方，非常好，非常好！只是仍有怀疑你的人，即使是我也如此。我的学问，是你教诲的；我的晋升，也是你奖励的。你对我的了解不算浅了，我对你有了疑惑却不告知你的话，怎么报答你对我的知遇之恩呢？

最初，你坐在殿前廊屋之下，应对贤良方正的策问，指摘天下利弊，奋勇而没有忌讳。并且说道："愿陛下推行我的对策，不要使天下人认为科举只是进取的唯一途径！"那个时候，我私下窥探你的意图，难道是像今天所说的选拔贤良方正只是为了求取名位而已吗？大概是为了实现志愿吧。

现在任谏官的人，早晚耳闻目睹君王的所作所为。接触所有的是非，没有什么是不可以进言的。要想实现志向，最好莫过于此时了。国家的毛病、人民的痛苦很多。你任职的时间也很久了，原来所说的毛病，现今或许已经成脓包，好像已经不能治疗了；原来所说的痛苦，现今或许已成痼疾，好像已经不能好起来了。我却从来没有听说过你向皇帝进谏一言来让他醒悟。为何过去指斥得如此急切，可是如今却这样疏懒呢？难道是原来有进言的便利，而现在进言不便利了吗？抑或是你也不免像现在所谓的，举贤良方正只是为博取名位而已吗？人们就是这样怀疑你的。

为你辩解的人说："在君主面前说话，可以说假话。你们这些关系疏远、地位低下的人，哪里知道其中的微妙呢？"情况恐怕不是这样。《谷梁传》中所谓的"成全君王而说的话"，是说进谏的言论不可以让别人听到，但是进言的效果，是全天下人都可以看见的。如今国家的缺点，人们的疾苦，有滋生而没有停止，哪里是所谓的有效果呢？

又有人为你辩解："大概是向君王进言了，但他不用怎么办呢？"这又不对了。臣子侍奉君王，累计三次进谏都不听从就要罢官，这才合乎礼仪。你在对贤良方正的策问时，曾将这个观点写在文中，如今进言而不被接纳，也应当不只三次了。即便出于对君主的忠心，不能自行离开，但孟子说过："有进言的职责，如果不听从我的进言就离开。"你何不也辞掉你的进言之责呢？所以你不能让自己免除被怀疑的处境，也是必然的。即便是再强有力的辩驳，也不能替你开脱了。

我王安石虽愚钝，但我还是希望你不要以宠幸和利禄自夸，也不要害怕受到责难，而是要替天下直言不讳来感悟君王，让百姓的疾病好起来，治愈国家的缺点。保持忠诚正直的心，就像你对贤良方正策时一样。这样人们对你的疑惑无须解释而自然明了，还希望你思考一下。如果我说的不对，请你赐教答复。

【题解】

本文作于王安石任鄞县县令的第二年，即宋仁宗庆历八年(1048)，是写给郎简的一篇单纯表示问候和感谢的书信。信中先回顾王安石父亲王益去世后，郎简抚存王安石及其家属的恩情。郎简视他如亲子侄，所以王安石认为苛礼和空言都无法报答郎简的盛德。信中还记述了王安石途经越州时，听闻郎简在越州，便前去拜访，可是因郎简已经到达杭州而未曾相见的遗憾。他们已经五六年未曾谋面，王安石在信中集中表达了对郎简的谢意，以及一直以来没有写信问候的自责与惶恐。文章恳切而又深情款款，可以看出王安石对郎简的尊敬与感激。

上郎侍郎[①]书

某启[②]：昔者幸以先人之故[③]，得望步趋[④]，伏蒙抚存教道[⑤]，如亲子侄[⑥]。而去离门墙[⑦]，凡五六年，一介[⑧]之使，一书之问[⑨]，不彻于隶人之听[⑩]。诚以苛礼不足报盛德[⑪]，空言不能输欲报之实[⑫]，顾不知执事察[⑬]不察也。去年得邑海上[⑭]，涂当出越[⑮]，而问听之缪[⑯]，谓执事在焉，比至[⑰]越，而后知车马在杭[⑱]。行自念父党之尊[⑲]，而德施之隆[⑳]，去五六年，而一书之不进[㉑]，又望门不造[㉒]，虽其心之勤企而欲报者犹在[㉓]，而执事之见察其可必也，且悔且恐，不知所云。辄试陈不敏之罪于左右[㉔]，顾[㉕]犹不敢必左右之察也。不图执事遽然贬损手教[㉖]，重之蜀笺、兖墨之赐[㉗]。文辞反复，意指勤过[㉘]，然后知大人君子仁恩溥博[㉙]，度量之廓大[㉚]如此。小人

无状[31]，不善隐度[32]，妄自[33]悔恐，而不知所以裁[34]之也。一官自缀[35]，势不得去[36]，欲趋[37]而前，其路无由[38]。唯其思报[39]，心尚不怠[40]。

【注释】

①郎侍郎：郎简(975—1063)，字叔廉，宋杭州临安(今浙江杭州)人，宋真宗景德二年(公元1005年)进士。历任泉州、广州、越州、扬州、明州等地知州，七十四岁时以尚书工部侍郎退休，所以称为“侍郎”。 ②某启：古人写信，常在正文开头用“某启”，“某”表自己，“启”表示向对方启告。 ③昔者：过去。幸：有幸。以先人之故：因为我父亲(王益)的缘故。 ④得望：得以望见。步趋：行走，代指郎简本人。 ⑤伏蒙：伏下身来承蒙，表示尊敬。抚存：安抚，抚慰死者的亲属。教道：即“教导”。 ⑥子侄：儿子和侄子，泛指晚辈。⑦去离：离开。门墙：即师门。 ⑧介：个。 ⑨一书：一封书信。问：存问，慰问。 ⑩不彻：没有达到。隶人：指郎简，表示尊敬。听：听闻，听见。⑪诚以：确实是因为。苛礼：苟且随便的礼节。报：报答。盛德：盛隆的恩德。⑫空言：空泛的言论。输：输送，传达。欲报之实：想人回报的实情。 ⑬顾：表示轻微的转折，类似于“只是”。察：体察，明白。 ⑭邑：城市。海上：海边。 ⑮涂：通“途”。越：越州，今浙江绍兴。 ⑯问听：传闻。缪(miù)：纰缪，错误。 ⑰比至：等到到达。 ⑱车马：指郎简。杭：杭州。 ⑲行：正在，方。自念：自己怀念。父党之尊：尊敬的父辈。 ⑳德施：德泽恩施。隆：隆盛。 ㉑进：进呈，进献。 ㉒望门：望见郎简家的大门，形容离得非常近。造：造访。 ㉓勤企：殷切的想念。犹在：仍然存在。 ㉔辄(zhé)：于是，就。试：尝试，试着。陈：陈述。不敏之罪：因为自己不聪明而犯的过错。左右：对人不直称其名，只称左右，以表示尊敬。 ㉕顾：表示轻微的转折，类似于“可是”。 ㉖不图：没有想到。遽(jù)然：突然。贬损：贬损自己，即降低自己的身份。手教：即手书，对来信的敬称。 ㉗重：加重，又。蜀笺(jiān)、兖(yǎn)墨：蜀地的笺纸和兖州的墨水，泛指好的纸和墨。赐：赐予。 ㉘意指：即旨意，心意。勤过：非常殷切。 ㉙仁恩溥(pǔ)博：仁义和恩情广博。

㉚廓大：宽阔。　㉛小人：王安石对自己的谦称。无状：没有形态，形容自己行为失检，没有礼貌。　㉜隐度（duó）：私自忖度。　㉝妄自：自己胡乱地（悔恐）。　㉞裁：裁定，决定。　㉟自缀（zhuì）：自己被约束。　㊱势不得去：情势不容我离开。　㊲趋：快走。　㊳由：路径。　㊴唯：只有。思报：想回报。　㊵怠（dài）：怠慢，松懈。

【译文】

我王安石向你启告：过去有幸因为先父的原因，能跟随你学习，承蒙抚慰教导，待我如同亲子侄一般。而今离开你已有五六年了，我没有派一个使者，没有写一封信去慰问，没有得到你的听闻。确实是因为苟且随便的礼节不足以报答盛隆的恩德，空泛的言论不能传达我想要报答的实情。只是不知道你能不能体察。

去年在海边的鄞县做县令，途中经过越州，因传闻的错误，说你在此地。等我到了越地以后才知道你的车马已经在杭州了。正想念尊敬的父辈，你对我施予的德泽恩施隆厚，可我离开五六年而没有写过一封信，而且望见你的家门却不能造访，虽然我心里殷切企望报答你的心意犹在，而你能够明察，是必然的了。但我仍然后悔又惶恐，不知道说些什么。就试着向你陈述我因为自己不聪明而犯的过错，但还是不敢指望你一定能明察。没想到你立马贬损身份给我写信，并用蜀地的纸和兖州的墨来书写赐给我。言辞反复，意指让你殷勤，这样我才知道你大人君子的仁义和恩情广博，度量如此廓大。我没有礼貌，不擅长私自忖度，妄自悔恨惶恐，不知道怎么决定了。

因为官职的约束，情势不容我离开，想马上到你那里去，却没有路径。只有想着报答，心意尚且没有懈怠。

【题解】

北宋仁宗嘉祐三年(1058),时任常州知州的王安石被任命为江南东路的提点刑狱公事,作者不想接受这一官职,于是写了这封信给当时的副宰相曾公亮,委婉地表示拒绝。信中先高屋建瓴地提出,应该“因其材力之所宜,形势之所安”来任用官职,然后王安石陈述自己才不足而多病,加上母亲年老,患有气喘和风眩,表明自己于才力和形势两方面都无法任职。接下来,王安石进一步否定了作为人臣即要“左右惟所使”和事君事亲不可兼得这两种观点。最后又反复申诉,恳切而又含蓄,希望引起曾公亮的重视和同意。

上曾参政[1]书

某闻古之君子立而相[2]天下,必因其材力之所宜[3],形势之所安[4],而役使[5]之。故人得尽其材[6],而乐出乎其时。今也某材不足以任剧[7],而又多病,不敢自蔽[8],而数以闻执事[9]矣。而阁下必欲使之察一道之吏,而寄[11]之以刑狱之事,非所谓因其材力之所宜也。某亲[11]老矣,有上气之疾[12]日久,比年加之风眩[13],势不可以去左右[14]。阁下必欲使之奔走跋涉[15],不常乎亲之侧[16],非所谓因其形势之所安也。伏惟阁下由君子之道以相天下,故某得布其私[17]焉。

论者或以为事君使之左则左[18],使之右则右,害有至于死而不敢避[19],劳有至于病而不敢辞[20]者,人臣之义[21]也。某窃以为不然[22]。上之使[23]人也,既因其材力之所

宜，形势之所安，则使之左而左，使之右而右，可也。上之使人也，不因其材力之所宜，形势之所安，上将无以报吾君[24]，下将无以慰吾亲[25]，然且[26]左右惟所使，则是无义无命[27]，而苟悦[28]之为可也。害有至于死而不敢避者，义无所避之也；劳有至于病而不敢辞者，义无所辞之也。今天下之吏，其材可以备[29]一道之使，而无不可为之势，其志又欲得此以有为[30]者，盖[31]不可胜数。则某之事，非所谓不可辞之地而不可避之时[32]也。

论者[33]又以为人臣之事其君，与人子之事其亲，其势不可得而兼[34]也。其材不足以任事[35]，而势不可以去亲之左右，则致为臣[36]而养可也。某又窃以为不然。古之民也，有常产[37]矣，然而事亲者犹将轻其志[38]、重其禄[39]，所以为养。今也仕则有常禄，而居则无常产，而特[40]将轻去其所以为养，非所谓为人子事亲之义也。且某之材，固不足以任使事[41]矣，然尚有可任者，在吾君与吾相处[42]之而已尔。固[43]不可以去亲之左右矣，然任岂有不便[44]于养者乎？在吾君与吾相处之而已尔。

然以某之贱[45]，未尝得比于门墙之侧[46]，而慨然以鄙朴之辞[47]，自通[48]于阁下之前，欲得其所求[49]。自常人观之[50]，宜其终龃龉而无所合[51]也；自君子观之，由君子之道以相天下，则宜不为远近易虑[52]，而不以亲疏改施[53]。如天之无不焘[54]，而施[55]之各以其命之所宜；如地之无不载[56]，而生[57]之各以其性之所有。彼常人之心，区区好忮[58]而自私，不恕己以及物[59]者，岂足以量之邪[60]？

伏惟阁下垂听而念[61]焉，使天下士无复[62]思古之君

子，而乐出乎阁下之时[63]，而又使常人之观阁下者不能量[64]也。岂非君子所愿而乐者乎？冒黩[65]威尊，不任惶恐之至[66]。

【注释】

①曾参政：曾公亮（999—1078），字明仲，宋泉州晋江（今福建泉州）人，宋仁宗嘉祐元年（1056）任参知政事。参政：参知政事的简称。 ②立：站立，这里指出仕做官。相：辅佐。 ③因：因循，根据。材力：才能。宜：适合。④安：安稳。 ⑤役（yì）使：驱使。役，服劳力之事。 ⑥尽其材：完全发挥他们的才干。 ⑦任剧：胜任繁杂的事情。 ⑧自蔽：自我隐瞒。 ⑨数以闻：多次告诉。执事：掌管事情的人，即官员，这里指曾公亮。 ⑩阁下：用于对尊贵之人的敬称，这里指曾公亮。察：按察。道：即“路”，唐代称为“道”，宋代称为“路”，这里是沿用唐代的称谓。寄：托付。 ⑪亲：指王安石的母亲吴氏。 ⑫上气之疾：即气喘病。 ⑬比年：近年。风眩：头晕眩，又称风头眩。⑭势：势必。去左右：离开母亲的身边。 ⑮跋涉：登山涉水，形容旅途艰辛。⑯常：经常，时常。乎：于。侧：身边。 ⑰布：布告，告诉。私：私情。 ⑱事君：侍奉君主。使之左则左：让他向左，他就向左。 ⑲害有至于死而不敢避：危害到了致死的地步都不敢逃避。 ⑳劳有至于病而不敢辞：劳苦到了重病的地步也不敢推辞。 ㉑人臣之义：作为臣子的道义。 ㉒某：王安石的自称。窃：私下，偷偷。不然：不是这样，即不正确。 ㉓上：指君主。使：驱使。 ㉔上：向上，对上。报：报答。吾君：指君主。 ㉕慰：安慰。吾亲：指亲属。 ㉖然且：然而。 ㉗无义无命：没有道义和天命。 ㉘苟：苟且，随便。悦：取悦。 ㉙备：充当。 ㉚志：志向。得此：得到官位。有为：有所作为。 ㉛盖：大概，大约。 ㉜地：地步。时：时机。 ㉝论者：议论的人。㉞不可得而兼：不可能兼顾。 ㉟任事：担任大事。 ㊱致为臣：指辞官。㊲常产：即恒产，固定的产业。 ㊳犹：仍然，还是。轻其志：看轻自己的志向。 ㊴重其禄：重视自己的俸禄。 ㊵特：单独，特地。 ㊶任使事：胜任派遣的事务。 ㊷处：处置，安排。 ㊸固：固然。 ㊹任：任职。便：方便，

有利。㊺贱：身份和地位低下。㊻未尝：未曾，没有。比：靠近。门墙之侧：指师长之门。㊼慨然：感情激昂的样子。鄙朴：粗俗质朴。辞：文辞，指书信。㊽自通：私自通传。㊾欲得其所求：希望准许我的请求。㊿自常人观之：在普通人眼里看来。51宜：应该，合理。终：最终。龃龉(jǔ yǔ)：上下牙齿对不齐，比喻意见不合，互相抵触。无所合：指意见不合。52不为远近易虑：不因为关系远近而改变想法。53不以亲疏改施：不因关系亲疏而改变措施。54焘(dào)：覆盖。55施：施行。56载：承载。57生：生长，养育。58区区：小，这里指心眼小。好：喜欢。忮(zhì)：嫉妒。59不恕己以及物：不能把宽恕自己推及他人身上。60岂：哪里。足以：足够。量：估量。邪(yé)：同"耶"，表示疑问。61伏惟：趴伏在地上想，下对上陈述时用来表示敬意。垂听：垂耳倾听。念：思考。62无复：不再。63出乎阁下之时：生逢曾公亮主政之时。64不能量：不可估量。65冒黩(dú)：冒犯。66不任：不能承受。惶恐：惊恐害怕。之至：达到顶点。

【译文】

我听说古代的君子出仕而辅佐天下，必定要根据其才能所适合的，以及当下形势的安稳来驱使他。所以人们的才干才得以完全发挥，快乐也会适时出现。现在，我的才能不足以胜任复杂的事情，而且身体又多病，自己不敢隐瞒，且已多次告知执事者了。可是你一定要让我督察一个道区的官吏，而且托付我掌管刑狱，这就不是所说的根据才能所适合的而任职。我母亲年老了，有气喘病很久了，近年又头晕眩，我势必是不能离开她身边的。阁下这样做一定会让我奔走跋涉，不能经常陪在母亲身边，这不是所说的根据形势安定来任命的情况。尊敬的阁下，你是通过君子之道辅佐天下的，所以我能向你布告私情。

议论者有的认为臣子侍奉君王，君主让他向左就向左，让他向右就向右，甚至危害到了致死的地步都不敢逃避，劳苦到了重病的地步也不敢推辞，这才是作为臣子的道义。我私下以为这是不对的。上面任命官吏，既然是根据才能所适、形势所安而定，那么想让他向左就向左，让他向右就向右，是可以的。如果上面任命官吏，并不是根据才能所适、形势所安而定，使他对上无法报答君恩，对下无法安慰亲属，这样还任由君王左右驱使，就没有道义和天命了，只用苟且地取悦君王就可以了。危害致死而不敢逃避的，是因为道义无可逃避；劳苦致病而不敢推辞的，是因为道义无可推辞。现今天下的官员中，有才能可以胜任一个道区的驱使，而且没有不可以做的形势，他的志向又是想得到这个官位而想有所作为的人，大概数都数不完。那么我任职的事，并非到了不可推辞的地步、不可逃避的时候。

议论者又以为做臣子侍奉君王与做人子侍奉父母，二者是不可能同时兼顾到的。他的才能不足以担任大事，而形势又不可以离开父母左右，则他辞官回家侍养父母是可以的。我又私下以为这样不对。古代的人民，有了固定的产业，可是奉养父母时还是看轻自己的志向，重视自己的俸禄，就是为了侍养父母。如今出仕做官就有固定的俸禄，闲居却没有固定的产业，而特地轻易放弃赖以供养亲属的俸禄，这不是所谓的生为人子来赡养父母的道义。而且以我的才能，本来就不足以胜任派遣的事务，然而现在尚且还有官职在身，在于我们的君主和宰相安排罢了。我肯定不能离开母亲身边，然而出仕做官岂有不方便奉养父母的呢？全凭我的君王和宰相安置罢了。

然而因我的卑微，未曾入你门下聆听教诲，我却感情激昂地用粗俗质朴的文辞，私自通传于阁下跟前，只是希望你准许我的请求。在普通人眼里看来，应该最终是与常理龃龉不合的言论；而在君子眼中看来，通过君子之道来辅佐天下，应该不因关系远近而改变想法，不因关系亲疏而改变措施，而应该像上天无所不覆盖一般，施与他们，各自根据他们的命中所适合的；像大地无不负载一般，让他们生长，根据他们所具有的天性。那些平常人的区区之心，喜欢嫉妒而又自私，不能把宽恕由自己推及他人身上，哪里足够去估量和理解呢？

尊敬的阁下，请你垂耳倾听并思考一番，让天下士人不再只是思念古代的君子，而是以生逢阁下主政之时而高兴。而且又能让常人看到阁下的不可估量。这岂不是君子愿意又感到快乐的事吗？我冒犯你的威严，不胜惶恐之极。

【题解】

段缝在宋仁宗庆历五年(1045)左右给王安石写信,他根据传闻指责曾巩的行径,并批评王安石没有尽到朋友的责任好好规劝曾巩。于是王安石写了这封回信予以驳斥,并为曾巩正名,同时给他以极高的评价。信中列举了父亲困厄中他"左右就养无亏行"和给王安石写信"皇皇焉求相切劘"两件事证明曾巩言行并非像段缝所听闻的那样。虽然曾巩"避兄而舍",但王安石认为可以既往不咎。最后作者上升到社会风俗的高度,贤者容易被愚者忌妒、怨恨和诽谤,露出对段缝的讥讽之意。

答段缝[①]书

段君足下[②]:某在京师[③]时,尝为足下道曾巩善属文[④],未尝及其为人[⑤]也。还江南,始熟而慕焉友之[⑥],又作文粗道其行[⑦]。惠书以所闻诋巩行无纤完[⑧],其居家亲友惴畏[⑨]焉,怪某无文字规[⑩]巩,见谓有党[⑪]。果哉[⑫],足下之言也?巩固不然[⑬]。巩文学论议,在某交游中不见可敌[⑭]。其心勇于适道[⑮],殆不可以刑祸利禄动[⑯]也。父在困厄[⑰]中,左右就养无亏行[⑱],家事铢发以上皆亲[⑲]之。父亦爱之甚[⑳],尝曰:"吾宗敝[㉑],所赖[㉒]者此儿耳。"此某之所见也。若[㉓]足下所闻,非某之所见也。巩在京师,避兄而舍[㉔],此虽某亦罪[㉕]之也,宜足下深攻[㉖]之也。于罪之中有足矜者[㉗],顾不可以书传[㉘]也。事固有迹然[㉙],而情不至是[㉚]者,如不循其情而诛[㉛]焉,则谁不可诛邪?巩之迹固

然邪？然巩为人弟，于此不得无过[32]。但在京师时，未深接[33]之，还江南又既往不可咎[34]，未尝以此规之也。巩果于从事[35]，少许可[36]，时时出于中道[37]，此则还江南时尝规之矣。巩闻之，辄瞿然[38]。巩固[39]有以教某也。其作《怀友》书两通，一自藏，一纳[40]某家，皇皇焉求相切劘[41]，以免于悔者略见[42]矣。尝谓友朋过差[43]，未可以绝[44]，固且[45]规之。规之从则已[46]，固且为文字自著见[47]，然后已邪，则未尝[48]也。凡巩之行，如前之云[49]，其既往之过，亦如前之云而已。岂不得为贤者哉？天下愚者众而贤者希[50]，愚者固忌[51]贤者，贤者又自守[52]，不与愚者合，愚者加怨[53]焉。挟[54]忌怨之心，则无之焉而不谤[55]，君子之过于听[56]者，又传而广[57]之，故贤者常多谤[58]，其困于下者尤甚[59]。势不足以动俗[60]，名实未加于民[61]，愚者易[62]以谤，谤易以传也。凡道巩之云云[63]者，固忌、固怨、固过于听者也。足下乃欲引忌者、怨者、过于听者之言，县断[64]贤者之是非，甚不然[65]也。孔子曰："众好之，必察焉；众恶[66]之，必察焉。"孟子曰："国人皆曰可杀，未可也，见可杀焉，然后杀之。"[67]匡章，通国以为不孝，孟子独礼貌之以为孝[68]。孔、孟所以为孔、孟者，为其善自守，不惑[69]于众人也。如惑于众人，亦众人耳，乌[70]在其为孔、孟也？足下姑自重[71]，毋轻议[72]巩。

【注释】

①答：回答，答复。段缝：字约之，宋神宗元丰初年，任泰州知州，不久便被弹劾。宋哲宗元祐年间辞官居闲家中。 ②足下：古代对对方的尊称。 ③京师：北宋的都城汴梁，今河南开封。 ④尝：曾经。道：说，谈到。曾巩：

字子固(1019—1083),建昌军南丰(今江西省南丰县)人,后来居于临川,北宋散文家、史学家、政治家,唐宋八大家之一。善:擅长。属(zhǔ)文:写文章。⑤未尝:未曾,没有。及:涉及,提及。为人:指做人处世的态度。 ⑥始熟而慕焉友之:开始熟悉并仰慕他,然后和他成为朋友。 ⑦作文:写文章。粗:粗略,大致。道:讲述。行:行为,行径。 ⑧惠书:对对方来信的敬辞。诋(dǐ):诋毁、毁谤。巩行:曾巩的行为。无纤(xiān)完:没有丝毫完好。⑨居家亲友:居住在家中的亲戚和朋友。惴(zhuì)畏:畏惧。 ⑩规:规劝。⑪见:被。谓:说,认为。有党:私结党羽,指王安石与曾巩同流合污。⑫果哉:果真是这样吗? ⑬固:固然,肯定。不然:不是这样。 ⑭敌:匹敌。 ⑮适道:归从道义。 ⑯殆(dài):大概。以:用。刑祸利禄:刑法、祸患、财利、荣禄。动:动摇。 ⑰困厄:困苦危难。 ⑱左右:指父亲身边。就养:奉养。亏行:欠缺的行为。 ⑲家事:家中的事情。铢(zhū)发:比喻极其微小的事物。亲:亲自过问。 ⑳甚:非常。 ㉑宗:宗族,家庭。敝(bì):破败,衰败。 ㉒赖:依赖,依靠。 ㉓若:像。 ㉔避:回避,避开。舍:居住。㉕虽:即使。罪:怪罪。 ㉖宜:合理,适宜。深攻:严厉地攻击。 ㉗足矜(jīn)者:值得同情、怜悯的地方。 ㉘顾:表示轻微的转折,类似于“可是”。以书传:通过书信来传达。 ㉙迹:迹象、痕迹。然:如此,这样。 ㉚情不至是:情理上却不至于这样。 ㉛循:考察。诛:谴责。 ㉜于此不得无过:在这件事上不能说没有过错。 ㉝深接:深入接触、交往。 ㉞既往:已经过去的事。咎(jiù):怪罪。 ㉟果于从事:行事果敢。 ㊱许可:答应,允许,这里指同意别人的意见。 ㊲出于中道:不合乎中正之道。 ㊳辄(zhé):于是,就。瞿(qú)然:惊愕的样子。 ㊴固:本来。 ㊵通:量词。纳:缴纳,给。㊶皇皇:同“惶惶”,急切的样子。相:相互。切劘(mó):切磋。 ㊷以:用来,为了。免于悔:避免自己后悔。略见:大略可以想见。 ㊸友朋:即朋友。过差:过失,过错。 ㊹绝:断绝往来,绝交。 ㊺固且:姑且。 ㊻从:听从。已:停止。 ㊼为文字:写成文字。自著见:表达自己的见解。 ㊽未尝:未必。 ㊾云:说。 ㊿众:众多。希:同“稀”,稀少。 ⑤①忌:忌妒。 ⑤②自守:坚持自己操守。 ㊸加怨:加更怨恨。 ㊹挟(xié):心里怀着。 ㊺谤:诽谤。 ㊻过于听:错误地听信。 ㊼传而广:传播而推广开来。 ㊽常多谤:经常大多被诽谤。 ㊾困于下者:穷困在下层的人。尤甚:尤其严重。 ㊿势:势力、能力。动:改动,变动。俗:风俗。 (61)名实未加于民:名声和行为都没有加惠于人民。 (62)易:容易。 (63)云云:表示有所省略。 (64)县断:凭空判断。 (65)甚:非常,很。不然:不正确。 (66)好:喜欢。察:考察。恶:厌恶。 (67)国人皆曰可杀,未可也,见可杀焉,然后杀之:语出《孟子·梁惠王》:"国人皆曰可杀,然后察之;见可杀焉,然后杀之。" (68)匡章,通国以为不孝,孟子独礼貌之以为孝:典出《孟子·离娄》:"公都子曰:'匡章,通国皆称不孝焉,夫子与之游,又从而礼貌之,敢问何也?'" (69)惑:迷惑。 (70)乌:疑问代词,相当于"哪里"、"何"。 (71)姑:姑且。自重:自行尊重。 (72)毋(wú):不。轻议:轻易议论。

【译文】

段君足下:我在京城时,曾经向你说过曾巩擅于写文章,但未曾提及他为人处世的态度。等我回到江南,才开始熟悉并仰慕他,然后和他成为朋友。又写文章粗略讲述他的行为。承惠你寄信来说,听闻关于曾巩的诋毁之言,说他的德行没有丝毫完好之处,他居住在家中的亲戚和朋友都忧愁恐惧。并责怪我没有写文章对曾巩进行规劝,被说成结成私党了。然而事实真的是这样如你所说么?

曾巩固然不是你所说的这样。曾巩的文学和议论才能,在我所交游的人中,没有见过能和他匹敌的。他的心勇敢地归从道义,大概不能用刑法、祸患、财利、荣禄来动摇。当他的父亲处于困厄之中,曾巩陪在他身边侍养,并没有什么欠缺的行为,家中极细微的事他都亲自过问。他父亲也非常爱他,曾说:"我的宗族衰败了,能依赖的就是这个孩子了。"这是我亲眼见到的。至于你听到的事,并非我所看到的。曾巩在京师时,避开他的哥哥而自己居住,即便是我怪罪他,你严厉地攻击他也是合理的。但在怪罪之中是有值得同情、怜悯的地方，只是不能通过书信来传达给你罢了。这件事本来有迹象，可是情理上却不至于这样，如果不考察情理而来谴责他，那谁可以不被谴责呢？曾巩的行迹真的是这样吗？可是曾巩作为别人的兄弟，在这件事上不能说没有过错。只是我在京师时，没有和他有深入接触，回到江南后，觉得已经是过去的事情了，不需要再怪罪了，所以未曾用这件事规劝过他。曾巩行事果敢，较少同意别人的见解，常常不合乎中正之道，这些我回江南时已经规劝过他了。曾巩听到后，就显出惊讶的样子。曾巩本来有教导我的，他写有《怀友书》两篇，一篇自己收藏，一篇存放在我家，急切地请求与我切磋。他为避免做出后悔之事的想法大略可以看出。我曾经说朋友有了过失和差错，不可以马上就绝交，固且规劝他。规劝之后听从就可以了，一定要写成文字，自己表达了见解后才停止，就未必要这样。凡是曾巩的行为，像我前面所说的，他过去的过失，也像我前面写的那样，难道曾巩这样不能算贤能的人吗？

天下愚笨的人多而贤德的人少，愚笨的人本来就忌妒贤德的人，贤德的人又坚持自己操守，不与愚笨的人相合，愚笨的人就更加怨恨。心里怀着忌妒和怨恨，就没有什么能不加以诽谤，君子当中有人错误地听信了诽谤，又传播而推广开来，所以贤德的人会经常遭到诽谤。在那些穷困下层的人中尤其严重，他们的势力不足够改变世俗，名声和行为都没有加惠于人民，愚笨的人轻易毁谤，毁谤也容易流传。凡是说曾巩这样那样的人，一定是那些本来就忌妒、怨恨和错信谣言的人。曾巩的兄长没有和曾巩亲善过，也只不过是错信谣言而已。你却采用怨恨的人、忌妒的人和错信谣言的人的言论，凭空判断贤德者的正确与错误，非常不正确啊。孔子说："众人都喜欢他，一定要观察；众人都厌恶他，一定也要观察。”孟子说：“国人都说这个人该杀，不行。必须要看到他该杀的行径了，然后才可杀死他。”匡章，全国都以为他不孝，孟子独以礼相待，并认为他很孝顺。孔子和孟子之所以是孔子和孟子，因为他们善于坚持自己的操守，不被别人迷惑。如果被别人迷惑，也就成了众人了，哪里还能成为孔子、孟子呢？你还是姑且自行尊重，不要轻易议论曾巩吧！

【题解】

宋仁宗至和元年(1054),王安石应友人钱公辅的请求,为他的母亲撰写了一篇墓志铭,可是钱公辅觉得没有荣耀其母而并不满意,于是王安石又写了这封信解释。这是一篇非常有趣的书信。王安石讲究法度,认为钱家不应该立家庙,池台竹林也不符合钱公辅通判的身份。“粗知辞赋”不能为其母增彩,“闾巷之人”反而不能减其见识。而至于七个孙子,因为年纪尚小,也不应该列入。信中反映出王安石撰写墓志铭时实事求是,即使友人要求,自己也不“谀墓”的可贵精神。

答钱公辅学士[1]书

比蒙以铭文见属[2],足下于世为闻人[3],力足以得显者铭父母[4],以属于不腆[5]之文,似其意非苟然[6],故辄为之而不辞[7]。不图乃犹未副所欲[8],欲有所增损[9]。鄙文[10]自有意义,不可改也。宜以见还[11],而求能如[12]足下意者为之耳。家庙以今法准[13]之,恐足下未得立也。足下虽多闻[14],要与识者讲[15]之。如得甲科为通判[16],通判之署有池台竹林之胜[17],此何足以为太夫人之荣[18],而必欲书[19]之乎?贵为天子,富有天下,苟不能行道[20],适足以为父母之羞[21],况[22]一甲科通判!苟粗知为辞赋[23],虽市井小人[24],皆可以得之,何足道[25]哉?何足道哉?故铭以谓闾巷之士[26]以为太夫人荣,明天下有识者不以置[27]悲欢荣辱于其心也。太夫人能异于闾巷之士而与天下有识同[28],

此其所以为贤而宜铭者也。至于诸孙[29]，亦不足列[30]，孰有五子而无七孙者乎？七孙业[31]之有可道，固不宜略[32]。若[33]皆儿童，贤不肖[34]未可知，列之，于义何当[35]也？诸不具道[36]，计足下当与有识者讲之。南去愈[37]远，君子惟顺爱自重[38]。

【注释】

①钱公辅：字君倚(1021—1072)，宋常州武进(今江苏常州)人，宋仁宗皇祐元年(1049)进士，曾任越州通判、集贤校理、知制诰等职。学士：对有学问的人的尊称。 ②比：近年。蒙：承蒙，蒙受。铭文：墓志铭，这里指王安石为钱公辅母亲蒋氏所作《永安县太君蒋氏墓志铭》。见：助动词，用在动词前面，表示对我怎么样。属(zhǔ)：同“嘱”，嘱托。 ③足下：古代对对方的尊称。于世：在当世。闻人：有名的人。 ④力：能力。足：足够。显者：显赫的人。铭父母：给父母写铭文。 ⑤不腆(tiǎn)：不美好，这里是王安石的自谦之词。 ⑥意：意愿，意图。苟然：草率的样子。 ⑦故：所以。辄(zhé)：于是，就。为：做，写。辞：推辞。 ⑧不图：没有想到。乃：却。副：符合。所欲：愿望。 ⑨增损：文章的增加和删减，指修改。 ⑩鄙文：我的文章。 ⑪宜：应该。还：归还。 ⑫如：遵从，依照。 ⑬家庙：家族中祭祀祖先的祠堂。以：用。今法：今天的礼法。准：衡量。 ⑭多闻：见识广博。 ⑮要：希望。识者：有见识的人。讲：讲论，商量。 ⑯如：如果，假如。甲科：进士考试中的优等。通判：官名。宋初在州郡设通判，作为长官的副手，掌管粮运、家田、水利和诉讼和对州府的长官有监察等事。 ⑰署(shǔ)：官署，办理公务的处所。池台：池苑楼台。胜：美好。 ⑱太夫人：对母亲的尊称。荣：荣耀。⑲书：书写。 ⑳苟：如果。行道：依道义而行。 ㉑适：正好，恰好。为：成为。羞：羞耻。 ㉒况：何况。 ㉓粗知：粗略知道，指不精通。作：作，创作。辞赋：诗词歌赋，泛指文章。 ㉔市井小人：指一般的普通人。 ㉕何足道：哪里值得称道。 ㉖闾巷之士：与市井小人相同，都指一般的普通人。

㉗置：放。 ㉘异：不同。有识同：有识之人看法相同。 ㉙诸孙：诸位孙子。 ㉚列：罗列，即写入墓志铭。 ㉛业：学业。 ㉜略：省略。 ㉝若：如果。 ㉞不肖：不才。 ㉟于义何当：在道义上如何恰当。 ㊱诸：众，众多。具：具体，全部。道：说。 ㊲南去：向南边出发。愈：越，更。 ㊳君子：对钱公辅的尊称。惟：希望。顺爱：顺从与爱护。自重：自我珍重。

【译文】

近来承蒙你把母亲的墓志铭文嘱托给我来写，你是当今有名的人，能力足以找到显赫的人给父母写铭文，却嘱托给我写，貌似并非出于草率和偶然，于是我就答应了，没有推辞。可没想到铭文没符合你的期望，想有所增减。我的文章自有意义，是不能更改的。你最好还是把原文还给我，再寻找能满足你心意的人去写。

家庙如用今天的礼法来衡量，恐怕你还不能建立。你虽然有很多见闻，但还是希望与更有见识的人讲论。如果中进士甲科任通判，而通判的官署却有池苑楼台竹林的胜景，这如何能成为太夫人的荣耀，且一定想要写上去呢？即使贵为天子，富有天下，如果不能依道义而行，只会成为父母的羞耻。何况只是一个甲科的通判，如果粗通辞赋，即便一个市井小人，都可以得到这个官职，又有什么值得称道呢？哪里值得称道呢？所以我的铭文里说你是闾巷之士，我以为是太夫人的荣耀，表明天下有见识的人不会把悲欢荣辱放在心上。太夫人能区别于闾巷之人，却又与天下有见识的人看法相同，这是她之所以成为贤者而应该铭记的原因。至于她的几位孙子，也不值得罗列其中。谁还能有五个儿子却没有七个孙子呢？七个孙子的学业有值得称道的，当然不应该省略。但如果都还是孩童，贤与不贤尚且不知道，罗列上去于道义又如何恰当呢？其他众多诸端就不全部说了，建议你应当和有见识的人讲讲。南下越来越远，希望你顺从、爱护和珍重自己。

【题解】

这封给李定的回信，大约写于王安石第一次被罢免宰相之职后的宋神宗熙宁七年(1074)至熙宁八年。王安石推行变法，遭到很多人的抵制，“义命之说”便是有些人用来反对变法的一个理论支撑。这封书信非常简短，主要表达自己要像古代的君子一样，“内得于己而有以待物”，而不以“世之毁誉者概其心”，说明他坚决推行新法的不屈态度。

答李资深[①]书

某启[②]：辱书勤勤[③]，教我以义命[④]之说，此乃足下忠爱于故旧[⑤]，不忍捐弃[⑥]，而欲诱之以善[⑦]也。不敢忘，不敢忘。虽然[⑧]，天下之变故多矣，而古之君子辞受取舍之方不一[⑨]，彼皆内得于己[⑩]，有以待物[⑪]，而非有待乎物[⑫]者也。非有待乎物，故其迹时若[⑬]可疑；有以待物，故其心未尝有悔[⑭]也。若是[⑮]者，岂以夫世之毁誉者概[⑯]其心哉？若某者，不足以望[⑰]此，然私有志[⑱]焉，顾非与足下久相从而熟讲[⑲]之，不足以尽[⑳]也。多病无聊，未知何时得复晤语[㉑]。书不能一一[㉒]，千万[㉓]自爱。

【注释】

①李资深：李定，字资深(1028—1087)，宋扬州人，曾为宝文阁待制、知制诰、御史中丞。　②某启：古人写信，常在正文开头用“某启”，“某”表自己，“启”表示向对方启告。　③辱书：受辱给我写信，谦辞。勤勤：指多次。　④义命：知义理，守天命。　⑤故旧：旧友。　⑥捐弃：抛弃。　⑦诱：诱导。

善:善行。 ⑧虽然:虽然如此。 ⑨辞受取舍:推辞和接受、获取和舍弃。方:方法。不一:不一样。 ⑩彼:他们。内得于己:内心有所得,有自己的见解、主张。 ⑪有以待物:指事先等待外办事物的变化。 ⑫待乎物:指等待外物变化了才想办法。 ⑬迹:行迹。时:有时。若:好像。 ⑭未尝:没有。悔:后悔。 ⑮若是:像这样。 ⑯岂:难道。世之毁誉:世上的诋毁或赞誉。概:限制。 ⑰望:奢望。 ⑱私有志:私下有志愿。 ⑲顾:表示轻微的转折,类似于“而”。足下:古代对对方的尊称。相从:跟随,在一起。熟讲:经常讨论。 ⑳尽:详尽。 ㉑复:再,又。晤语:会晤交谈。 ㉒一一:书信常用语,指详细叙述。 ㉓千万:无论如何。

【译文】

我王安石向你启告:你使自己受辱,频频给我写信,教导我知义理、守天命的道理。这是因为你忠诚爱惜老朋友,不舍得抛弃我,而又想用善行来劝导我。我不敢忘记,不敢忘记。

虽然如此,但是天下的变故太多,而古代的君子,推辞和接受、获取和舍弃的方法不一样。他们都是内心先想好了见解和主张,再来等待外部事物的变化,而不是等待外物变化了才想办法,所以他们的行迹有时会让人觉得可疑;事先等待外部事物的变化,所以他们的内心未曾有过悔恨。像他们这样,岂会以世上的诋毁或赞誉来限制自己的内心观念?像我这样,不奢望能做到这样,然而私下还是有志愿想达到的。可是与你来往时间并不长久,也没有反复讲论,所以还没有详尽。

我多病而无可聊赖,不知道何时才能再与你会晤交谈。书信不能一一详细叙述,希望你千万爱惜自己。

【题解】

宋仁宗庆历七年(1047),国家东南地区发生旱灾,时任鄞县知县的王安石给当时的江淮荆湖两浙制置发运判官马遵写信讨论理财和军队就食的问题。王安石先宏观上建立“富其家者资之国,富其国者资之天下,欲富天下,则资之天地”的理论,批评国家当时“皆有国者资天下之术耳,直相市于门之内而已”而导致穷空的现状。然后再根据东南饥馑,汴水断绝而京师士兵粮食困窘的实情,建议应该“就食诸郡,舒漕挽之急”。

与马运判[①]书

运判阁下[②]:比奉书[③],即蒙宠答[④],以感以怍[⑤]。且承访以所闻[⑥],何阁下逮下之周[⑦]也!尝以谓方今之所以穷空[⑧],不独费出之无节[⑨],又失所以生财之道故[⑩]也。富其家者资[⑪]之国,富其国者资之天下,欲[⑫]富天下,则资之天地。盖[⑬]为家者,不为[⑭]其子生财,有父之严[⑮]而子富焉,则何求而不得?今阖门而与其子市[⑯],而门之外莫入[⑰]焉,虽尽[⑱]得子之财,犹[⑲]不富也。盖近世之言利虽善[⑳]矣,皆有国者资天下之术耳[㉑],直[㉒]相市于门之内而已。此其所以困与[㉓]?在阁下之明,宜[㉔]已尽知,当患不得为[㉕]耳。不得为,则尚何赖于不肖者[㉖]之言耶?今岁东南饥馑如此[㉗],汴水又绝[㉘],其经画固劳心[㉙]。私窃度[㉚]之,京师兵食宜窘[㉛],薪刍百谷之价亦必踊[㉜],以谓宜料畿兵之驽怯[㉝]者,就食诸郡[㉞],可以舒漕挽之急[㉟]。古人论天

下之兵，以为犹人之血脉，不及[36]则枯，聚则疽[37]，分[38]使就食，亦血脉流通之势也。倘[39]可上闻行之否？

【注释】

①与：给。马运判：马遵，字仲涂，宋饶州乐平人。当时任“江淮荆湖两浙制置发运判官”，简称“运判”。 ②阁下：用于对尊贵之人的敬称。 ③比：近来。奉：呈送。书：书信。 ④即：立即，就。蒙宠答：承蒙恩宠回复，这里是对回信的敬称。 ⑤以感以怍(zuò)：既感激又惭愧。怍，惭愧。 ⑥访：询问。所闻：所听闻的事。 ⑦何：多么。逮下：指对待下人。周：周到。⑧尝：曾经。以谓：即“以为”。方今：如今，现在。穷空：贫穷，空乏。 ⑨不独：不仅仅。费出：费用支出。无节：没有节制。 ⑩失：失去，没有。生财之道：指开发财源、管理财政方法。故：缘故。 ⑪资：取资。
⑫欲：想要。 ⑬盖：大概。 ⑭为：替，给。 ⑮严：严厉。 ⑯阖(hé)：关闭。市：交易，做买卖。 ⑰莫入：不能进来。 ⑱尽：全部。 ⑲犹：仍然，还是。 ⑳近世：近时，近年。言利：谈论利益。善：好。 ㉑术：方法。耳：而已。 ㉒直：只不过。 ㉓与：同“欤(yú)”，文言助词，表示疑问或反诘语气。 ㉔宜：应该。 ㉕当：应当。患：担心，忧虑。不得为：得不到机会去做。 ㉖尚：还。何：哪里。赖：依靠，依赖。不肖者：不贤能的人，这里是王安石自称。 ㉗今岁东南饥馑(jǐn)如此：指宋仁宗庆历七年(1047)东南地区大旱，导致饥荒。岁，年。饥馑，荒年。古代五谷收成不好叫饥；蔬菜和野菜吃不上叫馑。 ㉘汴(biàn)水：古代的河流名，指从江苏扬州通往汴梁(今河南开封)的运河。绝：因干枯而水流断绝。 ㉙经画：经营谋划。固：固然。劳心：心思操劳。 ㉚私：私下，私自。窃：偷偷，暗自。度(duó)：揣度，考虑。 ㉛京师：北宋的都城汴梁，今河南开封。兵食：军队的粮食。宜：应该。窘(jiǒng)：窘困。 ㉜薪刍：薪柴和牧草(chú)。百谷：谷物的总称。踊(yǒng)：本指往上跳，这里指物价上涨。 ㉝以谓：即以为。料：料理。畿(jī)兵：驻扎在京师的军队。驽怯(nú qiè)：低劣懦弱，这里指老弱的士兵。 ㉞就食：有粮食吃的地方去。诸郡：地方上的各州郡。 ㉟舒：舒解，缓解。

漕挽:水路和陆路运送粮食。急:急迫。 ㊱不及:达不到。 ㊲疽(jū):一种毒疮,这里指血液凝固不通畅。 ㊳分:分散,分开。 ㊴倘:或许。

【译文】

马运判阁下:近来呈上书信,承蒙恩宠收到了答复,心里既感激又惭愧,而且又承蒙你询问所听到的,你对待下属多么周到啊!我曾经说过,现在国家之所以贫穷空乏,不仅是费用的支出没有节制,还在于没有开发财源、管理财政方法的缘由。要想家庭富裕就要取资于国家,要想国家富裕,就要取资于天下,要想全天下富裕,就要取资于天地。大概作为一个家庭,不为其子生财,父亲严厉,儿子就会富裕了,那么想要什么还会得不到呢?今天关闭家门和儿子做交易,而门外之人不能进来,即便把儿子的财产全部赚来,还是不会富裕。大约近世谈利益的言论虽然好,只是有国之人取资盘剥天下百姓的方法罢了,只不过是相互之间在门内做买卖而已,这大概就是国家所以贫困的缘由吧?依阁下的明智,应该早就已经尽知,应当忧虑的是得不到机会去做而已。若得不到机会去做,那哪里还需要我这个不肖的人来言说呢?

今年国家东南边饥荒如此严重,汴水又断流,执政者经营谋划固然心思操劳。我私下揣度,京城的兵饷应该会窘困,柴草和谷物的价格也必定会上涨,所以说应当料理驻扎在京城军队中老弱士兵就食于地方各州郡,这样可以舒缓水陆运输粮食的急迫。古人谈论天下的兵力,认为就像人身上的血脉,达不到的地方就会枯竭,淤积的地方就会生毒疮。分散他们就食各地,也就是像血脉流通的形势。或许可以上奏皇上实行与否?

【题解】

宋神宗熙宁二年(1069),朝廷采用王安石的建议推行青苗法,但受到一些大臣的抵制。这封书信便是王安石反驳曾伉而写的回信。信中一再强调"因民之所利而利之"和"惠而不费"的理念,并且重点向曾伉解释了一定要收取二分利息是为了能长久推行青苗法。至于王安石所描述的"请者不可遏"和"纳者不可却"的情形,其实与现实不符,有夸张和粉饰的成分。

答曾公立[①]书

某启[②]:示及青苗事[③]。治道之兴[④],邪人不利[⑤],一兴异论[⑥],群聋和[⑦]之,意不在于法[⑧]也。孟子所言利者,为利吾国,利吾身耳[⑨]。至狗彘食人食则检之,野有饿莩则发[⑩]之,是所谓政事。政事所以理财,理财乃所谓义也。一部《周礼》[⑪],理财居其半,周公[⑫]岂为利哉?奸人者,因名实之近[⑬],而欲乱之,以眩[⑭]上下,其[⑮]如民心之愿何?始以为不请[⑯],而请者不可遏[⑰],终以为不纳[⑱],而纳者不可却[⑲]。盖[⑳]因民之所利而利之,不得不然[㉑]也。然二分不及[㉒]一分,一分不及不利而贷[㉓]之,贷之不若与[㉔]之。然不与之而必[㉕]至于二分者,何也[㉖]?为其来日之不可继[㉗]也。不可继,则是惠而不知为政,非惠而不费[㉘]之道也,故必贷。然而有官吏之俸[㉙],辇运[㉚]之费,水旱之逋[㉛],鼠雀之耗[㉜],而必欲广之[㉝],以待其饥不足而直[㉞]与之也,则无二分之息可乎?则二分者,亦常平之中正[㉟]

也，岂可易[36]哉？公立更与深于道者论之，则某之所论，无一字不合于法，而世之哓哓[37]者，不足言也。因书示及，以为如何？

【注释】

①曾公立：曾伉，字公立，宋侯官（今福建福州）人，宋仁宗皇祐五年（1053）进士。 ②某启：古人写信，常在正文开头用“某启”，“某”表自己，“启”表示向对方启告。 ③示及：见示，谈到。青苗事：青苗法之事，是王安石熙宁变法中的一条法令。 ④治道：治理国家的措施。兴：兴起。 ⑤邪人：奸邪之人。不利：无利可图。 ⑥异论：不寻常的言论。 ⑦群聋：一群聋子，比喻愚昧之人。和：附和。 ⑧意：意图。法：指王安石推行的新法。 ⑨孟子句：语出《孟子·梁惠王上》：“孟子见梁惠王，王曰：‘叟，不远千里而来，亦将有以利吾国乎？’孟子对曰：‘王，何必曰利，亦有仁义而已矣。王曰何以利吾国，大夫曰何以利吾家，士庶人曰何以利吾身，上下交征利而国危矣。’” ⑩彘：猪。检：同“敛”，禁止。野：田野。饿莩（piǎo）：饿死的人。发：指开粮仓赈济。 ⑪《周礼》：儒家经典之一，相传为周公所作。按天、地、春、夏、秋、冬六篇记载周代的官制。 ⑫周公：姓姬名旦，是周文王第四子。 ⑬名实之近：名义和实际很接近。 ⑭眩（xuàn）：迷惑。 ⑮其：表反问语气。 ⑯请：指请求借贷。 ⑰遏（è）：遏止，阻止。 ⑱终：最终。纳：指纳还贷款。 ⑲却：推却，推辞。 ⑳盖：大概。 ㉑不得不然：不得不这样，指出现上述的情况。 ㉒二分：指青苗法半年借贷期的利息为二分，即十分之二。不及：不如。 ㉓不利：不收取利息。贷：借贷。 ㉔不若：不如。与：给。 ㉕然：然而。必：一定。 ㉖何也：为什么。 ㉗来日：将来。继：持续。 ㉘惠：恩惠。为政：处理政事。费：耗费财物。 ㉙俸：俸禄。 ㉚辇（niǎn）运：用车辆运输。 ㉛逋（bū）：拖欠。 ㉜耗：消耗。 ㉝广之：指推广青苗法。 ㉞直：直接。 ㉟常平：指常仓制，在京师设常平仓，夏秋两季谷物价格低时，高价收购，冬春两季谷物价格高时，再减价销售，以平准粮价。中正：标准。 ㊱易：改变。 ㊲哓（náo）哓：争辩喧嚣的样子。

【译文】

我王安石向你启明：你来信说到青苗法的有关事宜。治国之道兴起后，会对奸邪的人不利。一旦有不寻常的言论出现，就会有一群辈子来附和，他们的意图并非在新法本身。孟子说的利，是指有利于国家，如遍设提防关卡以遏制买进粮食，其实是为有利自身罢了。至于富人家的猪狗吃掉人们的粮食时就要用法制禁止，野地里有饿死的人便要开仓发粮，这就是所谓的政事。政事是用来理财的，理财就是所谓的正义。一部《周礼》，理财的内容占了一半，周公难道是好利之徒吗？那些奸邪的人因为二者名义和实际很接近而想混乱，来迷惑上下的人，他们能把人民的愿望怎么样呢？

当初我以为不会有人请求领取青苗贷款，可是请求的人多得不可遏止；最终我以为他们不会纳还贷款，可是纳还贷款的人都不可推却了。大概是顺着人民利益而便利了他们，才会不得不这样啊。然而收二分的利息不如收一分的利息，收一分的利息不如不收利息而贷款给他们，借贷给他们不如直接给他们。可是不直接给他们而一定要收二分的利息，是为什么呢？为的是怕将来没有余粮可以持续，不能持续就成了单纯施惠而不懂怎样为政的道理了，不是施惠却又不耗费钱物的办法，因此一定要放贷。既然有官吏的俸禄，用车运载的费用，水旱灾害的拖欠，鼠雀的消耗，而一定要推广这种方法，以便等他们饥荒不足时直接发给百姓，那么没有二分的利息可行吗？所以二分的利息，也是常平仓制的标准法度，难道可以改变吗？公立你要与深于此道的人谈论这种办法，那么我的言论，没有一字不合于法，而世间那些喋喋不休的人，也不值得与他们交谈了。凭借书信向你展示，你以为如何呢？

【题解】

王安石给司马光的这封信写于宋神宗熙宁三年(1070),当时王安石的新法正在推行,同时又受到巨大的阻力。司马光以朋友的身份接连三次给王安石写信,劝他废除新法。这封回信中,王安石对司马光提出的“侵官、生事、征利、拒谏”的指责,一一进行了辩解。同时援引“盘庚迁殷”的史实来解释士人多怨。最后王安石表达了他希望有所作为,不愿“守前所为”而“一切不事事”的政治抱负。

答司马谏议[①]书

某启[②]:昨日蒙教[③],窃以为与君实游处[④]相好之日久,而议事[⑤]每不合,所操之术多异故[⑥]也。虽欲强聒[⑦],终必不蒙见察[⑧],故略上报[⑨],不复一一自辨[⑩]。重念蒙君实视遇厚[⑪],于反复不宜卤莽[⑫],故今具道所以[⑬],冀君实或见恕[⑭]也。

盖儒者所争[⑮],尤在于名实[⑯]。名实已明,而天下之理得矣。今君实所以见教者,以侵官、生事、征利、拒谏[⑰],以致天下怨谤[⑱]也。某则以谓受命于人主[⑲],议法度而修[⑳]之于朝廷,以授之于有司[㉑],不为侵官;举[㉒]先王之政,以兴利除弊[㉓],不为生事;为天下理财,不为征利;辟邪说[㉔],难壬人[㉕],不为拒谏。至于怨诽[㉖]之多,则固前知[㉗]其如此也。

人习于苟且[㉘]非一日,士大夫多以不恤[㉙]国事,同俗自媚于众[㉚]为善。上乃欲变此,而某不量敌之众寡[㉛],欲

出力助上以抗[32]之，则众何为而不汹汹然[33]？盘庚之迁，胥[34]怨者民也，非特[35]朝廷士大夫而已。盘庚不为怨者故改其度[36]，度[37]义而后动，是而不见可悔故也。如君实责[38]我以在位久，未能助上大有为，以膏泽斯民[39]，则某知罪矣。如曰今日当一切不事事[40]，守[41]前所为而已，则非某之所敢知[42]。无由会晤[43]，不任区区向往之至[44]。

【注释】

①司马谏议：即司马光(1019—1086)，字君实，号迂叟，宋陕州夏县(今山西夏县)涑水乡人，世称涑水先生，是著名的政治家和历史学家，著有《资治通鉴》等书。 ②某启：古人写信，常在正文开头用"某启"，"某"表自己，"启"表示向对方启告。 ③蒙教：承蒙赐教，这里指来信。 ④窃：偷偷，暗自。游处：交游相处。 ⑤议事：议论政事。 ⑥操：持有。术：方法，主张。异：不同。故：缘故。 ⑦强聒(guō)：强行在耳边啰嗦，指强作解说。 ⑧见察：理解和体察。 ⑨略：简略。上报：回信。 ⑩不复：不再。一一：逐一，详细。自辨：自我辩解。 ⑪重(chóng)念：再三想到。视遇：看待，对待。厚：情义深厚。 ⑫于反复：指书信来往。不宜：不应该。卤莽：即"鲁莽"，说话做事不经过考虑。 ⑬具道：详细说明。所以：原委。 ⑭冀：希望。见：助动词，用在动词前面，表示对我怎么样。恕：宽恕。 ⑮儒者：尊崇儒学、通习儒家经书的人。争：争论。 ⑯尤：更加，格外。名实：名目和实效。 ⑰侵官：侵夺了官员的权力。生事：兴事扰民。征利：征收赋税以获利。拒谏：拒绝谏言。 ⑱怨谤：怨恨诽谤。 ⑲以谓：以为。受命于人主：接受君主的任命。 ⑳议法度：讨论国家的法令制度。修：修订。 ㉑授：交付。有司：古代设官分职，各有专司，所以称作有司。 ㉒举：推行。 ㉓兴利除弊：振兴有利的，废除弊端。 ㉔辟：驳斥。邪说：邪妄的言论。 ㉕难(nàn)：责难。壬(rén)人：奸邪之人。 ㉖诽：诽谤。 ㉗固：固然，本来。前知：提前知道。 ㉘苟且：得过且过。 ㉙恤(xù)：体恤，关心。 ㉚同俗：与世俗风气相同。

自媚于众：向众人谄媚。 ㉛量：计算。敌：敌人，指反对新法的人。众寡：多少。 ㉜助上：帮助皇上。以：来。抗：对抗，抵制。 ㉝何为：为什么。汹(xiōng)汹然：吵闹不休的样子。 ㉞盘庚：商朝第二十位君主。胥：全，都。 ㉟特：只。 ㊱度：法度。 ㊲度(duó)：考虑，估计。 ㊳责：指责。 ㊴膏泽：施加恩惠。斯民：这些民众，即人民。 ㊵当：应该。一切不事事：什么事都不做。 ㊶守：墨守，遵循。 ㊷所敢知：愿意领教。 ㊸无由：没有机会。会晤(wù)：相见。 ㊹不任：不能承受。区区：微小。向往之至：非常仰慕。

【译文】

我王安石向你启告：昨天承蒙你又来信赐教，我私下以为与你一起交游相处友好已经很久了，然而议论国家的政事每每不合，这是我们所持有的主张有很多不同的缘故。虽然想强行解说，但最后必定不会被你理解和体察，因此我简略回信，没有一一地为自己辩解了。再三想到承蒙你对我的恩情厚意，而我对相互间书信的来往不能鲁莽，因此如今详细地说明原委，希望你能够见谅。

大概儒士所看重的，尤其在于是名义和实质，名义和实质都明白了，那么天下的道理就得到了。现在你教导我的是，认为我侵夺了官员的权力、兴事扰民、征收赋税、拒绝谏言，以至于全天下的人怨恨诽谤我。而我却以为，受命于皇上，讨论国家的法令制度而修正于朝堂之上，再交付给主管部门，这不算侵官。推行先王的政治措施来振兴有利的、废除弊端，这不算是生事。为全天下理财，这不算是征利。驳斥邪妄的言论，责难奸邪的小人，这不算拒谏。至于你说的怨谤有很多，那是我本来就知道会这样的。

人们习惯于得过且过，并非一两天了，士大夫大多不体恤国家大事，与世俗的风气相同，向众人谄媚，并以此为善。皇帝因此想改变这种风气，而我没有计算反对之人的多少，想出一己之力来帮助皇帝对抗那些反对之人，那么众人怎么可能不会吵闹不休呢？盘庚迁都，相互怨恨的全是老百姓，并非只有朝廷的士大夫而已。盘庚不因怨恨就改变他的计划，大概他是考虑了迁都的意义之后才行动的，这就是他不后悔的缘故。如果你指责我在位任职时间太久，而又未能辅佐皇上有大的作为，来施加恩惠于民，那我就知罪了。如果你说，如今应该一切所有的事都不干，墨守前人的行为就行了，那就不是我所愿意领教的。没有机会拜会见面，但我却非常仰慕，区区之心不能自胜。

【题解】

这篇回复张师锡的书信写作时间不详。王安石的父亲曾在韶州任知州，于是任韶州职事的张师锡便将其父任职期间被吏民所传颂的事迹写信相告。王安石写了这封信以示感谢，同时集中探讨了对史书编写的认识。作者认为三代之时，史官有专职，所以他们的记载都可考据。而如今的执笔者却“苟以餍其忿好之心而止耳”，“疑可以贷褒，似可以附毁”。王安石因为父亲事迹湮没一事，上升到史论的高度，表现了他较高的史识和史才。

答韶州张殿丞[①]书

某启[②]：伏蒙再赐书[③]，示及[④]先君韶州之政，为吏民称诵[⑤]，至今不绝[⑥]，伤今之士大夫不尽知[⑦]，又恐史官不能记载，以次[⑧]前世良吏之后。此皆不肖之孤[⑨]，言行不足信[⑩]于天下，不能推扬先人之功绪余烈[⑪]，使人人得闻知之，所以夙夜愁痛、疚心疾首而不敢息[⑫]者，以此[⑬]也。

先人之存[⑭]，某尚少[⑮]，不得备闻为政之迹[⑯]。然尝侍左右[⑰]，尚能记诵教诲之余[⑱]。盖先君所存[⑲]，尝欲大润泽[⑳]于天下，一物枯槁以为身羞[㉑]。大者[㉑]既不得试，已试乃其[㉒]小者耳，小者又将泯没而无传[㉓]，则不肖之孤，罪大衅[㉔]厚矣，尚何以自立于天地之间耶[㉕]？阁下勤勤恻恻[㉖]，以不传为念[㉗]，非夫仁人君子乐道人之善，安能以及此[㉘]？

自三代[㉙]之时，国各有史[㉚]，而当时之史，多世其家[㉛]，往往以身死职[㉜]，不负[㉝]其意。盖其所传[㉞]，皆可考据[㉟]。

后既无诸侯之史，而近世非尊爵盛位[36]，虽雄奇俊烈[37]，道德满衍[38]，不幸不为朝廷所称[39]，辄[40]不得见于史。而执笔者又杂出一时之贵人[41]，观其在廷[42]论议之时，人人得讲其然不[43]，尚或以忠为邪[44]，以异为同，诛当前而不栗[45]，讪在后而不羞[46]，苟以餍其忿好之心而止耳[47]。而况阴挟翰墨[48]，以裁[49]前人之善恶，疑可以贷[50]褒，似可以附[51]毁，往者不能讼当否[52]，生者不得论曲直[53]，赏罚谤誉[54]，又不施[55]其间。以彼其私[56]，独安能无欺于冥昧之间邪[57]？善既不尽传，而传者又不可尽信如此。唯能言[58]之君子，有大公至正之道[59]，名实足以信后世者，耳目所遇[60]，一以言载[61]之，则遂以不朽于无穷[62]耳。伏惟阁下，于先人非有一日之雅[63]，余论所及[64]，无党私之嫌[65]，苟以发潜德为己事[66]，务推[67]所闻，告世之能言而足信者，使得论次以传焉，则先君之不得列于史官，岂有恨[68]哉？

【注释】

①韶州张殿丞：张师锡，开封襄邑（今河南睢县）人，宋仁宗时任殿中丞。②某启："某"表自己，"启"表示向对方启告。 ③伏蒙：伏下身来承蒙，表示尊敬。再赐书：再次寄来书信。 ④示及：见示，谈到。 ⑤称诵：称扬赞颂。⑥绝：断绝。 ⑦伤：感伤。尽知：完全知道。 ⑧次：排列。 ⑨不肖：不贤德。孤：孤儿，王安石自称。 ⑩信：取信。 ⑪推扬：推崇弘扬。功绪：功绩。余烈：留下来的功业。 ⑫夙（sù）夜：指整天。愁痛：忧愁痛苦。疚心：内心愧疚。疾首：头痛。息：歇息。 ⑬以此：因为这个。 ⑭存：指活着的时候。 ⑮尚：尚且，还。少：幼小。 ⑯备闻：详细听说。为政：处理政事。迹：事迹。 ⑰然：然而。尝：曾经。侍左右：在身边侍奉。 ⑱记诵：默记背诵。教诲之余：即教诲，这是王安石谦辞。 ⑲存：心中怀有的想法。 ⑳润

泽：施行恩惠。 ⑳枯槁(gǎo)：草木枯萎。身羞：自己的羞辱。 ㉑大者：大的事情。 ㉒乃其：于是，就。 ㉓泯(mǐn)没：消失。无传：没有流传。 ㉔衅(xìn)：罪责。 ㉕耶(yé)：文言语气助词，用于句末，表示反问。 ㉖阁下：用于对尊贵之人的敬称。勤勤恻(cè)恻：恳切至诚。 ㉗念：挂念。 ㉘安能：怎么能。及此：做到这样。 ㉙三代：指夏、商、周三朝。 ㉚史：史官。 ㉛世其家：指史官的职业世代相传。 ㉜以身死职：以身殉职。 ㉝负：辜负。 ㉞传：指书写，记录。 ㉟考据：有依据可以考证。 ㊱尊爵盛位：高贵的爵位。 ㊲雄奇俊烈：雄伟神奇，俊逸刚烈。 ㊳满衍(yǎn)：充满，指完美。衍，水溢出。 ㊴称：称赞。 ㊵辄(zhé)：于是，就。 ㊶执笔者：指写史书的人。杂出：杂乱地选出。一时：当时，暂时。贵人：权贵之人。 ㊷观：观察，看。廷：朝廷。 ㊸然不：即"然否"，对与错。 ㊹尚：尚且。或：有的。以忠为邪：把忠诚当成奸邪。 ㊺诛：指责。当前：在面前。栗(lì)：战栗，害怕。 ㊻讪(shàn)：讥笑。羞：羞耻。 ㊼苟：苟且。餍(yàn)：满足。忿(fèn)好：憎恨和喜好。而止：而已。耳：罢了。 ㊽况：何况。阴：暗中。挟：挟持，拿着。翰墨：笔墨。 ㊾裁：裁定，决定。 ㊿贷：给予。 51附：附和。 52往者：指死去的人。讼：争辩是非。当否：适当与否。 53生者：活着的人。论：讨论。曲直：是非。 54赏罚谤誉：赞赏和惩罚、毁谤和称誉。 55施：安放。 56以：用，凭借。彼：他，指执笔者。私：私心。 57独：难道。安能：怎么能。欺：欺骗。冥昧之间：在幽暗之中，指神灵。邪(yé)：表示疑问。 58能言：擅长言论。 59大公至正之道：极其公正的道德。 60耳目所遇：耳朵所听到的，眼睛所见到的。 61一：一旦。以言载：用言语记载。 62则：于是。遂：就。以：凭借。不朽于无穷：指永远不朽。 63先人：指王安石的父亲王益。非有：并非只有。雅：交情。 64余论：识见广博的言论。及：涉及。 65党私：结党营私。嫌：嫌疑。 66苟：如果。发潜德：发掘被埋没的美德。为己事：作为自己的事情。 67务推：务必推广。 68岂有恨：岂能有什么遗憾。

【译文】

承蒙你再次寄来书信，向我展示我先父在韶州任官时的政绩，被吏民所称扬赞颂，至今仍不绝，感伤于现在的士大夫不能完全知道，又恐怕史官不能记载，用来排列在前代的良吏后面。这都怪我这不肖之孤子，言论和行为还不足以取信于天下，又不能推崇弘扬先人留下来的功业和政绩，让人们都能听闻，我之所以夙夜忧愁痛苦，痛心疾首不敢歇息，就是因为这事啊。

先父活着的时候，我还幼小，不能详细听说他处理政事的事迹。然而我曾经侍奉在他左右，尚能记得他的一些教诲。大概父亲心中的想法，是要施大泽于天下，哪怕只有一物还枯槁，都认为是自己的羞辱。大事既然不能试着去做，已经试着去做了小事，小事又将要消失没有流传，那我这个不肖的孤子，罪责和过失就大了，尚且用什么来立在天地之间呢？你恳切至诚，挂念着父亲的事迹不能流传，若非仁人君子，乐于称道别人的善行，哪能做到这样呢？

自夏、商、周三代时起，各诸侯国就都有史官，而当时的史官都是世代相传，他们往往会以身殉职，也不违背史官的意志。大抵他们记录的，都有依据可以考证。后来就没有诸侯国的史官，而近世如果不爵位高贵，即便雄伟神奇，俊逸刚烈，道德完美，若不幸未被朝廷所称赞，就不能被写进史书。而那些执笔者又杂乱地选出当时的权贵入史，观察他们在朝堂上议论的时候，每个人都能讲出各自的对错，尚且有的史官以忠诚为奸邪，把区别看成相同，当面的指责不会害怕，背后的讥笑，不以为羞耻，苟且地以能满足他们自己的好恶之心而已。何况暗中挟持史笔，用来裁定前人的善恶，疑惑可以给予褒扬，似是而非可以附和毁谤，死去的人不能与他争辩适当与否，活着的人不能与他讨论是非对错，赞赏和惩罚、毁谤和称誉，又不能在史书中安放，凭借他们的私心，哪能不欺骗神灵呢？善行既不能流传，而流传的又不能让人完全相信。只有擅长言论的君子，有极其公正的道德，声名和本质都足以让后人相信的人，将他们的见闻用言语记载下来，那就可以永存不朽了。

你与先父并非只有一面之交，你广博的言论所涉及的，没有结党营私的嫌疑，如果你能够以发掘被埋没的美德为自己的事情，务必推广你所知道的，告诉世上能写又能令人信任的人，那么我先父即使不列于史书中，又有什么遗憾呢？

【题解】

这封书信是王安石代人所写，为了资助凌策下葬他祖父及父亲的费用。信的前头先引用良医俞跗为人治病的典故，然后叙述主人弱而孤，壮而困，因贫穷而祖父和父亲二人的灵柩无钱下葬的艰难处境。王安石的高明之处在于引用《春秋》“过时而不葬”和子思“未葬不变服”的事例来晓之以理，最后又赞扬凌策是“穷人之俞跗”来动之以情。整封信简洁而结构严谨，言辞恳切动情，想必凌策应该不会拒绝施与。

代人作上凌屯田[1]书

俞跗[2]，疾毉[3]之良者也。其足之所经[4]，耳目之所接[5]，有人于此，狼疾[6]焉而不治，则必歁然以为己病[7]也。虽人也，不以病[8]俞跗焉则少矣。隐而虞[9]俞跗之心，其族姻旧故[10]，有狼疾焉，则何如[11]也？末如之何[12]，其已[13]，未有可以治焉而忽[14]者也。今有人于此，弱[15]而孤，壮而屯蹶困塞[16]，先大父弃馆舍[17]于前，而先人从之[18]，两世之柩[19]，窭[20]而不能葬也。尝观传记[21]，至[22]《春秋》过时而不葬，与子思[23]所论未葬不变服，则戚然不知涕[24]之流落也。窃[25]悲夫古之孝子慈孙，严亲之终[26]，如此其甚[27]也。今也乃独以窭故[28]，犯《春秋》之义[29]，拂子思之说[30]，郁其为子孙之心而不得伸[31]，犹人之狼疾也，奚有间[32]哉？

伏惟执事[33]，性仁而躬义[34]，悯艰而悼厄[35]，穷人之俞跗也，而又有先人一日之雅[36]焉，某之疾庶几[37]可以治焉

者也。是敢不谋于龟[38]，不介[39]于人，跋千里之途[40]，犯不测之川[41]，而造[42]执事之门，自以为得所归[43]也。执事其忽之欤[44]？

【注释】

①代人作：代别人所写。凌屯田：凌策，字子奇，宋宣泾（今安徽泾县）人，由广南西路转运使进为屯田员外郎。 ②俞跗（yú fū）：相传是黄帝时代的良医。 ③疾毉：即“疾医”，相当于现在的内科医生。 ④经：经过。⑤接：接触。 ⑥狼疾：指致命的疾病。 ⑦欿（kǎn）然：忧愁的样子。己病：病在自己身上。 ⑧病：指责，不满。 ⑨隐而虞：暗自揣度。 ⑩族姻：家族和姻亲。旧故：朋友。 ⑪何如：怎么办。 ⑫末如之何：不能怎么样了，即无法治愈。 ⑬已：停止。 ⑭未有：没有。忽：忽略，忽视。 ⑮弱：古代男子二十左右称为“弱”，这里指年少。 ⑯屯蹶（tún jué）困塞：艰难困顿。⑰先大父：指祖父。弃馆舍：对人去世的委婉说法。 ⑱先人：指父亲。从之：指父亲也随即去世。 ⑲两世：指祖父和父亲两代人。柩（jiù）：灵柩，棺材。 ⑳窭（jù）：贫穷。 ㉑尝：曾经。观：看，阅览。传记：指史传一类的书籍。 ㉒至：到，指看到。 ㉓子思：孔伋，字子思，是孔子的嫡孙。 ㉔戚（qī）然：忧伤的样子。涕（tì）：眼泪。 ㉕窃：私下，暗自。 ㉖严亲：对父母的尊称。终：死亡。 ㉗甚：指程度深，非常。 ㉘乃：却。独：单单，唯独。以：因为。故：缘故。 ㉙犯：违犯。义：道义。 ㉚拂（fú）：违背。说：学说，说法。 ㉛郁：使郁结。伸：伸展。 ㉜奚（xī）：疑问代词，相当于“何”。间（jiàn）：差别。 ㉝伏惟：趴伏在地上想，下对上陈述时用来表示敬意。执事：掌管事情的人，即官员。 ㉞性仁：生性仁慈。躬义：躬行道义。 ㉟悯（mǐn）艰：怜悯艰辛。悼厄（dào è）：悲悼困厄。 ㊱先人：指先父。一日之雅：即一面之交。 ㊲庶几：差不多。 ㊳谋：谋划。龟：用龟甲占卜。㊴介：凭借，依靠。 ㊵跋（bá）：翻山越岭。途：路途。 ㊶犯：触犯，指经历。不测之川：无法测量的川流，指危险之地。 ㊷造：拜访。 ㊸得所归：找到了归宿。 ㊹欤（yú）：文言助词，表示疑问或反诘语气。

【译文】

俞跗，是治疗疾病的良医。他所经过的地方，耳目所听闻接触到的，只要有病人之处，有致命的疾病而无法治愈的，他就忧愁地当成自己身上的病。虽然这样，不指责俞跗的人也很少。暗自揣度俞跗的内心，若他的家族、姻亲和朋友中染有致命的疾病了，那他会怎么办呢？无法治愈的只好算了，没有可以治疗却忽视救治的。

如今就有这样一个人，他年少而为孤儿，等到壮年而艰难困顿。他的祖父先去世，而他的父亲也相继去世。两代人的棺材，因贫穷而不能下葬。我曾经阅读古代的传记，看到《春秋》里说，过了时间就不能下葬，以及子思所谈论的，没有下葬就不能改变丧服，我便忧伤得不觉泪水流落下来。暗自悲伤于古代孝顺仁慈的子孙，在他们父母死后，亲人去世的礼节，到了如此严重的地步。如今却仅因为贫穷的缘故，违犯《春秋》的道义，违背子思的学说，使为人子孙的心情郁结不得伸展，好比人患了致命的疾病，哪里有什么差别呢？

尊敬的执事，你生性仁慈而躬行道义，怜悯艰辛而悲悼困厄，你就好比穷人中的俞跗。而你又和我的先父有一面之交，我的疾病，差不多你可以治疗吧。于是我才敢不谋划于占卜，不凭借其他人，跋涉千里的路途，经过不知深浅的川流，而造访你的家门，自以为是找到了归宿。执事你会忽略我的请求吗？

【题解】

宋神宗熙宁九年(1076),王安石要从宰相任上再次引退,可是神宗不允许,并相继派冯京和王珪来劝说。王安石没有办法,只好给王珪写了两封信,希望代他向皇上求情。本篇是其中的第二封。信中托以自己不善知人、精气衰敝,同时表达了自己对盈满则溢的担心和想优游里闾的心愿。全文言辞恳切,感情真挚。

与参政王禹玉[①]书

某启[②]:继蒙赐临[③],传喻圣训[④],彷徨踧踖[⑤],无所容措[⑥]。某羁孤[⑦]无助,遭值大圣[⑧],独排众毁[⑨],付以宰事[⑩],苟利[⑪]于国,岂辞糜殒[⑫]? 顾自念行不足以悦众[⑬],而怨怒实积于亲贵之尤[⑭];智不足以知人[⑮],而险诐常出于交游之厚[⑯]。且据势重而任事久[⑰],有盈满之忧[⑱];意气衰而精力弊[⑲],有旷失之惧[⑳]。历观[㉑]前世大臣,如此而不知自弛[㉒],乃能终不累国[㉓]者,盖[㉔]未有也。此某所以不敢逃逋慢之诛[㉕],欲及罪戾未积[㉖],得优游里间[㉗],为圣时知止不殆[㉘]之臣,庶几[㉙]天下后世,于上拔擢任使[㉚],无所讥议[㉛]。伏惟明公方佐佑大政[㉜],上为朝廷公论[㉝],下及僚友私计[㉞],谓宜少垂念虑[㉟],特赐敷陈[㊱]。某既不获通章表[㊲],所恃在明公一言[㊳]而已。心之精微[㊴],书不能传[㊵],惟加悯察[㊶],幸甚[㊷]。不宣[㊸]。

【注释】

①参政王禹玉:王珪(1019—1085),字禹玉,祖籍成都华阳,神宗熙宁三

年(1070)任参知政事。 ②某启:古人写信,常在正文开头用“某启”,“某”表自己,“启”表示向对方启告。 ③继:相继。蒙:承蒙。赐临:对别人到来的敬辞。 ④传喻圣训:传达晓喻圣上的旨意。 ⑤彷徨(páng huáng):犹豫不决的样子。踧踖(cù jí):恭敬不安的样子。 ⑥容措:安置,处置。 ⑦羁(jī):寄居他乡。孤:指他的父亲王益已经去世。 ⑧遭值:遭遇,遇到。大圣:对宋神宗的美称。 ⑨独:独自。排:排除。毁:毁谤。 ⑩付:托付。宰事:宰相之职。 ⑪苟:如果。利:有利。 ⑫岂:哪里。辞:推辞。糜殒:糜烂死亡。 ⑬顾:表示轻微的转折,类似于“可是”。自念:自己考虑。悦众:取悦大众。 ⑭怨怒:怨恨怒气。实:确实,表示强调。积:积攒。亲贵之尤(yóu):指非常亲近和高贵的人。 ⑮智:智慧。知人:指能鉴别别人的品行和才能。 ⑯险诐(bì):险恶邪僻之人。交游之厚:交情甚厚。 ⑰据势重:占据权势重大的职位。任事久:任职太久。 ⑱盈满之忧:指盈满则溢的忧虑。 ⑲意气:精神,神色。衰:衰退。弊(bì):毁败。 ⑳旷失:缺失,失误。惧:害怕。 ㉑历:逐一。观:观察,考察。 ㉒自弛:自我松弛,指辞去官职。㉓累国:连累,拖累国家。 ㉔盖:大概,大约。 ㉕逃:逃避。逋(bū)慢:怠慢上级。诛:责罚,罪责。 ㉖欲:想要。及:等到。罪戾(lì):罪行,罪过。未积:没有积累很多。 ㉗得:得以,能够。优游:悠闲自得。里间:乡里。㉘为:作为,成为。圣时:圣明时期,是对宋神宗时政的美称。知止不殆(dài):知道适可而止,就不会有危险。 ㉙庶几:希望。 ㉚于:对于。上:皇上。拔擢(zhuó):选拔,提升。任使:任命,使用。 ㉛讥议:讥讽议论。㉜伏惟:趴伏在地上想,下对上陈述时用来表示敬意。明公:对王珪的尊称。方:正。佐佑:辅助,辅佐。大政:国家政事。 ㉝为:替,给。公论:言论公事。 ㉞及:涉及。僚友:官职相同的人。私计:私下考虑,计划。 ㉟谓:认为。宜:应该。少垂念虑:稍加思虑。 ㊱特:特意,专门。赐:给。敷陈:详尽地陈述。 ㊲某既不获通章表:指王安石所上的《乞退表》之类的章表没有被宋神宗批准。 ㊳恃(shì):依赖,依靠。一言:一句话。 ㊴精微:细微。㊵书不能传:书信无法传达。 ㊶惟:希望。悯察:怜悯细察。 ㊷幸甚:非常荣幸。　㊸不宣：不一一宣明，即不细说。

【译文】

我（王安石）向你启明：承蒙你们相继赏赐光临，向我传达晓喻圣上的旨意，我彷徨局促，不知所措。我旅居在外，孤立无援，却遇到圣人之世，皇上独自排除众人的毁谤，托付我以宰相之职。如果有利于国家，我哪里会因为死亡而推辞。只是我自己考虑到行为不足以取悦众人，而亲贵实在是积攒了对我尤其多的怨恨怒气。我的智慧不足以鉴别别人的品行和才能，所以险恶邪僻之人常常出自和我交情甚厚的人之中。况且我占据权势重大的职位，又任职太久，有盈满而溢的忧虑。我精神衰退，精力毁败，惧怕会有失误。逐一观察前代的大臣们，到了如此地步还不自己辞官，而最后不连累国家的人，大概没有。这就是我之所以不敢有意逃避怠慢上级的罪责，想在罪过没有积累很多之前，得以在乡间悠闲自得，成为一个在圣明时期知道停止而没有危害百姓的臣子。希望天下后世之人，对皇上选拔任命官吏，没有讥讽议论。尊敬的明公，你正辅佐助佑国家政事，向上替朝廷公事言论，向下替僚友私下考虑，你应该稍加思虑，替我向皇上敷陈转达我辞去相位的意愿。我既然没有获准奏陈表章，能有所依靠的，就在明公你一句话了。心事的细微，书信是无法传达的，希望你怜悯细察。非常荣幸。不再一一细说了。

【题解】

王安石的这封回复陈梠的书信，主要是和他探讨对庄子的评价问题。陈梠的来信中认为老、庄潜心于神仙，但《老子》和《庄子》中都没有谈及神仙，所以王安石说这并非二人的实质。同时，王安石认为，庄子和墨子一样，都是学圣人之道而有偏差而已。特别是庄子，他通性命之分，不以死生祸福累其心，可以算得上非常接近圣人了。这些都是对庄子非常中肯的评价。

答陈梠[①]书

某启[②]：伏蒙不遗不肖[③]，而身辱先之[④]，示[⑤]之文章，使得窥究其所蕴[⑥]，又取某所以应见问者序而存之[⑦]，以宠其行[⑧]。足下之赐过[⑨]矣，不敢当[⑩]也。某懦陋浅薄[⑪]，学未成而仕[⑫]，其言行往往背戾[⑬]于圣人之道，摈而后复[⑭]者，非一事[⑮]也。自度尚不足与庸人[⑯]为师，况如足下之材良俊明[⑰]，安能一有所补邪[⑱]？虽然[⑲]，足下过听[⑳]，所序而存者，或非某所闻于师友之本指[㉑]也，则义不得默[㉒]而已。

庄生之书[㉓]，其通性命之分[㉔]，而不以死生祸福累[㉕]其心，此其近[㉖]圣人也。自非明智，不能及[㉗]此。明智矣，读圣人之说，亦足以及此。不足以及此，而陷溺于周[㉘]之说，则其为乱大矣。墨翟非亢然诋圣人而立其说[㉙]于世，盖学圣人之道而失[㉚]之耳。虽周亦然[㉛]。韩氏[㉜]作《读墨》，而又谓子夏[㉝]之后，流而为庄周，则庄、墨皆学圣人

而失其源[34]者也。老、庄之书具[35]在,其说未尝及[36]神仙,唯葛洪[37]为二人作传以为仙。而足下谓老、庄潜心[38]于神仙,疑非老、庄之实[39],故尝为足下道此[40]。老、庄虽不及神仙,而其说亦不皆合于经[41],盖有志于道者。圣人之说,博大而闳深[42],要当[43]不遗余力以求之。是[44]二书虽欲读,抑有所不暇[45]。某之所闻如此,其离合[46]于道,惟足下自择[47]之。

【注释】

①陈梠:生平事迹不详。 ②某启:古人写信,常在正文开头用“某启”,“某”表自己,“启”表示向对方启告。 ③遗:遗弃。不肖:不贤德,这是王安石的自谦之词。 ④身辱:自己受到屈辱,敬辞。先之:指先和王安石联系。⑤示:展示。 ⑥窥究:窥见探究。其所蕴:其中所蕴含的深义。 ⑦应:应该。见:助动词,用在动词前面,表示对我怎么样。问:询问,请教。序而存之:指在信书记录下来。 ⑧宠:尊崇。行:行为。 ⑨足下:古代对对方的尊称。赐:恩赐,恩惠。过:过分。 ⑩当:承受。 ⑪懦陋:软弱鄙陋。浅薄:学识和修养不深厚。 ⑫学未成:学业没有完成。仕:出仕,做官。⑬背戾(lì):违背。 ⑭摈而后复:指令人皱眉后悔。摈,通“颦(pín)”,皱眉。复,改正。 ⑮非一事:并非只有一件事。 ⑯自度(duó):自我忖度。尚:尚且,还。庸人:普通人。 ⑰况:何况。如:像。材良:资质良好。俊明:优秀明达。 ⑱安:哪里。补:帮助。邪(yé):同“耶”,表示疑问。 ⑲虽然:虽然这样,但是。 ⑳过听:错听。 ㉑本指:本旨,本意。 ㉒义:道义。默:沉默。 ㉓庄生之书:即庄子所写的《庄子》。 ㉔通性命之分:贯通了本性天命的安排。 ㉕以:因为。累:劳累。 ㉖近:接近,靠近。 ㉗及:达到。㉘陷溺(nì):指陷入错误之中而无法自拔。周:即庄子,名周。 ㉙墨翟:墨家学说的创始人,著有《墨子》一书。亢然:高傲无视的样子。诋(dǐ):诋毁,毁谤。立其说:建立他的学说。 ㉚盖:大概,大约。失:失误,偏差。

㉛虽:即使。亦然:也是这样。指庄子和墨子一样。 ㉜韩氏:即韩愈,字退之(768—824),河南河阳(今河南省孟州市)人,唐代著名文学家,唐宋八大家之一。 ㉝子夏:即卜商,字子夏,孔子弟子。以文学著称。 ㉞源:本源,源头。 ㉟具:同"俱",都,全。 ㊱未尝:未曾,没有。及:涉及,谈到。 ㊲葛洪:东晋道士,字稚川,自号抱朴子,著有《抱朴子》《神仙传》等书。 ㊳足下:古代对对方的尊称。潜心:专心。 ㊴疑:怀疑。实:实情,本质。 ㊵尝:尝试,试着。道此:说这些。 ㊶皆:全部。合:符合。经:指儒家经典。 ㊷闳(hóng)深:广博深远。 ㊸要当:应当。 ㊹是:因此,于是。 ㊺抑:文言连词,表示转折,相当于"但是"。有所不暇(xiá):没有闲暇的时间。 ㊻离合:背离或符合。 ㊼惟:希望。自择:自己抉择。

【译文】

我(王安石)向你启告:承蒙你不遗弃我的不肖,我委屈你首先将文章展示给我看,使我能窥见探究其中所蕴含的深义,又将觉得我应该将有疑问的地方记录下来,来尊崇我。你的恩赐太大了,我实在是不敢当。我软弱鄙陋又浅薄,学业尚未完成便做官,言行往往与圣人的大道相违背。行事让人皱眉,使人后悔的事,并非只有一件。我忖度自己尚且不能给普通人当老师,何况你这样资质良好、优秀明达的人,哪能对你有一点帮助呢? 虽然这样,你错误地听取了别人关于我的言论,所作序文中的观点,有些并非我从师友那里听到的本意,于是从道义上来讲,我就不能保持沉默了。

庄周的书,贯通了本性天命的安排,不因死生祸福而让心灵受累,这是其接近圣人的原因。自己不是明智之人是不可能达到的。如果已经明智了,再读圣人的书籍,也能到达到这种境界。如果不能达到这种境界,却沉溺于庄周的学说,那么就会产生很大的动乱。墨翟并不是高傲无礼地诋毁圣人而在世上建立自己的学说,大抵是他学习圣人之道有误罢了。即便庄周也是这样。韩愈写有《读墨子》,

又说子夏的传人，流传至庄周，所以庄子、墨子都是学习圣人而失去本原的人。老子和庄子的著作都有保存，他们的学说未曾提到神仙。只有葛洪给他们两人作传，称他们是神仙。可是你却说老子和庄子专心于神仙，我怀疑这并非是老子和庄子的实情。所以我尝试着向你说了这些。老子和庄子虽然没有提及神仙，他们的学说也不全符合儒家经典，大概是立志追求大道的人。圣人的学说，博大而深远，应当不遗余力地去寻求。这两部书我虽然想读，只是没有闲暇的时间。我所知道的就是这样，至于是背离还是符合，只有你自己抉择了。

【题解】

这篇李虚舟的神道碑作于北宋仁宗嘉祐八年(1063)。王安石以皇帝追赠的诏书开头,交待撰写碑文的缘由,然后历叙李家七世以来的迁徙过程。在称扬了李虚舟任余干县令的政绩之后,集中刻画他愿意归家朝夕从兄游,洒扫先人庐冢的志向。接着写李虚舟和父兄三人都未老而弃官就养父母的孝行,强调这种世代传承的家法。整篇碑文详略得当,迂回从容而不流于形式。

虞部郎中赠卫尉卿李公神道碑[1]

嘉祐八年六月某甲子[2],制[3]曰:"朕初即位[4],大赉[5]群臣升朝者及其父母,具官某父具官[6]某,率德蹈[7]义,不躬[8]荣禄,能教厥[9]子,并为才臣[10]。加赐名命[11],序诸卿位[12],所以劝[13]天下之为人父者,岂特以慰[14]孝子之心哉?可特赠卫尉卿。"翌日[15]某甲子,中书下其书告第[16],又副[17]其书赐宽等,以待墓焚[18]。宽等受书,焚其副墓上,乃撰次卫尉官世行治始卒[19],来请曰:"先人赖天子庆施[20],赐之官三品矣,而墓碑未刻。惟德善可以有辞[21]于后世者,夫子[22]实闻知。"某曰:"然[23],卫尉公墓隧宜得铭久矣[24]。"于是为序而铭[25]焉。序曰:

公姓李氏,故陇西[26]人。七世祖讳[27]某,始迁于光山[28]。五世祖[29]讳某,以其郡人王闽[30],从[31]之,始为建安[32]人。曾祖[33]讳某,祖讳某,皆不仕[34]。考[35]讳某,尝仕江南李氏[36],稍显[37]矣,江南国除[38],又举进士,中等,以殿中丞致仕[39]。有学行[40]，名能知人[41]，赠其父大理评事[42]，而己亦以子贵[43]，赠至吏部尚书[44]。游豫章[45]，乐其湖山[46]，曰："吾必终[47]于此。"于是又始为豫章人。尚书[48]之子，伯曰虚己[49]，官至尚书工部侍郎[50]，以材能闻天下。其季则公[51]也。

公讳某，字公济。少笃学[52]，读书兼昼夜不息[53]。一以进士举不中[54]，即以兄荫为郊社斋郎[55]，再选福州闽清、洪州靖安县尉[56]，有能名[57]。迁饶州余干县令[58]，至于毁淫祠[59]，取其材[60]以为孔子庙，率县人之秀者兴于学[61]。豪宗大姓[62]，敛手[63]不敢犯法。州将、部使者奏乞与京官移之剧县[64]，不报[65]，而坐不觉狱卒杀人以免[66]。当是时，侍郎方以分司就第[67]。公曰："吾兄老矣，我得朝夕从之游[68]，以洒扫先人庐冢[69]，尚[70]何求而仕？"遂止[71]，不复[72]言仕。侍郎之卒[73]也，天子以公试秘书省校书郎、知江州德安县事[74]，辞不就[75]。后尝一至京师[76]，大臣交口[77]劝说，欲官之[78]，终以其不可强[79]也，而晏元献公为公请[80]，乃除太子洗马[81]致仕。初，尚书未老，弃其官以归[82]。至侍郎及公之退[83]也，亦皆未老。自尚书至公再世[84]皆有子，而皆以严治其家如吏治[85]。江西士大夫慕其世德[86]，称[87]其家法。盖近世士多外自藩饰[88]为声名，而内实罕[89]能治其家。及老[90]，往往顾利冒耻[91]，不知休息[92]。公独[93]父子兄弟能如此。呜呼[94]，其可谓贤于人也已。公事亲孝[95]，比遭大丧[96]，庐墓六年然后已[97]。事兄与其寡姊[98]，衣食药物，必躬亲[99]之。及公老矣，二子就养[100]，如公之为子弟也。宽尝为江、浙等路提点铸钱坑冶[101]，又尝提点江南西路刑狱。定亦再为洪州[102]官，不去左右[103]者十二年。皆以才能为世闻人[104]。以恩迁公官至尚书虞部郎中，阶至朝奉郎，勋至护军[105]。以嘉祐四年[106]七月某甲子，卒于豫章之第室[107]，年八十九。

夫人长寿县君[108]赵氏，先公卒八年。既葬矣，五年某月某甲子，以公葬于夫人之墓左，曰雷冈，在新建县[109]之桃花乡新里。夫人故衢州[110]人，某官湘[111]之女。湘有文行[112]，尚书与为友，故为公娶其女。子三人：宽、定、实。实守秘书省正字[113]，早世[114]。于公之葬也，宽为尚书司勋员外郎[115]，定为尚书库部员外郎[116]。女子二人，已嫁。孙二十有一人，曾孙十有五人，皆率公教无违[117]者。公既葬，而二子以恩赠公卫尉卿云。铭曰：

李世大家，陇西其先。于唐之季[118]，再世[119]光山。移遁[120]于闽，岭海之间[121]。乃生尚书，节行有伟[122]。始来江南，考室章水[123]。绳绳二子[124]，隐显兼荣[125]。孰多后禄[126]，其季维卿[127]。幼壮躬孝[128]，唯君之践[129]。能不尽用[130]，止于一县[131]。退以德义，釐[132]身于家。外内肃雍[133]，人不疵嗟[134]。亦有二子，维天子使[135]。父曰往矣[136]，致[137]而臣身。子曰归哉[138]，以宁[139]吾亲。以率其妇，左右恂恂[140]。以官就侍[141]，天子之仁。既具祉福[142]，考终大耋[143]。追荣于幽[144]，乃赐卿号。伐石西山[145]，作为螭龟[146]。营[147]之墓上，勒[148]此铭诗。

【注释】

①李公：李虚舟，字公济，宋建安(今福建建瓯)人，后迁至豫章(今江西南昌)。虞部郎中：宋代尚书省工部设有虞部郎中和员外郎，掌管山泽、苑囿、畋

猎等事。赠:皇帝为已死的官员及其亲属加封,也称作“特赠”。卫尉卿:宋代尚书省工部下有卫尉寺,设卿、少卿、丞、主簿各一人。神道碑:立于墓道前记载死者生平事迹的石碑。 ②某甲子:某一天。 ③制:专指皇帝的命令。④朕(zhèn):自秦始皇起专门用作皇帝自称。初:刚。即位:开始登基做皇帝。 ⑤赉(lài):赏赐。 ⑥具官:对某人官职的省略,正式立碑时会补上。⑦率:遵循。蹈:践行,遵守。 ⑧躬:亲自,这里指亲近。 ⑨厥(jué):代词,其。 ⑩并为才臣:指李宽和李定二人都是有才能的臣子。 ⑪加赐:恩赐。名命:诏命。 ⑫序诸卿位:位列于公卿。 ⑬劝:劝勉,勉励。 ⑭岂:难道。特:只是。慰:安慰。 ⑮翌(yì)日:第二天。 ⑯中书:中书省,专门负责发布皇帝的诏书。告第:告谕他们的府第。 ⑰副:指抄录副本。⑱墓焚:墓前焚祭。 ⑲撰次:依次编撰。卫尉:即李虚舟。官世:官职。行治:事迹、治绩。始卒:始末。 ⑳先人:指李虚舟。赖:依靠,依赖。庆施:赏赐。 ㉑惟:只有。德善:德行完善。辞:文辞。 ㉒夫子:对王安石的尊称。㉓然:是,对。 ㉔墓隧:墓道,指墓前的甬道。宜:应该。得铭久矣:早就应该有铭文了。 ㉕序而铭:墓志铭一般由两部分组成,前一部分称为“序”或“志”,多用散文形式撰写墓主的生平。后一部分称为“铭”,用韵文写成,主要是概括全篇,并对墓主进行评价。 ㉖故:原来。陇西:唐代的郡县名,治所在今天的甘肃陇西东南。 ㉗讳(huì):避讳。 ㉘始:开始。迁:迁徙。光山:县名,今属河南。 ㉙五世祖:据余靖《李公墓碑》:“同郡王氏之王闽越,其孙讳盈以族从焉,迁徙名数于建安。” ㉚郡人王闽:指五代时同郡人王审知在闽地建立闽国。 ㉛从:跟从,依附。 ㉜建安:今福建建瓯市。 ㉝曾祖:据余靖《李公墓碑》:“曾五父讳管。” ㉞仕:出仕,做官。 ㉟考:原指父亲,后多指已死的父亲。 ㊱尝:曾经。江南李氏:指江南的李唐王朝,五代时的十国之一。 ㊲稍显:稍微显赫。 ㊳国除:国家灭亡。 ㊴殿中丞:唐代改殿内省为殿中省,殿中丞是其属官,宋代是寄禄官。致仕:交还官职,即退休。 ㊵学行:学问和品行。 ㊶名能知人:以能知人而闻名。 ㊷其父:指李虚舟的祖父。大理评事:大理寺的属员,负责处理有疑点的刑事案件。

㊸已亦以子贵：指李虚舟的父亲李夤因为儿子李虚舟而更加显贵。㊹吏部尚书：尚书省吏部的长官，掌管天下官吏的选取、任用和考核。㊺豫章：今江西南昌。㊻乐其湖山：喜欢那里的湖光山色。㊼终：终老。㊽尚书：即李虚舟的父亲李夤。㊾伯：古代用伯、仲、叔、季来排行兄弟次序，伯指老大。虚己：李虚己，字公受，宋太宗太平兴国二年(977)进士。㊿尚书工部侍郎：尚书省工部的副长官，掌管天下百工、屯田和山泽的政令。(51)季：最小的儿子。公：对李虚舟的尊称。(52)笃(dǔ)学：专心好学。(53)兼昼夜：夜以继日。不息：不休息。(54)举：科举考试。不中：没有中第。(55)兄荫：兄长李虚己的荫庇。郊社斋郎：宋代太常寺下有效社署，掌管祭祀事宜。

(56)选：即选注，遇有官职缺员时，遴选有资格者补充。福州闽清：今福建省福州市闽清县。洪州靖安：今江西省宜春市靖安县。县尉：位在县令之下，主管军事和治安。(57)能名：能干的名声。(58)迁：升迁。饶州余干：今江西省上饶市余干县。县令：一县的最高长官。(59)至于：到达。于，助词，无意义。毁：毁坏。淫祠：不按礼仪设置的祠庙。(60)材：木材，材料。(61)率：率领。秀者：优秀的人。兴于学：发动学习。(62)豪宗大姓：豪门大族。(63)敛手：收手。(64)州将：指饶州的知州。部使：转运使的别称。奏：上奏。乞：恳请。与：给，向。京官：朝中的官员。移：迁移。之：到。剧县：政务繁重的县，与平县相对。(65)报：特指皇上对臣下奏章的批复。(66)坐：因为……而获罪。不觉：没有察觉。免：罢免，免官。(67)当是时：在这个时候。侍郎：指兄长李虚己。方：正。分司：中央官员在陪都执行任务称为“分司”。就第：不担任职务回家。(68)朝夕：早上和晚上，指整天。从之游：跟随他一起游玩，指陪伴他左右。(69)洒扫：扫墓。庐冢(zhǒng)：古人死后，亲友为了在坟墓旁守护而盖的屋舍。这里指坟墓。(70)尚：还。(71)遂：于是，就。止：停止。

(72)复：再。(73)卒：去世。(74)试：试任，正式任命之前的一种任用。秘书省校书郎：负责秘书省书籍的校理。知江州德安县事：即担任江州德安县的知县。(75)辞：推辞。就：就职，上任。(76)尝：曾经。一至：有一次来到。京师：北宋的都城汴梁，今河南开封。(77)交口：众口，齐声。(78)官之：让他做官。⑲强:勉强,强迫。⑳晏元献公:晏殊(991—1055),字同叔,抚州临川人,谥号元献。请:指向皇上请求。㉑除:任命官职。太子洗马:太子东宫的属官,主要掌管书籍的抄写和校理。㉒归:回家。㉓退:退休。㉔再世:两代。㉕如:像。吏治:治理官吏。㉖慕:仰慕。世德:世代的德行。㉗称:称赞。㉘藩饰:虚饰。藩,遮蔽。㉙罕:少。㉚及老:等到年老。㉛顾利:只顾利益。冒耻:不顾廉耻。㉜休息:休养安息。㉝独:只有,唯独。㉞呜呼:表示感叹。㉟事亲:侍奉亲人。孝:孝顺。㊱比:连续。遭:遭受。大丧:指父母亲去世。㊲庐墓:古人死后,亲友为了在坟墓旁守护而盖的屋舍,这里指守孝。已:停止。㊳寡姊(zǐ):丈夫去世的姐姐。㊴躬亲:亲自过问。⑩二子:指李定和李宽两兄弟。就养:奉养。⑪提点:掌管司法、刑狱和河渠等事。坑冶:开采冶炼。⑫再:两次。洪州:今江西南昌。⑬不去左右:指未曾离开李虚舟的身边。⑭闻人:名人。⑮以恩:凭借皇恩。阶:阶官,宋代用来表示官员等级而无实际职务的职称。朝奉郎:宋文散官名,在二十九阶中位列十四,为正六品。勋:勋官,授给有功官员的一种荣誉称号,只有品级而没职事。护军:宋勋官名,在十二级中位列第四。⑯嘉祐四年:即公元1059年。⑰第室:宅第,住宅。⑱长寿县君:这是对李虚舟妻子的封号。⑲新建县:今江西省南昌新建区。⑪故:原来。衢(qú)州:今浙江省衢州市。⑪湘:赵湘(959—993),字叔灵,衢州西安(今浙江衢州)人。太宗淳化三年(992)进士,授庐江尉。⑫文行:文章和德行。⑬守:由品级较低的官员担任较高的职位称为"守"。秘书省正字:主要负责校刊文字。⑭早世:很早就去世。⑮尚书司勋员外郎:尚书省吏部司勋司的副长官,主要协助司勋郎中管理官员的勋级。⑯尚书库部员外郎:尚书省兵部库部司的副长官,主要掌握军器、仪仗等事。⑰率:遵循。违:违背。⑱季:王朝的末期。⑲再世:指居住了两代人。⑳遁:逃避,隐遁。㉑岭海之间:指在五岭和东海之间。㉒节行:节义和德行。伟:出色。㉓考室:本谓宫寝落成之礼,后泛指相地筑屋。章水:赣江的上游。㉔绳绳:形容接连不断样子。二子:指李虚己和李虚舟。

⑫⑤隐显兼荣：隐居和出仕都很荣耀。 ⑫⑥孰：谁。后禄：指死后的俸禄。 ⑫⑦卿：对李虚舟的敬称。 ⑫⑧躬孝：指亲力亲为去孝敬父母。 ⑫⑨唯君之践：是对父亲行为的践行。 ⑬⓪能不尽用：才能没有完全发挥。 ⑬①止于一县：只担任了一个县的县官。 ⑬②釐身：即修身。釐，治理。 ⑬③肃雍：庄严雍容，整齐和谐。 ⑬④疵嗟(cī jiē)：诽谤和磋叹。 ⑬⑤维天子使：是天子的使臣。 ⑬⑥往矣：去吧。 ⑬⑦致：给予，奉献。 ⑬⑧归哉：回去吧。 ⑬⑨宁：归宁，看望。 ⑭⓪恂(xún)恂：恭谨温顺的样子。 ⑭①以官就侍：用官身侍奉父母。 ⑭②具：具有，具备。祉(zhǐ)福：福。祉，福。 ⑭③考：寿考，寿命。终：最终。耄(mào)：老人八九十岁左右称为"耄"。 ⑭④追荣：指死后追赠官职。幽：幽冥，指死后。 ⑭⑤伐石：采伐墓石。西山：泛指一般的山。 ⑭⑥螭(chī)龟：墓碑的代称。 ⑭⑦营：经营，这里指放。 ⑭⑧勒：雕刻。

【译文】

嘉祐八年六月某个甲子日，皇上下制令说："我刚登上皇位，要大大地赏赐群臣中朝觐之人及其父母，官员某某的父亲官员某某，遵循道德仁义，不亲近荣华利禄，能教育自己的孩子，李宽和李定都是有才能的臣子。加赐诏命，使之位列公卿，是用来劝勉天下做父亲的人，难道只是为了安慰孝子之心吗！可以破例追封为卫尉卿。"第二天某甲子日，中书省告谕他们的府第，又抄录了诏书副本，赏赐了李宽等人，以便等待在墓前焚祭。李宽等人接受了诏书，把诏书副本在墓前焚烧。于是依次编撰李虚舟的官职、事迹、治绩的始末来向我请求道："先父依赖天子的赏赐，已经封他为三品官，但是墓碑还没有铭刻。只有德行好的人可以有文辞流传于后世，先生一定听说过这句话。"我回答道："是的。卫尉公的墓道早就应该有铭文了。"于是我写了这篇序文和铭文。序文说：

卫尉公姓李，原来是陇西人。七世祖名叫某某，最早迁到光山县。五世祖名叫某某，因为同郡人王审知在福建称王，所以跟随他，开始成为建安人。曾祖名叫某某，祖父名叫某某，都没做官。父亲名叫某某，曾经在江南李唐王朝做过官，稍微显赫起来，江南李国被灭后，又中了进士，名列中等，做到殿中丞后退休。他父亲很有学问和品行，以能知人而闻名，追封他的父亲为大理评事，而他自己也因为儿子更加显贵，被追赠为吏部尚书。他在豫章游玩时，喜欢那里的湖光山色，说："我要在这里终老。"于是又开始成为豫章人。他的儿子，大的叫李虚己，官做到尚书工部侍郎，以才能闻名天下。最小的儿子就是李虚舟。

他公名叫某某，字公济。小时候专心好学，读书夜以继日不知道休息。第一次考进士，没中，就以哥哥的荫庇做了郊社斋郎。两次被选为福州闽清县和洪州靖安县的县尉，有能干的名声。后迁至饶州余干县县令，到任之后就毁坏那些不按礼仪设置的祠庙，把材料用来建孔子庙，率领县中优秀的人发动学习。当地的豪门大族，都收手不敢犯法。饶州的知州、转运使上奏恳请京官，把他移到政务繁重的县去，但皇帝没有批复，却因没有发觉狱卒杀人而获罪被免官。那个时候，李虚己以南京分司的身份回家不再担任职务。李虚舟说："我的哥哥老了，我要早晚跟随他一起游玩，来打扫祖先的坟墓，哪里还去寻求出仕当官呢？"于是就停止不再谈做官之事。李虚己死后，皇上派李虚舟试任秘书省校书郎，江州德安县知县。他推辞没有去上任。后来曾经去过一次京师，大臣们都众口劝说，想要他做官，最终还是没能勉强他。而晏殊替李虚舟请求，于是让李虚舟以太子洗马的身份退休。

最初李虚己还没有老迈，放弃自己的职官而归家。等李虚己和李虚舟都退休了，他们也都还没有老。从李虚己到李虚舟，两代都有子嗣，而且都严厉治家，如同官府治理官吏一样。江西的士大夫们仰慕他家世代的德行，称赞他们的家法。大概近世以来士人多从外部虚饰来博取好名声，而内部其实很少有能治理好家族的。等到年老，往往只顾名利而不顾廉耻，不知道休养安息。只有李虚舟家的父子兄弟能做到这样好。唉，可以说是比一般人要圣贤啊！

李虚舟对父母很孝顺，相继遭到父母去世的丧事，他在坟墓旁的草房住了六年才停止。奉养兄长和他守寡的姐姐，衣食药物，必定亲自过问。等李虚舟老了，他的两个儿子奉养父亲，就像李虚舟对待儿女一样。李宽曾经担任江、浙等路的提点，铸造钱币冶炼金属，又曾经做江南西路提点，掌管刑狱。李定也两次在洪州任职，有十二年未曾离开李虚舟的身边。他们都以有才能而成为世间的名人。凭借皇恩升李虚舟任尚书虞部郎中，官阶至朝奉郎，勋阶直至护军。嘉祐四年七月某甲子日，在豫章的住宅中去世，终年八十九岁。

李虚舟的妻子赵氏被封为长寿县君，在李虚舟前八年去世，已经埋葬。嘉祐五年某月某甲子日，把李虚舟埋葬在夫人的坟墓左边，那个地方叫雷冈，在新建县桃花乡新里。夫人原本衢州人，是某某官员赵湘的女儿。赵湘有文采和德行，李虚己与他是朋友，所以替李虚舟娶他的女儿。李虚舟有三个儿子：宽、定、实。李实兼任秘书省正字，很早就死了。在李虚舟下葬的时候，李宽任尚书司的员外郎，李定任尚书库部员外郎。李虚舟有两个女儿，都出嫁了。孙子有二十一个，曾孙有十五个，都遵循李虚舟的教导而没有违背。李虚舟已葬，他的两个儿子依靠皇恩，追封李虚舟为卫尉卿。铭文说：

李姓是世家大族，祖先住在陇西。在唐代末年，他们又迁到光山过了两世。后来迁到了福建，岭海之间。李虚舟的父亲节义和德行出色，最初来到江南，将家卜居在豫章。连绵不绝的两个儿子，隐居和出仕都很荣耀。他死后的俸禄丰厚，最小的儿子李虚舟被追赠卫尉卿。他的孩子自小至大都躬行孝顺，是对父亲行为的践行。他的才能并没完全发挥，只担任一个县的县官。依德义而退，修身在家。家中内外都整齐和谐有序，外人也不诽谤和嗟叹。李虚舟的两个儿子，都是天子的使臣。父亲说：“去吧，奉献你们的臣子身躯吧。”两个儿子便回答：“回去吧，看望我们的亲人。”这样率领妻子，在父母左右都温顺恭谨。他们用官身侍奉父母，是天子的仁德。不但有福，最终还长寿。死后又被追赠，赐予卫尉卿。采伐西山石头，做成螭龟，放在墓上，铭刻这段铭文。

【题解】

孙抗的长子孙适曾跟随王安石游学，所以作者为孙抗写了这篇墓志铭。墓志中选略写孙抗任浔州知州时兴学讲说、为兵士讼财不直而与安抚使争于大理寺、弹奏狄青、谏言仁宗等事，然后重点记述侬智高反叛时，孙抗通过驱吏民、转刍米、治城堑、修器械等一系列有力措施保全州县的功绩。接着从整体谈论他的行事作风和文学，最后附以家世和子嗣。孙抗幼年时曾寄食于浮屠山，通过借书学习，后来官至广南西路转运使，这是王安石所赞叹的。

广西转运使孙君[①]墓碑

君少学问勤苦，寄食浮屠山[②]中，步行借书数百里，升楼诵[③]之，而去其阶[④]。盖数年而具众经[⑤]，后遂博极[⑥]天下之书。属文操笔布纸[⑦]，谓为方思[⑧]，而数百千言已就[⑨]。以天圣五年同学究出身[⑩]，补滁州来安县主簿[⑪]、洪州右司理[⑫]。再举进士甲科[⑬]，迁大理寺丞[⑭]，知常州晋陵县[⑮]，移知浔州[⑯]。浔[⑰]当是时，人未趋学[⑱]，乃改作庙学[⑲]，召吏民子弟之秀[⑳]者，亲为据案讲说[㉑]，诱劝以文艺[㉒]。居未几[㉓]，旁州[㉔]士皆来学，学者由此遂[㉕]多。以选[㉖]，通判耀州[㉗]。兵士有讼财而不直[㉘]者，安抚使[㉙]以为直，君争之不得[㉚]，乃奏决于大理[㉛]。大理以君所争为是[㉜]，而用君议编于敕[㉝]。庆历二年[㉞]，擢为监察御史里行[㉟]。于是弹奏狄武襄公不当沮败刘沪[㊱]水洛城事，又因日食言阴盛[㊲]，以后宫为戒[㊳]。仁宗[㊴]大猎于城南，卫士不及整[40]而归以夜，明日将复[41]出，有雉陨于殿[42]中。君奏疏[43]，即是夜有诏止猎[44]。蛮唐和寇[45]湖南，以君安抚[46]，奏事有所不合[47]，因自劾[48]，乃知复州[49]。又通判金州[50]，知汉阳军、吉州[51]，稍迁至尚书都官员外郎[52]，提点江南西路刑狱[53]。有言常平岁凶当稍贵其粟以利籴本[54]者，诏从之[55]。君言此非常平本意[56]也，诏又从之。

侬智高反[57]，君即出兵二千于岭以助英、韶[58]，会除广西[59]转运使，驰至所部[60]，而智高方煽[61]，天子出大臣部诸将兵数万击[62]之。君驱散亡残败[63]之吏民，转刍米于惶扰卒急[64]之间，又以余力督守吏治城堑[65]、修器械[66]，属州多完[67]，而师饱以有功[68]，君劳居多，以劳迁尚书司封员外郎[69]。初，君请斩大将之北[70]者，发骑军以讨贼[71]，及后，贼所以破灭，皆如君计策。军罢而人重困[72]，方恃君绥抚[73]，君乘[74]险阻，冒瘴毒[75]，经理出入[76]，启居无时[77]，以皇祐三年[78]三月初七日，卒于治所[79]，年五十四。官至尚书工部郎中[80]，散官至朝奉郎[81]，勋至上骑都尉[82]。君所为州[83]，整齐其大体[84]，阔略其细故[85]。与宾客谈说，弦歌[86]饮酒，往往终日[87]，而能听用佐属[88]尽其力，事以不废[89]。在御史言事[90]，计曲直利害如何[91]，不顾望[92]大臣，以此无助[93]。所为文[94]，自少及终[95]，以类集之[96]，至[97]百卷。天德、地业、人事之治[98]，掇拾[99]贯穿，无所不言，而诗为多[100]。

君讳[101]抗，字和叔，姓孙氏，得姓于卫[102]，得望于富春[103]。其在黟县[104]，自君之高祖弃广陵以避[105]孙儒之乱。而至君曾大父[106]讳师睦，善治生[107]以致富。岁饥[108]，贱出[109]米谷，以斗升付[110]籴者，得欢心于乡里。大父[111]讳旦，始尽弃其产[112]，而能招士[113]以教子。父讳遂良，当终[114]时，君始十余岁。后以君故[115]，赠尚书职方员外郎[116]。君初娶张氏，又娶吴氏，又娶舒氏，封太康县君[117]。五男子：适、邈、迪、适、遘。适尝从予游[118]，年十四，论议著书，足以惊人，终永州军事推官[119]；邈，今潞州上党县令[120]，亦好学能文；状君行以求铭[121]者邈也。君之卒也，天子以适试秘书省校书郎[122]。二女子，一嫁太庙斋郎[123]李简夫，一嫁进士郑安平。君以其卒之年十二月二十五日葬黟县怀远乡上林村。歙之为州[124]，在山岭涧谷崎岖[125]之中，自去[126]五代之乱百年，名士大夫亦往往而出，然不能多[127]也。黟尤僻陋[128]，中州能人贤士之所罕至[129]。君孤童子[130]，徒步宦学[131]，终以就立[132]，为朝廷显用[133]。论次终始[134]，作为铭诗[135]，岂特以显孙氏而慰[136]其子孙？乃亦以诒[137]其乡里。铭曰：

在仁宗世，蛮跳不制[138]。馈师牧[139]民，实有肤使[140]。践艰乘[141]危，条变画奇[142]。瘴毒既除[143]，膏熨[144]以治。方迁既陨[145]，哀暨山夷[146]。维此肤使，文优[147]以仕。禄则不殖[148]，其书满笥[149]。书藏于家，铭在墓前。以告黟人，孙氏之阡[150]。

【注释】

①广西：广南西路。孙君：孙抗(998—101)，字和叔，宋黔县(今属安徽)人。　②寄食：寄宿在别人家生活。浮屠山：即浮渡山，位于安徽省枞阳县境内。浮屠，指佛教或佛教徒。　③升楼：登楼。诵：吟诵，背诵。　④去其阶：搬走梯子。　⑤具众经：掌握了众多经籍。　⑥遂：于是，就。博极：博通。⑦属(zhǔ)文：写文章。操笔：拿毛笔。布纸：铺开纸张。　⑧谓为：以为。方思：正在思考。　⑨就：完成。　⑩同学究出身：宋沿唐制，取士科目有明经

科，细分为五经、三经、二经、学究一经。考试及格而名次低于学究出身，称作“同学究出身”。 ⑪补：官位有缺而选人补充称为“补”。滁州来安县：今安徽省滁州市来安县。主簿：宋代中央和地方都设有此官职，为长官掌管文书簿籍与印鉴。 ⑫洪州：治所在今天的江西省南昌市。右司理：主要掌管狱讼。 ⑬甲科：进士考试中的优等。 ⑭迁：升迁。大理寺丞：大理寺是中央掌管司法的机关，大理寺卿是长官，大理寺丞是副手，掌管讼狱和刑罚。 ⑮知：主管，指担任知县。常州晋陵县：今江苏常州市。 ⑯移：迁移。浔州：治所在今天的广西省桂平县。 ⑰浔：疑为衍字，应当删掉。 ⑱趋学：趋向学习。 ⑲庙学：设于孔庙中的学校。 ⑳秀：优秀。 ㉑亲：亲自。据案：按着桌子。讲说：指讲课。 ㉒诱劝：诱导劝勉。文艺：文学和技艺。 ㉓居未几：过了没多久。 ㉔旁州：附近各州郡。 ㉕由此：因此。遂：于是，就。 ㉖以：通过，凭借。选：即选注，遇有官职缺员时，遴选有资格者补充。 ㉗通判耀州：担任耀州的通判。 ㉘讼财：为钱财而诉讼。直：公正。 ㉙安抚使：中央派遣地方处理事物的官员。 ㉚争之不得：争论而没有成功。 ㉛奏决于大理：上奏请大理寺来断决。 ㉜是：正确，对。 ㉝编于敕：编写进朝廷的法令中。 ㉞庆历二年：即公元 1042 年。庆历是北宋仁宗赵祯使用过的第六个年号，从 1041 年至 1048 年，共计八年。 ㉟擢(zhuó)：选拔，提升。监察御史里行：监察御史隶属于御史台察院，专门负责监察百官、巡视郡县、纠正刑狱、肃整朝仪等事务。一般御史必须太常博士以上、曾经担任通判，并用三人推荐才能担任，如果资历不够爽，则带“里行”二字。 ㊱弹奏：弹劾奏闻。狄武襄公不当沮败刘沪水洛城事：据《宋史·刘沪传》和《郑戬传》记载，氐人占据的水洛城，地势平坦、土地肥沃，而且有银铜矿。于是刘沪带兵收复，同时陕西四路都总管兼经略安抚招讨使郑戬派董士廉协助刘沪在水洛城建城。可是韩琦和尹洙都认为不便，命令刘、董二人停止建城。二人不听，乃派副将狄青将刘沪和董士廉收押至德顺军狱中。后来郑戬在朝廷中力争，二人才被释放，最终建好城池。狄武襄公：狄青(1008—1057)，字汉臣，宋汾州西河(今山西汾阳)人，谥号武襄。沮败：阻止败坏。刘沪：字子浚，曾任谓州瓦亭监押,又为静边寨主。 ㊲因日食言阴盛:因为出现日食而进言阴所过盛。 ㊳戒:警戒。 ㊴仁宗:宋仁宗赵祯(1010—1063),宋朝第四位皇帝,宋真宗第六子。在位四十二年,是两宋在位时间最长的皇帝。谥号仁宗体天法道极功全德神文圣武睿哲明孝皇帝,庙号仁宗。 ㊵卫士:负责警卫的兵士。不及:来不及。整:整顿。 ㊶复:又。 ㊷雉(zhì):一种鸟,雄雉的羽毛很美,尾巴较长;雌雉的羽毛是淡黄褐色,尾巴较短。它们善行走而不能长久飞行。肉可以食用,羽毛可做装饰品。通称为"野鸡"。陨(yǔn):坠落。殿:大殿。 ㊸奏疏:向皇上上书言事。 ㊹即:立即。是夜:当天晚上。诏:下诏,诏令。止猎:停止打猎。 ㊺蛮:古代对南方少数民族的蔑称。唐和:瑶族首领。寇:入侵。 ㊻安抚:抚慰。 ㊼奏事有所不合:上奏事情内容有些与事实有所不合。 ㊽自劾:自我弹劾。 ㊾复州:治所在今天的湖北省天门市。 ㊿金州:治所在今天的陕西省安康市。 51汉阳军:治所在今天的湖北省武汉市汉阳区。吉州:治所在今天的江西省吉安市。 52稍:不久。尚书都官员外郎:尚书省刑部都官司的属官,主要负责刑、配隶、吏籍等事。 53提点江南西路刑狱:提点,掌管司法、刑狱和河渠等事。江南西路,治所在洪州,即今天的江西省南昌市。 54常平:指常平仓,夏秋两季谷物价格低时,高价收购,冬春两季谷物价格高时,再减价销售,以平准粮价。岁凶:荒年,年成不好。稍:稍微。粟(sù):即小米,圆形或椭圆,呈黄白色,以白色为佳。这里泛指粮食。利:利于。籴(dí)本:买进粮食的本钱。籴,买进粮食,与"粜"相对。 55诏:下诏,诏令。从之:听从了这一建议。 56非:不是,并非。本意:本来意图。 57侬智高反:据史书记载,北宋仁宗皇祐四年(1052),广南蛮夷侬智高在广源州造反,攻破邕州之后连陷九州岛,然后进军广州。建国家,国号为"大南"。第二年被狄青所败,逃往大理国,最后不知所终。反:反叛,叛乱。 58岭:指岭南地区。英、韶:英州和韶州,治所分别在今天广东省英德市和韶关市。 59会:碰到,恰逢。除:任命官职。广西:广南西路。 60驰:飞驰,指迅速。至:到达。所部:管辖的部门,指官署。 61方煽(shān):指势力正强盛。 62部诸将:部下的各位将领。击:进攻。

⑥③驱:驱使。散亡残败:流散败亡。 ⑥④转:转运。刍(chú)米:粮草。惶扰:惊慌混乱。卒急:紧急,急迫。 ⑥⑤余力:剩余的力量。督:督促。守吏:守城的官吏。治:修理。城堑(qiàn):城池。 ⑥⑥器械:指武器。 ⑥⑦属州:指广南西路下属的州县。完:保全。 ⑥⑧师饱以有功:军队因供给充足而建立功劳。 ⑥⑨尚书司封员外郎:尚书省吏部司封司的属官,掌管官封、叙赠、承袭等事。 ⑦⓪北:败北,败亡。 ⑦①发:发动。讨贼:讨伐贼寇。 ⑦②罢(pí):通"疲",疲惫。重困:非常困顿。 ⑦③方:正。恃(shì):依赖,依靠。绥(suí)抚:安定抚慰。 ⑦④乘:冒着。 ⑦⑤瘴(zhàng)毒:因为南方湿热,所以森林里动植物腐烂后生成有毒的瘴气。 ⑦⑥经理:经营管理。出入:指财政收支。⑦⑦启居:起床和休息。无时:没有一定的时候。 ⑦⑧皇祐三年:侬智高叛乱在皇祐四年,五年才平定。文中的"三年"应该写作"五年"。 ⑦⑨卒:去世。治所:地方政府的驻地。 ⑧⓪尚书工部郎中:尚书省工部属官,掌管营造城池,兴修土木等事。 ⑧①散官:宋代用来表示官员等级而无实际职务的职称,也称为阶官。朝奉郎:宋文散官名,在二十九阶中位列十四,为正六品。⑧②勋:勋官,授给有功官员的一种荣誉称号,只有品级而没职事。宋代共分十二级。至上骑都尉:在勋官十二等中居第七位,为正五品。 ⑧③所为州:所治理的州县。 ⑧④整齐:整治,使有条理。大体:大的方面。 ⑧⑤阔略:疏略。细故:细小的事。 ⑧⑥弦歌:依照琴瑟的节奏而歌唱。 ⑧⑦终日:一整天。⑧⑧听用:听从并采用。佐属:指下属。 ⑧⑨废:废弃,荒废。 ⑨⓪在:在位,担任。言事:指向皇帝进谏或议论政事。 ⑨①计:计算,考虑。曲直:错误与正确。利害:有利与有害。如何:怎么样。 ⑨②顾望:指观望,顾忌。 ⑨③以此:因为这样。无助:无有援助。 ⑨④为文:写的文章。 ⑨⑤及:到。终:终老,死。 ⑨⑥以类集之:按类合成集子。 ⑨⑦至:达,多达。 ⑨⑧天德:上天的功德。地业:厚土的功业。人事之治:人事的治乱。 ⑨⑨掇(duō)拾:拾取。⑩⓪诗为多:诗歌的篇幅较多。 ⑩①讳(huì):避讳。古人尊敬长辈和死者,会在名字前加上"讳"字,表示不敢直呼其名,应该避讳。 ⑩②得姓于卫:据《元和姓纂》记载,孙氏是周文王第八子卫康叔的后代。 ⑩③望:郡望,指家族显

赫,被一郡所仰望。富春:今浙江省富阳市。 ⑭黟(yī)县:今属安徽省安山市。 ⑮高祖:曾祖的父亲称为高祖。弃:指离开。广陵:今江苏省扬州市。避:躲避。 ⑯曾大父:曾祖,祖父的父亲称为曾祖。 ⑰治生:谋生计,经营家业。 ⑱岁饥:指年成不好,饥荒。 ⑲贱:低价。出:卖出。 ⑳斗升:古代的计量单位。这里指零售,防止有人批量购买来哄抬物价。付:给。⑪大父:祖父。 ⑫产:家产,产业。 ⑬招士:招募士子。 ⑭终:去世,死亡。 ⑮以君故:因为孙抗的缘故。 ⑯赠:皇帝为已死的官员及其亲属加封,也称作"特赠"。尚书职方员外郎:尚书省兵部职方司的属官,掌管天下的图籍和地域距离的远近。 ⑰县君:古代对妇人的封号。 ⑱尝从予游:曾跟随我游学。 ⑲终:去世,这里指死在官任上。永州:治所在今天湖南省零陵县。军事推官:州府的幕职官,主要负责军事事务。 ⑳潞州上党:今山西省长治市。县令:一县的最高长官。 ㉑状君行:写下孙抗的行状。求铭:寻求写墓志铭。 ㉒试:试任,正式任命之前的一种任用。秘书省校书郎:负责秘书省书籍的校理。 ㉓太庙斋郎:多为朝中官员的子弟荫补的官职,属太常寺,负责太庙的祭祀。 ㉔歙(xī)之为州:即歙州,黟县所属的州,治所在今天的安徽省歙县。 ㉕涧(jiàn)谷:山涧河谷。崎岖(qí qū):山路不平。㉖去:离,距离。 ㉗多:赞美。 ㉘尤(yóu):尤其,格外。僻陋:偏僻鄙陋。㉙中州:指河南等中原地区。罕至:很少到来。 ㉚孤童子:还是孩童时就成了孤儿。 ㉛徒步:步行,指没有依靠。宦学:就学求官。 ㉜就立:成就功业。 ㉝显用:重用。 ㉞论次终始:论定编次孙抗的出生直到去世,即写这篇墓志铭。 ㉟铭诗:即铭文。 ㊱岂:难道。特:只是,专门。显:显扬。慰:安慰。 ㊲诒(yí):传给,给予。 ㊳蛮跳不制:指蛮唐和寇湖南一事。㊴馈(kuì):进献粮食。牧:统治,这里指养育。 ㊵实:确实。肤使:杰出的使者。 ㊶践:踩,指面对。乘:冒着。 ㊷条变:依次分析事情的变化。画奇:谋划奇策。 ㊸瘭(biāo):手指化脓。除:扫除,清除。 ㊹膏熨(yùn):用膏药热敷。 ㊺方:刚刚。迁:升迁。既:就。陨(yǔn):通"殒",死亡。㊻哀:哀伤。暨:及,达到,波及。山夷:山民,指偏远地区。 ㊼文优:文章优秀。 ⑭⑧禄：俸禄。殖：增加。 ⑭⑨笥（sì）：竹子做的匣子。 ⑮⑩阡（qiān）：本指田间的小路，这里指墓道。

【译文】

孙抗小时学习勤奋刻苦，寄宿在佛寺中，步行上百里地去借书，登到楼上背诵，而且搬走梯子一直不下楼。大概数年间就掌握了众多经籍，以后就博通天下所有书。写文章时，拿笔铺纸，看似正在思考，但千百字已经完成。天圣五年，以同学究出身的身份后补任滁州来安县主簿，洪州右司理。再次考试，中进士甲科，升迁至大理寺丞，任常州晋陵县知县，又移任浔州知县。那个时候，浔州的人们都不趋向求学，于是他修改设立庙学，招收官吏百姓子弟中的优秀者，亲自站在书案前讲课，诱导劝勉他们学习文学和技艺。过了没多久，附近各州郡的士子都前来学习，学者因此变多。通过遴选，他任耀州通判，士兵士子中有因钱财诉讼而没有得到公正的处理，安抚使却认为公正，孙抗与他争论，但没有成功，于是向上奏请大理寺来断决。大理寺认为孙抗所争是对的，就采用他的建议，并将他的建议编写进朝廷的法令中。庆历二年，提拔他为监察御史里行。在这个时候，他上奏弹劾狄青不当阻止败坏刘沪建水洛城之事。又因为出现日食，说这是阴气过盛的原因，所以要警戒后宫。仁宗在城南进行大规模狩猎活动，卫士来不及休整便乘夜间回来。第二天又要去，有野鸡坠落在大殿之中。刘君上奏疏，当天晚上皇帝即下诏停止打猎。南蛮唐和入侵湖南，朝廷派孙抗前往抚慰，因上奏事的内容与事实有所不合，所以上书自我弹劾，于是到复州做知州。后来又任金州通判，汉阳军吉州知州，不久又升迁至都官员外郎，江南路刑狱提点。有人进言说年成不好的时候，常平仓的粮食应当稍微贵一些，以有利于增加买进粮食的本钱。听从了这一建议并下诏。孙抗进言说这样做不是常平仓的本来意图，又下诏改回来。

侬智高反叛，孙抗带领二千士兵到岭南地区，帮助英州和韶州。碰巧被授予广西转运使，他迅速前往官署上任，而侬智高的势力正强盛，天子派大臣带领各部数万士兵进攻他。他驱使流散败亡的官吏平民，在惊慌混乱紧急之时转运粮草。又用还剩余的力量督促守城的官吏修理城墙壕沟，修理武器。属下的州县大都保全，而军队因供给充足建立功劳。孙抗因为功劳最多而升迁为尚书司封员外郎。起初，孙抗请求斩杀败亡的大将，并发动骑兵讨伐贼寇。等到后来贼寇灭亡，都和孙抗所出的计策一样。当时军队疲劳而人们非常困顿，正想依赖孙抗安定抚慰，他不顾路途险阻和瘴毒，经营管理财政收支，起床休息都没有一定的时候。皇祐三年三月七日死于治所，终年五十六岁，官至尚书工部郎中，散官至朝奉郎，勋官至上轻车都尉。

孙抗所治理的州县，对大的方面进行整合，对细小的事有所疏略。他和宾客谈论，依照琴瑟的节奏而歌唱喝酒，经常一整天。然而他能听从纳用下属的意见，使他们竭尽才力，所以公事没有被废弃。在担任御史时议论政事，只计算对错、有利还是有害，不会观望和顾忌大臣，因为这样而没有人援助他。他所作的文章，从幼时直到去世，按类合成集子，多至百卷。上天的功德，厚土的功业，人事的治乱，汇集贯穿，无所不言，其中以诗歌的篇幅较多。

他名叫抗，字和叔，姓孙，在卫地获得姓氏，在富春享有名声。移家到黟县，始自他的高祖离开广陵躲避孙儒的叛乱而来。曾祖父名叫师睦，因为善于谋生计而致富。年成不好时，低价卖出米谷，以斗升零售给买的人，深得乡里人的欢心。祖父名某某，开始抛弃所有的家产，但却能招募士子教育儿子。父亲名某某，当他死时，孙抗才十多岁。后来因为孙抗的缘故，被追赠为尚书职方员外郎。孙抗开始娶舒氏为妻，后又娶吴氏，后又娶舒氏，封为太康县君。他有五个儿子：孙适、孙邈、孙迪、孙适和孙遘。孙适曾跟随我游学，十四岁时议论和写文章足以令人惊叹，死于永州军事推官的任上。孙邈现在是潞州上党县令，爱好学习又能写文章。写下孙抗的行状来寻求我写墓志铭的是孙邈。孙抗死后，天子让孙适任试秘书省校书郎。孙抗有两个女儿，一个嫁给太庙斋郎李简夫，一个嫁给进士郑安平。孙抗在他死那年的十二月二十五日，葬在黟县怀远乡上林村。

歙州在崎岖的山岭涧谷之中。自从五代以后的一百年间，有名的士大夫经常出现，但还称不上赞美。黟州处在尤其偏僻鄙陋之地方，中原有才能的贤士很少来到。孙抗还是孩童时就成了孤儿，他徒步去就学求官，最终成就功业，被朝廷重用。我论定编次孙抗的出生直到去世，又写铭文，难道只是为了显扬孙氏并安慰他的子孙吗？也是要传给他的乡里啊。铭文说：

仁宗时，蛮唐横行不服管制。能给军队提供粮食又养育人民，确实是能完成任务的杰出使者。面对艰难冒着危险，依次分析事情的变化，谋划奇策。他治理州县，就像给人的身体排除瘰疽，又用药膏热敷治疗。可他刚升迁就去世，哀伤波及黟县等偏远地区。这个杰出使者，因文章写得好而出仕。俸禄没有增加，然而写的文章装满书箱。书籍摆在家中，铭文立在墓前。墓碑立在孙氏家族坟墓旁的道路上，用来告知黟县的人们。

【题解】

宋仁宗皇祐四年(1052),同父异母的长兄王安仁辞世后下葬,王安石写了这篇没有铭文的墓志。因王安仁英年早逝,年仅三十七岁,所以墓志铭中对他的行治记录很少,而其中的议论抒怀占据较大篇幅。王安石担心兄长声名泯灭而后世无传,显得格外悲痛。作者为亲人撰写墓志铭,却客观而不粉饰,以感情的真心流露为主,读之令人生悲。

亡兄王常甫[①]墓志铭

先生七岁好学,毅然不苟[②]戏笑,读书二十年。当庆历[③]中,天子以书赐州县,大置[④]学。先生学完行高[⑤],江淮间州争欲以为师[⑥],所留辄以《诗》《书》《礼》《易》《春秋》授[⑦]弟子,慕闻[⑧]来者往往千余里。磨砻淬濯[⑨],成就其器[⑩],不可胜数[⑪]。而先生始以进士下科补宣州司户[⑫],至三月转运使以监江宁府盐院[⑬]。又三月卒[⑭],又七月葬,则卒之明年[⑮]四月也,实[⑯]皇祐四年。墓在先君[⑰]东南五步。先君姓王氏,讳益。官世行治既有铭[⑱]。先生其长子,讳安仁,字常甫,年三十七。生两女。呜呼[⑲],先生之道德蓄于身而施[⑳]于家,不博见于天下[㉑]。文章名[㉒]于世,特以应世之须尔[㉓]。大志所欲论著[㉔],盖未出[㉕]也。而世之工言能使不朽者[㉖],又知先生莫能深[㉗]。呜呼,先生之所存[㉘],其卒于无传[㉙]耶?始先生常以为功与名不足怀[㉚],盖亦有命焉。君子之学,尽其性[㉛]而已,然则先生之

无传，盖不憾[32]也。虽然[33]，先生孝友最隆[34]，委百世之重[35]，而无所属[36]以传。有母有弟，方壮而夺之[37]，使不得相处以久。先生尚有知[38]，其无穷忧[39]矣。呜呼，以往而推存[40]，痛其有已[41]邪？痛其有已邪？先生有文十五卷，其弟既次[42]以藏其家，又次行治藏于墓志呜呼，酷矣极矣[43]，铭止[44]矣。其能使先生传耶？

【注释】

①王常甫：王安仁，字常甫，是王安石同父异母的长兄。 ②毅然：刚强坚韧而果断的样子。苟：随便。 ③庆历：庆历是北宋仁宗赵祯使用过的第六个年号，从1041年至1048年，共计八年。 ④书：诏书，诏令。赐：颁布。置：设置。 ⑤学完行高：学问完备，德行高尚。 ⑥江淮间州：指长江和淮河一带的州县。争欲以为师：争相想聘请他做老师。 ⑦留：留下来当老师。辄：于是，就。授：教授。 ⑧慕闻：仰慕他的名声。 ⑨磨砻(lóng)：磨砺。淬濯(cuì zhuó)：浸染，指修炼。 ⑩成就其器：成为有用的人才。 ⑪不可胜数：数都数不过来，形容数量多。 ⑫下科：宋代的进士分中五甲，成绩靠后的称为"下科"。补：官位有缺而选人补充称为"补"。宣州：治所在今天的安徽省宣城市。司户：掌管户籍、赋税和仓库等事。 ⑬以：用，指任命。监：监管。江宁府：治所在今天的江苏省南京市。盐院：主管盐政的官署。
⑭卒：去世，死亡。 ⑮则：是。明年：第二年。 ⑯实：是。 ⑰先君：对已经去世父亲的称呼。 ⑱官世行治：官职、先世、事迹、仕历。既有铭：已经有了墓志铭，指增巩所撰写的《尚书都官员外郎王公墓志铭》。 ⑲呜呼：表示感叹。 ⑳蓄：积蓄，存在。施：施行。 ㉑不博见于天下：指不被天下人所广泛地知晓。 ㉒名：闻名，出名。 ㉓特：只是，仅仅。以：用来。应世之须：应承世人的需要。尔：而已，罢了。 ㉔大志：宏大的志向。论著：论述编著。 ㉕盖：大概。未出：尚未写出来。 ㉖工言：善于言辞。能使不朽者：能让王安仕不朽的人。 ㉗莫能深：不能深入(了解)。 ㉘存：既指王安仁

留存的东西，也指他存在本身。 ㉙卒：最终。无传：无法流传。 ㉚怀：怀恋。 ㉛尽其性：尽情发挥自己的天性。 ㉜憾：遗憾。 ㉝虽然：虽然这样，但是。 ㉞孝友：对父母孝顺，对兄弟友爱。隆：隆厚。 ㉟委百世之重：承担百世重任。 ㊱所属：属于他的东西。 ㊲方壮：正值壮年。夺之：被夺去生命，指死亡。 ㊳尚有知：如果有知觉。 ㊴其：助词，表示揣测语气。无穷忧：有无穷无尽的忧虑。 ㊵以往而推存：用已死去的人推想活着的人。㊶痛其有已：痛苦哪里会有停止。 ㊷次：编次。 ㊸酷矣极矣：残酷达到了极点。 ㊹铭止：指没有写铭文。

【译文】

王安仁先生七岁爱好学习，刚强坚韧而不随便嬉笑，这样读书有二十年。正当庆历年间，宋仁宗颁布诏书到州县，大力置办学堂。先生学问完备，德行高尚，江淮一带各个州县争相聘请他做老师。留下来当老师后，他就用《诗经》《尚书》《周礼》《周易》《春秋》教授学生。仰慕他名声而来的人，往往有从千里之外赶来的。经他的磨砺、淬炼、洗涤而成为有用人才的人不可胜数。而先生这才开始以进士下科补授宣州司户。到任三个月，转运使让他监管江宁府盐院。又过了三个月就去世了。七个月后下葬，也就是去世第二年的四月，当时是皇祐四年。坟墓在他父亲的墓东南五步远。他的父亲姓王，名叫益，官职、先世、事迹、仕历已在墓志铭上记载了。先生是他的长子，名叫安仁，字常甫，享年三十七岁，生有两个女儿。唉！先生的道德，存于他的身上并施行于家中，不被天下人所广泛地知晓。文章闻名于世，只是应承世人的需要而已。他想在书中论述自己的宏大志向，大概还没有写出来。而世上那些善于言辞能让人不朽的人，对先生的了解又不够深入。唉！先生所存留的，难道最终会无法流传吗？刚开始先生经常以为功名不值得怀恋，大概也是在于每个人的命运。君子的学识，在于尽情发挥自己的天性而已。那么先生的学问无法流传，也不遗憾了吧。虽然如此，先生最注重孝顺父母，友爱兄弟，他承担了百世重任却没有属于他的东西流传于世，他有母亲有弟弟，可是他正值壮年时被夺走生命，使亲人们不能和他长久相处，先生假如还有知觉，大概会有无穷无尽的忧虑吧。唉！用已死去的人推想活着的人，痛苦能有停止吗？痛苦能有停止吗？先生有文集十五卷，他的弟弟编次整理藏在家中，又写下他的事迹、仕历埋藏在墓志中。唉！太残酷了！太难受了！铭文无法动笔了，即便写了铭文，就能让先生传流后世吗？

【题解】

墓主许平只是一个小小的主簿，没有显赫的官职和惊人的事迹，但王安石的墓志铭基本上做到了实事求是，没有过分夸饰。文中记录范仲淹和郑戬争相推荐，借他人之口写许平的才能。同时王安石抓住许平善辩说却卓荦不羁的性格特点，赞扬他离世异俗，独行其意的同时，表达了对他不受重任的惋惜。“辩足以移万物而穷于用说之时，谋足以夺三军而辱于右武之国”可作为名言警句，是王安石对士人多怀才不遇的感叹。

泰州海陵县主簿许君[1]墓志铭

君讳[2]平，字秉之，姓许氏。余尝谱其世家[3]，所谓[4]今泰州海陵县主簿者也。君既与兄元相友爱称天下[5]，而自少卓荦不羁[6]，善辨说[7]，与其兄俱以智略为当世大人所器[8]。宝元[9]时，朝廷开方略之选[10]，以招天下异能[11]之士，而陕西大帅范文正公、郑文肃公[12]，争以君所为书以荐[13]，于是得召试[14]，为太庙斋郎[15]，已而选[16]泰州海陵县主簿。贵人多荐君有大才[17]，可试以事[18]，不宜弃[19]之州县。君亦常慨然自许[20]，欲有所为[21]，然终不得一用其智能以卒[22]。噫[23]，其可哀也已[24]。士固有离世异俗[25]，独行其意[26]，骂讥、笑侮、困辱而不悔[27]。彼皆无众人之求[28]，而有所待[29]于后世者也，其龃龉[30]固宜。若夫智谋功名之士[31]，窥时俯仰[32]，以赴势物之会而辄不遇[33]者，乃亦不可胜数[34]。辩足以移万物而穷于用说之时[35]；谋足以夺三军

而辱于右武之国[36]。此又何说[37]哉？嗟乎[38]，彼有所待而不悔者，其知之矣[39]。

君年五十九，以嘉祐某年某月某甲子葬真州之扬子县甘露乡某所之原[40]。夫人李氏，子男瑰，不仕[41]；璋，真州司户参军[42]；琦，太庙斋郎；琳，进士。女子五人，已嫁二人，进士周奉先、泰州泰兴[43]县令陶舜元。铭[44]曰：

有拔而起之，莫挤而止[45]之。呜呼许君，而已于斯[46]，谁或使[47]之。

【注释】

①泰州海陵县：今江苏省泰州市。主簿：宋代中央和地方都设有此官职，为长官掌管文书簿籍与印鉴。许君：许平，字秉之。 ②讳(huì)：避讳。③余：我，指王安石。尝：曾经。谱其世家：指王安石曾经作有《许氏世谱》。④所谓：所说的。 ⑤兄元：指许平的兄长许元，字子春。称天下：被天下之人称赞。 ⑥自少：从小。卓荦(zhuó luò)：卓越，突出。不羁(jī)：不受约束。 ⑦辨说：辩论。 ⑧俱：都。以：凭借。智略：才智和谋略。当世：当代。大人：指有地位有名望的人。器：器重。 ⑨宝元：宝元是北宋神宗赵顼的第四个年号，从公元 1038 年至公元 1040 年，共 3 年。 ⑩开：开设，举行。方略之选：指宝元二年(1039)，宋仁宗命臣下推荐方略材武之士进行考试，合格者便授予官职。 ⑪异能：特殊能才。 ⑫陕西：宋代路名，治所在今天的陕西省西安市。大帅：对地方长官的尊称。范文正公：范仲淹(989—1052)，字希文，宋吴县(今江苏省苏州市)人，谥号文正，曾任陕西安抚使。郑文肃公：郑戬，字天体，谥号文肃，曾任陕西经略安抚招讨使。 ⑬争：争相。以：用，把。所为书：所写的文章。荐：推荐。 ⑭召试：征召应试。 ⑮太庙斋郎：多为朝中官员的子弟荫补的官职，属太常寺，负责太庙的祭祀。 ⑯已而：不久，后来。选：即选注，遇有官职缺员时，遴选有资格者补充。 ⑰贵人：有权势的人。大才：大的才能。 ⑱试：试任，正式任命之前的一种任用。

事：这里指重大的政事。 ⑲宜：应该，适宜。弃：丢弃。 ⑳慨然：慷慨激昂的样子。自许：自己称赞自己。 ㉑欲有所为：想要有所作为。 ㉒然：然而，但是。终：最终。一：表动作的一次。用：运用。智能：智慧和才能。卒：去世，死亡。 ㉓噫(yī)：文言叹词，表示感慨、叹息。 ㉔哀：悲哀。也已：语气助词，表示肯定。 ㉕固：固然，本来。离世：远离世事。异俗：不同于世俗。 ㉖独行其意：独自追寻他的意愿。 ㉗骂讥、笑侮、困辱：责骂、讽刺、嘲笑、侮辱、穷困、羞辱。悔：后悔。 ㉘彼：他们。皆：全都。无众人之求：没有一般人的需求。 ㉙待：等待。 ㉚龃龉(jǔ yǔ)：上下牙齿对不齐，比喻意见不合，互相抵触。 ㉛若夫：句首语气词，相当于"至于"。智谋功名之士：足智多谋、追求功名的人。 ㉜窥时：窥探时机。俯仰：低头与抬头，指善于变化。 ㉝赴：奔赴，追求。势物之会：指获得权势、利益的机会。而：表示转折，相当于"却"。辄(zhé)：总是，就。遇：知遇。 ㉞乃：是。不可胜数：数都数不过来，形容数量多。胜，承受。 ㉟辩：辩才，口才。移：移动，改变。穷：困顿。用说之时：采用他学说的时候。 ㊱谋：谋略。夺：夺取。三军：指中军、上军、下军或中军、左军、右军，这里泛指军队。辱：受屈辱。右武之国：崇尚武力的国家。右，崇尚。 ㊲说：说法，理解。 ㊳嗟(jiē)乎：也写作"嗟呼"，感叹词，相当于"唉"。 ㊴其知之矣：大概知道原因吧。 ㊵某：因为不清楚具体时间而用"某"字代替。甲子：古代用干支记日，因为不清楚具体是哪一天，所以用"某甲子"代替。真州之扬子县：今江苏省仪征市。所：处所。原：平坦之处。 ㊶不仕：没有做官。 ㊷真州：治所在今天的江苏省仪征市。司户参军：管户籍、赋税和仓库等事。 ㊸泰州泰兴：今江苏省泰兴市。 ㊹铭：铭文。 ㊺拔：提拔。挤：排斥。止：制止，停止。 ㊻已：停止。斯：这里。 ㊼谁或：什么人。使：主使。

【译文】

他名平，字秉之，姓许。我曾经编写过他们的家谱《许氏世谱》，许平就是家谱中所说的如今泰州海陵县主簿。许君与他的兄长许元彼此友爱，被天下人称赞，而且从小就卓越超群，不受拘束，又擅长辩论，和他的兄长都以才智和谋略被当世有名望的人所器重。宝元年间，朝廷开设方略科选士，来招揽天下有特殊才能的人。而陕西的大将范仲淹，郑文肃公争相将许平所写的文章向朝廷推荐。于是被征召应试，任太庙斋郎，后来选任泰州海陵县主簿。很多权贵们都推荐许平有大的才能，可以任用以重大的政事，而不应当将他丢弃在州县之中。许平也时常慷慨地称许自己，想要有所作为，但是最终也没能运用一下他的智慧和才能就死了。唉！这真是悲哀啊！

士人中本来就有远离世事，不同于世俗，独自追寻自己的意愿，被责骂、讽刺、嘲笑、侮辱，以至于穷困羞辱却不悔恨的。他们没有一般人的需求，而抱有等到后世才被理解的志愿，他们与众人龃龉不合，是应当的。至于那些足智多谋、追求功名的人，窥探时机，随时俯仰，以追求获得权势、利益的机会，而又不被知遇的，也是不可胜数。辩才足移动万物，却困顿于要采用他学说的时候；谋略足以夺取三军，而在崇尚武力的国家遭受屈辱，这又有什么说法呢？唉！那些有所等待而不悔恨的人，大概知道原因吧！

许平享年五十九岁，在嘉祐某某年某某月某某甲子，葬于真州扬子县甘露乡某地的平坦之处。妻子李氏。儿子：许环，没有做官；许璋，真州司户参军；许琦，太庙斋郎；许琳，进士。女儿五个，已有两个出嫁，嫁给了进士周奉先、泰州泰兴县县令陶舜元。铭文说：

既然有人提拔而起用他，就不要排挤而制止他啊。唉！许君，止步在这卑微的官职上，是谁造成的呢？

【题解】

马遵去世于宋仁宗嘉祐二年(1057),除了这篇墓志铭,王安石还撰有《祭马龙图文》。

王安石少年时便听闻马遵,后来王安石任鄞县知县时,马遵任江淮荆湖两浙制置发运判官,是他的上司。王安石还作有《与马运判书》,就理财和军队就食问题进言。这篇墓志铭,在历叙官守时,记录马遵弹劾宰相一事,说明他不畏强权,敢于直言。文中还表达对墓主文辞的赞扬,以及不能尽其才的惋惜。

兵部员外郎马君[①]墓志铭

马君讳遵,字仲涂,世家饶州之乐平[②]。举[③]进士,自礼部至于廷[④],书其等[⑤]皆第一。守秘书省校书郎[⑥],知洪州之奉新县[⑦],移知康州[⑧]。当是时[⑨],天子更置[⑩]大臣,欲有所为[⑪],求才能之士以察诸[⑫]路,而君自大理寺丞除太子中允[⑬]、福建路转运判官[⑭]。以忧不赴[⑮],忧除[⑯],知开封[⑰]县,为江淮荆湖两浙制置发运判官[⑱]。于是君为太常博士[⑲],朝廷方尊宠其使事以监六路[⑳],乃以君为监察御史[㉑],又以为殿中侍御史[㉒],遂为副使[㉓]。已而还之台[㉔],以为言事御史[㉕]。至[㉖]则弹宰相之为不法者,宰相用此罢[㉗],而君亦以此出知宣州[㉘]。至宣州一日,移京东路[㉙]转运使。又还台为右司谏[㉚],知谏院[㉛]。又为尚书礼部员外郎兼侍御史知杂事[㉜],同判流内铨[㉝]。数言[㉞]时政,多听用[㉟]。

始君读书，即以文辞辩丽称天下[36]，及出仕[37]，所至号为辨治[38]，论议条鬯[39]，人反复之而不能穷[40]。平居颓然[41]，若与人无所谐[42]，及遇[43]事，有所建则必得其所守[44]。开封常以权豪请托不可治[45]。客至有所请，君辄善遇之无所拒[46]。客退，视其事一断以法[47]。居[48]久之，人知君之不可以私属[49]也，县遂[50]无事。及为谏官、御史，又能如此。于是士大夫叹曰："马君之智，盖能时其柔刚以有为[51]也。"嘉祐二年[52]，君以疾求罢职以出[53]，至五六[54]，乃以为尚书吏部员外郎[55]、直龙图阁[56]，犹不许[57]其出。某月某甲子君卒[58]，年四十七。天子以其子某官某为某官[59]，又官其兄子持国某官。夫人某县君[60]郑氏。以某年某月某甲子葬君信州之弋阳县归仁乡里沙之原[61]。

君故与予善[62]。予常爱其智略[63]，以为今士大夫多不能如，惜其不得尽用[64]，亦其不幸早世，不终[65]于贵富也。然世方惩尚贤任智之弊[66]，而操成法以一[67]天下之士，则君虽寿考[68]且终于贵富，其所畜[69]亦岂能尽用哉？呜呼[70]，可悲也已[71]。既葬，夫人与其家人谋而使持国来以请[72]曰："愿有纪[73]也，使君为死而不朽[74]。"乃为之论次[75]，而系之以辞[76]。曰：

归以才能兮又予以时[77]，投之远涂兮使骤而驰[78]。前无御者兮后有推[79]之，忽税不驾兮其然奚为[80]。哀哀茕妇兮孰慰其思[81]，墓门有石兮书以余辞[82]。

【注释】

①兵部员外郎：尚书省兵部司的属官，是兵部郎中的佐官。马君：马遵，字仲涂。 ②世家：世代安家。饶州之乐平：今江西省乐平市。 ③举：参加

科举考试。 ④廷：廷试，也称为殿试。 ⑤书：书写，记载。等：等级，名次。⑥守：由品级较低的官员担任较高的职位称为“守”。秘书省校书郎：负责秘书省书籍的校理。 ⑦知：主管，指担任知县。洪州之奉新县：今江西省宜春市奉新县。 ⑧移：迁移。康州：治所在今广东省德庆县。 ⑨当是时：在这个时候。 ⑩更置：更换，变动。 ⑪欲有所为：想要有所作为。 ⑫察：监察。诸：众，各个。 ⑬大理寺丞：大理寺是中央掌管司法的机关，大理寺卿是长官，大理寺丞是副手，掌管讼狱和刑罚。除：任命官职。太子中允：太子的属官，隶属于詹事府，主要掌管侍从和礼仪等事。 ⑭福建路：治所在今天的福建省福州市，管辖的地区相当于今天的福建省。转运判官：是转运史的属官，掌管一路军需粮饷的运输。 ⑮以：因为。忧：丁忧，父母的丧事。赴：赴任。 ⑯忧除：指丧服期满。 ⑰开封：今河南省开封市。 ⑱江淮荆湖两浙：江南东路、江南西路、淮南路、荆湖南路、荆湖北路、两浙路。制置发运判官：发运使的属官。 ⑲于是：这个时候。太常博士：宋代职官名，属于太常寺，主管礼仪。 ⑳方：正。尊宠：尊重宠信。使事：出使所办的事情。监：监察。六路：即江南东路、江南西路、淮南路、荆湖南路、荆湖北路、两浙路六路。 ㉑乃：于是，就。监察御史：隶属于御史台察院，专门负责监察百官、巡视郡县、纠正刑狱、肃整朝仪等事务。 ㉒殿中侍御史：掌管纠劾朝廷百官朝会时失仪等事。 ㉓遂：于是，就。副使：指由制置发运判官升为制置发运副使。 ㉔已而：不久，后来。还：回来。台：御史台，在中央设立的专门负责监察的机构。 ㉕言事御史：专门负责进言的御史。 ㉖至：到任。 ㉗用此罢：因为这件事而被罢免。 ㉘出：指被贬出中央。宣州：治所在今天的安徽省宣城市。 ㉙京东路：治所在宋州，今河南省商丘市。 ㉚还台：重回御史台。右司谏：职官名，主要掌管讽谕规谏之事。 ㉛知谏院：在谏院实际供职言事的官员，称为“知谏院”。 ㉜尚书礼部员外郎：尚书礼部的副主官，位于礼部郎中之下，负责外交、文化、教育、宗教等事。兼：兼任。侍御史知杂事：唐代在御史台设置侍御史以辅佐御史中丞处理御史台事务，多用尚书省郎中或员外郎担任。宋初承继唐代，又用侍御史兼知杂事。 ㉝同判：以较高的官员兼任较低的职务。流内铨:全称为“吏部流内铨”,负责七品以下京官的铨选。 ㉞数言:多次谏言。 ㉟听用:听从,采用。 ㊱辩丽:雄辩而富丽。称天下:被全天下人称扬。 ㊲及:等到。出仕:出来做官。 ㊳辨治:成功治理。 ㊴条鬯(chàng):有条理、通畅。 ㊵人反复之而不能穷:别人反复诘难他,都不能让他理尽词穷。 ㊶平居:指平时在家。颓然:萎靡不振的样子。 ㊷若:好像。谐:和谐,指合得来。 ㊸及:等到。遇:碰到。 ㊹建:创建,建树。守:坚守,操守。 ㊺权豪:权贵豪族。请托:求情委托。不可治:难以治理。 ㊻辄:总是。遇:接待,对待。拒:拒绝。 ㊼视:判断,审视。一断以法:一律按法加以论判。 ㊽居:相处,停留。 ㊾私属(zhǔ):因私事而嘱托。属,通“嘱”,嘱托、托付。 ㊿遂:于是,就。 51盖:大概。时其柔刚:根据时机的不同而选择柔或刚。有为:有所作为。 52嘉祐二年:即公元1057年。 53以:因为。疾:疾病。罢职:停职。出:离开京城出任外官。 54至五六:指请求多达五六次。 55尚书吏部员外郎:尚书省吏部的属官,位列吏部尚书和吏部郎中之下,负责文员的升迁。 56直龙图阁:龙图阁专门收藏皇家的书籍和图画等,设学士、直学士、待制和直龙图阁等职。
57犹:仍然。许:允许,答应。 58某甲子:某一天。古代用干支记日,因为不清楚具体是哪一天,所以用“某甲子”代替。卒:去世,死亡。 59子某官某为某官:第一个“某”字代表他儿子的名字,第二个“某”字代表他儿子原来的官职,第三个“某”字代表他儿子被提升的官职。 60县君:古代对妇人的封号。
61信州之弋(yì)阳县:今江西省弋阳县。原:平坦之处。 62故:过去,一直。善:友善。 63智略:才智和谋略。 64尽用:指完全发挥自己的才能。
65终:最终。 66世:当世。方:正。惩:警戒。尚贤任智:推崇贤士、任用智者。弊(bì):弊病,弊端。 67操:拿,持。成法:前人制定的现成法度。一:统一。 68寿考:长寿。 69畜:积聚(的才能)。 70呜呼:表示感叹。
71也已:语气助词,表示肯定。 72谋:谋划,商量。请:请求。 73愿:希望。纪:纪录。 74朽:磨灭,消散。 75论次:论定编次,指写这篇墓志铭。
76系:附。辞:指铭文。 77予:给,给予。时:时机。 78投:投放,放。远涂：遥远的道路。骤而驰：飞快地驰骋。 ⑲御：抵御，阻挡。推：推动。⑳税（tuō）不驾：停止驾驶。然奚（xī）为：这样是为什么。 ㉑哀哀：悲伤的样子。茕（qióng）：孤独。孰：谁。慰：安慰。思：思念。 ㉒书：书写，铭刻。余辞：我写的铭文。

【译文】

马君名叫遵，字仲涂，世代安家于饶州的乐平。参加科举考试，从礼部到廷试，他的名次都是第一。先后任秘书省校书郎、洪州奉新县的知县，后来迁任康州知府。那个时候，天子更换大臣，想有所作为，访求有才能的人，用来监察各路，所以马遵以大理寺丞的身份被授予太子中允，任福建路的转运判官。因为丧事，没有赴任。丧服期满后，任开封县知县，担任江淮、荆湖、两浙制置发运判官。这个时候马遵是太常博士，朝廷正尊重宠信他出使所办的事情，让他监察六路政务，于是让他做监察御使，又任他做殿中侍御史，于是成为副使。不久调他回到御史台，让他做言事御史。他刚上任就弹劾宰相所做违法之事，宰相因此被罢免，而马遵也为此调离京城任宣州知府。到宣州第一天，就转任京东路转运使。后又重回御史台担任右司谏，主管谏院。又任尚书礼部员外郎，兼任侍御史知杂事，同判吏部流内铨。多次谏言讨论当时的政事，很多都被听从采用了。

当初马遵读书时，就以文章辞藻雄辩富丽而被天下人所称扬。等到他做官后，据说在他所任职的地方都能成功治理。他的议论条理通畅，别人反复诘难他，都不能让他理尽词穷。平时在家显得萎靡不振，好像跟别人没有什么合得来似的。等遇到事情有所建树的时候，就必定能得到他所坚守的。开封县经常因为权贵豪族求情委托而难以治理。客人只要有请求，马遵总会善待而不会拒绝。客人走后，客人所提之事，一律按法加以论判。时间长了，人们知道马遵不会因私事而嘱托于他，开封县也就没有事情了。等到他做谏官御史时，也是这样。于是士大夫感叹说：“马遵的智慧，大概在于能根据时机的不同而选择柔或刚而有所作为。”

嘉祐二年，马遵因为疾病请求停职离开京城出任外官，请求了五六次，于是让他做尚书吏部员外郎，龙图阁直学士，但还是不允许他离京。某月某日马遵去世，享年四十七岁。天子让他的任某某官职的儿子某某升任某某官，又委派他哥哥的儿子马持国担任某官职。他的夫人郑氏，封为某某县君，在某年某月某甲子日，把马遵埋葬在信州的弋阳县归仁乡里沙的平坦之处。

马遵过去与我相交友善。我也很喜欢他的才智和谋略，以为当今的士大夫大多都不如他。可惜他没有完全发挥自己的才能，也可惜他不幸早逝，最终不能享受荣华富贵。不过，时下正在鉴于以前推崇贤士、任用智者产生的弊端，而操持现成的法度来统一管理天下的士人，所以马遵即使能长寿，并且最终得到富贵，他所积聚的才能难道就可以完全发挥吗？唉，只有可悲而已。

将马遵埋葬后，马遵的夫人与家里人谋划，让马持国来请求：“希望有一篇纪文，使马遵死而不朽。”于是我就论定编次，并附上铭文：

既馈赠了他才能，又给他好的时机。把他放在遥远的道路上，让他飞快地驰骋。前面没有阻挡的人，后面有人推崇他。忽然停止驾车，这是为什么呢？悲哀而孤独的妇人，谁来安慰她的思念之情？坟墓前面有一块石头，在上面写下我的悼词。

【题解】

王安石的叔父王师锡年仅三十七岁便离世，而且没有什么官职，“数以进士试于有司，而犹不得禄赐”，所以这篇墓志铭中没有记录墓主的生平事迹和官职履历。王安石集中刻画王师锡的孝行，文章开头便引用《孝经》中孔子的言论，指明孝的重要性。叔父忧悲愉乐不主己，尽力为母亲收罗被服、食饮、玩好之物，丰其母以及其昆弟姑姊妹，可以算得上没有遗憾了。王安石并没有因为是亲属关系而多溢美之词，而是质朴恳切，令人称赞。

临川王君[1]墓志铭

孔子论天子、诸侯、卿大夫、士、庶人[2]之孝，固有等[3]矣。至其以事亲为始，而能竭吾才[4]，则自圣人至于士，其可以无憾焉一[5]也。余叔父讳师锡，字某。少孤[6]，则致[7]孝于其母，忧悲愉乐不主己[8]，以其母而已。学于他州，凡被服、食饮、玩好[9]之物，苟可以惬吾母而力能有之[10]者，皆聚以归，虽甚劳窘终不废[11]。丰其母以及其昆弟姑姊妹[12]，不敢爱[13]其力之所能得；约[14]其身以及其妻子，不敢慊其意[15]之所欲为。其外行[16]，则自乡党邻里及其尝所与游[17]之人，莫[18]不得其欢心。其不幸而蚤[19]死也，则莫不为之悲伤叹息。夫其所以事亲能如此，虽有不至[20]，其亦可以无憾[21]矣。自庠序聘举之法坏[22]，而国论不及乎闺门之隐[23]，士之务本[24]者，常诎[25]于浮华浅薄之材。故余叔父之卒[26]，年三十七，数[27]以进士试于有司，而犹不

得禄赐以宽一日之养[28]焉。而世之论士也，以苟难[29]为贤，而余叔父之孝，又未有以过古之中制[30]也，以故世之称其行[31]者亦少焉。盖以叔父自为，则由外至者[32]，吾无意于其间[33]可也。自君子之在势者[34]观之，使为善者不得职[35]而无以成名，则中材何以勉[36]焉？悲夫！叔父娶朱氏。子男一人，某，女子一人，皆尚[37]幼。其葬也，以至和四年[38]，祔于真州某县某乡铜山之原皇考谏议公之兆[39]。为铭[40]。铭曰：

夭孰[41]为之？穷孰为之？为吾能为[42]，已[43]矣无悲。

【注释】

①临川：今江西省抚州市临川区。王君：王师锡，是王安石的叔父。②庶人：平民百姓。 ③固：固然，本来。等：等级，差别。 ④至：至于。事亲：侍奉双亲。竭吾才：竭尽自己的才干。 ⑤无憾：没有遗憾。一：一样，统一。 ⑥少孤：年少时就成了孤儿。 ⑦致孝：尽孝。 ⑧不主己：不从自己的感情出发。 ⑨被服：被子和衣服，是所有衣服的统称。玩好：供玩赏的奇珍异宝。 ⑩苟：如果。惬：使满足，使惬意。力能有之：有能力得到。⑪甚：非常。劳窘(jiǒng)：劳累困窘。终：始终。废：放弃。 ⑫丰：使丰富。昆弟：兄弟。姑：姊(zǐ)妹：姐妹。 ⑬爱：爱惜，吝惜。 ⑭约：约束。⑮慊(qiè)：满足。意：心意。 ⑯外行：指对外的品行。 ⑰尝：曾经。游：交游。 ⑱莫：没有，无。 ⑲蚤：同“早”。 ⑳不至：没有达到，指还有没有做到的地方。 ㉑憾：遗憾。 ㉒庠(xiáng)序：庠和序都指古代的学校，这里泛指州县的官学。聘举：古代朝廷礼聘贤才，称为“聘”，州县举荐孝廉称为“举”。法坏：制度被毁坏。 ㉓国论：国家的政策。闺门之隐：指家中的仁孝节义。 ㉔务本：追求根本(仁孝节义)。 ㉕诎(qū)：通“屈”，受屈辱。㉖卒：去世，死亡。 ㉗数：多次。 ㉘犹：仍然，还是。禄赐：官位俸禄。宽：宽裕。养：奉养父母。 ㉙苟难：不正当的难能。 ㉚过古之中制：超过古代

的一般规定。 ㉛称:称赞。行:孝行,德行。 ㉜以叔父自为,则由外至者:认为叔父的所作所为,是迫于外在压力。 ㉝无意于其间:指不去计较。 ㉞在势者:在位有权势的人。 ㉟不得职:得不到职位。 ㊱中材:中等材质,指普通人。勉:勉励,自勉。 ㊲尚:尚且,还。 ㊳至和四年:至和是北宋仁宗赵祯的第八个年号,从公元1054到1056年,共计三年。没有"至和四年"这一说法,应该是"至和二年"或"至和三年"之误。 ㊴祔(fù):合葬。真州:治所在今天的江苏省仪征市。原:平坦之处。皇考谏议公:王贯之,官至尚书主客郎中,死后追赠为右谏议大夫。兆:墓地。 ㊵铭:铭文。 ㊶夭(yāo):指人未成年而死。孰:谁。 ㊷为吾能为:做我能做的事。 ㊸已:停止。

【译文】

孔子在《孝经》中谈论天子、诸侯、卿大夫、士、平民的孝,本来就有等级。至于他们能以侍奉双亲为开始,而又能竭尽自己的才干,那么从圣人到士人,可以觉得没有遗憾,这都是一样的。

我的叔父名叫师锡,字某某。年少时就成了孤儿,于是他就尽力孝敬他的母亲,忧愁悲伤、欢愉快乐都不从自己的感情出发,而只以他的母亲为主。在别的州学习,凡是衣服、饮食、玩物,假如可以使自己母亲惬意并且又有能力得到的,他都聚齐了带回去,虽然非常劳累困窘,始终都不放弃。丰富他母亲以及他的兄弟、姐妹的生活,不敢吝惜他力所能及的东西。约束自身以及他的妻子和孩子,不敢满足他们心里想要干的事。他所表现出的品行,同乡、邻居以及曾经与他交游的人,没有不感到欢心的。可他却不幸早逝,没有人不为他感到悲伤叹息的。他侍奉母亲能如此,虽然还有没有做到的地方,也算没有遗憾了。

自从学校聘举的制度遭到毁坏,国家的政策制定不会涉及家中的仁孝节义,士人中追求根本的人,常受屈辱于浮华浅薄的人。我的叔父死时三十七岁，数次以进士的身份在有关部门应试，却还是不能得到俸禄和赏赐，以宽裕他来奉养母亲。而世人评论士人，以不正当的难能为贤，而我的叔父的孝顺，又没有超过古代礼仪的一般规定，所以世人称赞他孝行的人也很少。认为叔父的所作所为，是迫于外在压力，而不是发自内心，我不去计较，也是可以的；可是从在位的有权势的人的角度来说，让做善事的人得不到职位而且没法成名，那中等材质的人又用什么来自勉呢？可悲啊！

叔父娶朱氏为妻，有一个儿子，名叫某某，一个女儿，他们都还幼小。他下葬在至和四年，祔葬于真州某某县某某乡铜山的平坦之处，他的先父谏议公的墓地。我作了墓志铭。铭文说：

早夭是谁造成的？困顿是谁造成的？做我能做的事，也就不悲哀了。

【题解】

王安石与墓主王回感情深厚，除了这篇墓志铭，王安石还作有《祭王回深甫》的祭文。墓志铭中对王回的生平记述比较简略，反而花大量的笔墨讨论“圣人君子之难知”的命题。王安石引用孟子和扬雄与王回作比较，认为他“智能知轲，其于为雄，几可以无悔”。在作者心中王回以学问文章行治称于世，而且取舍、进退、去就，必度于仁义，只可惜他英年早逝。“其志未就，其书未具”，王安石既感伤于他无所遇于今，又害怕他无所传于后。文辞之中，可见作者的深情和悲痛。

王深甫[①]墓志铭

吾友深父，书足以致[②]其言，言足以遂[③]其志，志欲以圣人之道为己任[④]，盖非至于命弗止[⑤]也。故不为小廉曲谨以投[⑥]众人耳目，而取舍、进退、去就必度[⑦]于仁义。世皆称其学问文章行治[⑧]，然真知其人者不多，而多见谓迂阔[⑨]，不足趣时合变[⑩]。嗟乎[⑪]，是乃所以为深父也。令[⑫]深父而有以合乎彼，则必无以同乎此矣。尝独以谓天之生夫[⑬]人也，殆将以寿考成其才[⑭]，使有待而后显[⑮]，以施泽[⑯]于天下。或者诱[⑰]其言以明先王之道，觉[⑱]后世之民。呜呼[⑲]，孰以为道不任于天[⑳]，德不酬[㉑]于人，而今[㉒]死矣。甚哉[㉓]，圣人君子之难知[㉔]也。以孟轲之圣[㉕]，而弟子所愿，止于管仲、晏婴[㉖]，况余人[㉗]乎？至于扬雄[㉘]，尤当世之所贱简[㉙]，其为门人者，一侯芭而已[㉚]。芭称雄书，以为胜

《周易》[31]。《易》不可胜也，芭尚不为[32]知雄者。而人皆曰："古之人生无所遇合[33]，至其没久[34]而后世莫不知。"若[35]轲、雄者，其没皆过千岁，读其书、知其意者甚少，则后世所谓知者未必真也。夫此两人以老而终，幸[36]能著书，书具[37]在，然[38]尚如此。嗟乎深父，其智虽能知轲，其于为雄，虽几[39]可以无悔，然其志未就[40]，其书未具[41]，而既早死，岂特[42]无所遇于今，又将无所传于后？天之生夫人也而命之如此，盖非余所能知也。

深父讳[43]回，本河南王氏。其后自光州之固始[44]，迁福州之侯官[45]，为侯官人者三世[46]。曾祖讳某，某官。祖讳某，某官。考[47]讳某，尚书兵部员外郎[48]。兵部葬颍州之汝阴[49]，故今为汝阴人。深父尝以进士补亳州卫真县主簿[50]，岁余自免去[51]。有劝之仕[52]者，辄辞以养母[53]。其卒以治平二年[54]七月二十八日，年四十三。于是朝廷用荐者以为某军节度推官[55]，知陈州南顿县[56]事，书下[57]，而深父死矣。夫人曾氏，先若干[58]日卒。子男一人某，女二人，皆尚幼。诸弟[59]以某年某月某日，葬深父某县某乡某里，以曾氏祔[60]。铭曰：

呜呼深父，惟德之仔肩[61]，以迪祖武[62]。厥艰荒遐[63]，力必践取[64]。莫吾知庸[65]，亦莫吾侮[66]。神则尚反[67]，归形此土[68]。

【注释】

①王深甫：王回，字深甫，也写作深父。 ②致：表达。 ③遂(suì)：实现。 ④己任：自己的重任。 ⑤盖：大概。非至于命弗止：不通达天命就不会停止。 ⑥故：所以。小廉曲谨：微小的廉洁和谨慎，不识大体，拘泥小节。

投：投合，迎合。 ⑦去就：离去或留下。度：度量，衡量。 ⑧称：称赞。行治：行为。 ⑨见谓：被认为。迂(yū)阔：不切实际。 ⑩趣时：趋向，适应时机。合变：适应变化。 ⑪嗟(jiē)乎：感叹词，相当于“唉”。 ⑫令：假令，假如。 ⑬尝：曾经。独：独自。以谓：以为。夫：代词，这，这个。 ⑭殆(dài)：大概。寿考：长寿。考：寿考，寿命。成其才：成就他的才能。 ⑮有待：依赖一定的条件。显：显扬，显赫。 ⑯施泽：布施恩泽。 ⑰诱：诱导，诱发。 ⑱觉：使……觉醒、觉悟。 ⑲呜呼：表示感叹。 ⑳孰以为：谁知道，表示反问。道不任于天：道义没有得到上天的任用。 ㉑酬：报答。㉒而今：如今。 ㉓甚哉：表示程度深。 ㉔难知：难以被知遇、重用。㉕孟轲：即孟子，名轲，字子舆，战国时期邹(今山东邹城市)人，儒家学说的代表人物，被后世尊奉为亚圣。圣：圣贤，圣明。 ㉖愿：愿望，期许。止：停止，止步。管仲：名夷吾，是春秋时期齐桓公的丞相，辅佐齐桓公成为春秋时期的霸主。晏婴：字平仲，是春秋时期齐国的大夫，曾历任齐灵公、齐庄公和齐景公三朝，声名显赫。 ㉗况：何况。余人：其他人。 ㉘扬雄：字子云(前53—18)，西汉蜀郡成都(今四川成都郫县)人。 ㉙尤(yóu)：尤其，格外。贱简：轻视、简慢。 ㉚其为门人者，一侯芭而已：据《汉书·扬雄传》记载：“钜鹿侯芭常从雄居，受其《太玄》《法言》焉。……年七十一，天凤五年卒，侯芭为之起坟，丧之三年。” ㉛胜：胜过。《周易》：儒家经典之一，由《易经》和《易传》两部分组成。 ㉜尚：尚且，还。不为：不是。 ㉝遇合：指臣子逢到善用其才的君主。 ㉞没久：死后很久。 ㉟若：像。 ㊱幸：有幸，幸亏。 ㊲具：通“俱”，都，全。 ㊳然：然而，但是。 ㊴几：几乎，差不多。 ㊵志未就：志向没有完成。 ㊶未具：没有完备，指还没有写完。 ㊷岂特：难道只是，何止。㊸讳(huì)：避讳。古人尊敬长辈和死者，会在名字前加上“讳”字，表示不敢直呼其名，应该避讳。 ㊹光州之固始：今河南省固始县。 ㊺福州之侯官：今福建省福州市侯官区。 ㊻三世：三代。 ㊼考：原指父亲，后多指已死的父亲。 ㊽尚书兵部员外郎：尚书省兵部司的属官，是兵部郎中的佐官。㊾颍州之汝阴：今安徽省阜阳市。 ㊿补：官位有缺而选人补充称为“补”。

亳州卫真县:今河南省鹿邑县。主簿:宋代中央和地方都设有此官职,为长官掌管文书簿籍与印鉴。 ⑤¹岁余:一年多。自免去:自己辞官离去。 ⑤²仕:出仕,做官。 ⑤³辄:就。辞:推辞。养母:奉养母亲。 ⑤⁴治平二年:即公元1065年。 ⑤⁵于是:这个时候。用:因为。节度推官:节度使下设位的官职,位次于判官和掌书记,主要负责狱讼等事。 ⑤⁶知:主管。陈州南顿县:属于今天河南省的项城市。 ⑤⁷书下:诏书下达。 ⑤⁸若干:用来指不确定的数量。 ⑤⁹诸弟:同宗族的各位弟弟。 ⑥⁰祔(fù):合葬。 ⑥¹仔(zī)肩:担负的责任。 ⑥²迪:继承。祖武:祖先的足迹。 ⑥³厥(jué):代词,其。荒遐:荒僻、遥远。 ⑥⁴践取:前往争取。践,踩,踏。 ⑥⁵莫吾知庸:即莫知庸吾,没有人知道任用我。 ⑥⁶侮:侮辱,轻慢。 ⑥⁷神:灵魂。尚:表示希望。反:返回。 ⑥⁸归形此土:形骸归于泥土。

【译文】

我的朋友王深父,他用笔足以表达他的言语,他的言语也足以实现他的志向。他的志向是要以圣人之道作为自己的重任,大概不通达天命就不会停止。所以他不为微小的廉洁谨慎来迎合众人的眼光,而在取舍、进退、去就方面必须要用仁义之道来衡量。世人都称赞他的学问、文章、品质和行为,然而真正了解他的人并不多,很多人认为他迂腐而不切合实际,又不能适应时机和变化。唉!这才是他之所以是王深父的原因啊。假如让深父的行为有迎合别人的地方,那么他必定就没有和现在相同的地方了。

我自己曾经认为上天降生这类人,大概想让他长寿以便成就他的才能,使他能够依赖一定的条件后便会显赫,以布施恩泽于全天下。或者是诱导他的言论,来阐明先王的道义,使后世之民觉醒。唉!谁知道他的道义没有得到上天的任用,他的德行也没有得到人们的酬答,如今却已经死了。圣贤君子要被知遇真是太难了!凭孟轲的圣贤,可是他的弟子们的愿望,觉得能像管仲、晏婴一样就可以了,更何况其他人呢?至于扬雄,尤其被当世之人所轻视、简慢,他的门下弟子只有一个侯芭而已。侯芭称赞扬雄的著作,以为胜过《周易》。《周易》是不可胜的,可见侯芭还不是真正了解扬雄的人。而人们都说:古人活着的时候没有得到赏识重用,可他们死后很久,后世没有不了解他们的。像孟轲、扬雄,他们死了都超过一千年了,读他们的书,知道他们想法的人却很少。那么后世所谓的了解,不一定都是真实的。这两个人在老年时才死去,有幸能够写书,书都存在,然而尚且如此。唉,深父啊!以他的才智虽然能理解孟轲,他与扬雄相比,虽然差不多也可以无悔了,然而他的志向还没完成,他的书还没写出,就已经早死,不只是没有在当今被赏识,还将没有著述流传于世。上天降生这种人,却又让他的命运成这样,这大概就不是我所能理解的了。

深父名叫回,出自河南王氏。后来从光州的固始搬到福州的侯官,成为侯官当地的人有三代了。曾祖父名某某,做某官,祖父名某某,做某官,父亲名某某,任尚书兵部员外郎。他父亲葬于颍州的汝阴,所以深父是汝阴人。深父曾以进士的身份补任亳州卫真县主簿,一年多后辞官离去。有人劝他做官,他就用要奉养母亲的借口来推辞。他逝于治平二年七月二十八日,终年四十三岁。这个时候朝廷因为有人举荐,任命深父为某军的节度使推官,担任陈州南顿县知县,诏书下达时深父已死了。夫人曾氏,比他早若干天而死。深父有一个儿子,名叫某某,还有两个女儿,都还幼小。他的几个同宗族弟弟在某年某月某日,葬深父于某县某乡某里,与妻子曾氏合葬。墓志铭说:

唉,深父!身上肩负德义,继承祖先功绩,虽然艰难、荒僻而遥远,但你还是努力并势必要达到。没有人知道任用你,也没有人敢轻慢你。你的灵魂还是返回,你的形骸归于泥土。

【题解】

葛良嗣兄弟三人曾经以文拜谒王安石的父亲，王益“阅之终篇”并多次感叹“葛氏之多子”也。可惜葛良嗣的两位兄长早夭，这篇是葛良嗣去世后，王安石为他所作的墓志铭。墓主“博知多能”，又“刻励修洁，笃于亲友”，可是终身只任小官，最后穷于无所遇而死。可是王安石专门记载他虽然不得志于州县之中，却致心履职。“夫大仕之则奋，小仕之则怠忽以不治，非知德者也”，葛氏的行为对我们今天仍有借鉴意义。

葛兴祖[1]墓志铭

许州长社县主簿[2]葛君，讳良嗣，字兴祖。其先处州之丽水[3]人，而兴祖之父徙居明州之鄞[4]，兴祖葬其父润州之丹徒[5]，故今又为丹徒人矣。曾大父讳[6]遇，不仕[7]。大父讳旰，赠尚书都官郎中[8]。父讳源，以尚书度支郎中终仁宗[9]时。度支君三子，当天圣、景祐[10]之间，以文有声[11]，赫然[12]进士中。先人尝受其挚[13]，阅之终篇[13]，而屡[14]叹葛氏之多子也。既而[15]三子者，伯仲皆蚤[16]死，独其季在，即兴祖。兴祖博知多能[17]，数举[18]进士，角出其上[19]，而刻励修洁[20]，笃[21]于亲友，慨然欲有所为以效[22]于世者也。年四十余，始以进士出仕州县。余十年[23]，而卒穷于无所遇[24]以死。嗟乎[25]，命不可控引[26]，而才之难恃以自见[27]，盖久矣[28]。然兴祖于仕未尝苟[29]，闻人疾苦[30]，欲去之如在己[31]。其临视[32]，虽细故[33]，人不以属耳目[34]者，必皆致[35]其

心。论者多怪之，曰：“兴祖且老矣，弊于州县而服勤[36]如此。”余曰：“是乃吾所欲[37]于兴祖。夫大仕之则奋[38]，小仕之则怠忽以不治[39]，非知德[40]者也。”兴祖闻之，以余之言为然[41]。兴祖娶胡氏，又娶郑氏。其卒年五十三，实治平二年[42]三月辛巳。其葬以胡氏祔[43]，在丹徒之长乐乡显扬村，即其年十一月某甲子[44]也。兴祖四男子，蘖、蕴，皆有文学[45]。蘖，许州临颍县[46]主簿。蕴，邓州穰县[47]主簿。藻、苹，尚幼也。四女子，皆未嫁云[48]。铭[49]曰：

蹇[50]于仕，以为人尤[51]。不慭施[52]以年，孰[53]主孰谋？无大憾[54]于德，又将何求？

【注释】

①葛兴祖：葛良嗣，字兴祖。 ②许州长社县：今河南省长葛市。主簿：宋代中央和地方都设有此官职，为长官掌管文书簿籍与印鉴。 ③先：先人，祖先。处州之丽水：今浙江省丽水市。 ④徙（xǐ）居：移居。明州之鄞（yín）：鄞县，今天的浙江宁波。 ⑤润州之丹徒：今江苏省镇江市丹徒区。 ⑥曾大父：曾祖，祖父的父亲称为曾祖。讳（huì）：避讳。 ⑦仕：出仕，做官。⑧赠：皇帝为已死的官员及其亲属加封，也称作“特赠”。尚书都官郎中：尚书省刑部都官司的主官。 ⑨尚书度支郎中：尚书省户部度支司的主管。仁宗：宋仁宗赵祯（1010—1063），宋朝第四位皇帝，宋真宗第六子。谥号仁宗体天法道极功全德神文圣武睿哲明孝皇帝，庙号仁宗。 ⑩天圣、景祐：天圣是北宋仁宗赵祯的第一个年号，从公元1023到1032年，共计十年。景祐是北宋仁宗赵祯的第三个年号，从公元1034到1038年，共计五年。 ⑪以文有声：因为文学而有声誉。 ⑫赫（hè）然：显赫，盛大的样子。 ⑬先人：指王安石已故的父亲王益。尝：曾经。受：接受。挚：通“贽”，这里指参加科考的人拜见权贵或老师时呈送的自己所作的诗文。 ⑬阅之终篇：从头至尾阅读完。 ⑭屡：多次。 ⑮既而：一会儿，不久。 ⑯伯仲：古代用伯、仲、叔、季

来排行兄弟次序。蚤：通“早”。 ⑰博知：知识广博。多能：能力强。
⑱数：多次。举：参加科举考试。 ⑲角出其上：指崭露头角。 ⑳刻励：刻苦勤勉。修洁：高尚纯洁。 ㉑笃(dǔ)：诚信。 ㉒慨然：慷慨激昂的样子。效：效劳，效力。 ㉓余十年：后来的十年。 ㉔卒：最后，最终。穷于无所遇：一直受不到知遇。 ㉕嗟(jiē)乎：也写作“嗟呼”，感叹词，相当于“唉”。
㉖命：命运。控引：掌握，控制。 ㉗才：才能，才干。恃(shì)：依赖，依靠。自见：自我显见。 ㉘盖久矣：大概很久了。 ㉙未尝：未曾。苟：苟且，随便。 ㉚闻人疾苦：听闻别人的疾病和痛苦。 ㉛去：除去，摆脱。如在己：好像在自己身上一样。 ㉜临视：亲临省视。 ㉝细故：细小的事。 ㉞属(zhǔ)耳目：注意。属，集中。 ㉟致：给予，奉献。 ㊱弊(bì)：败，疲困。服勤：勤劳地服务职事。 ㊲欲：希望，想要。 ㊳大仕：指当大官。奋：奋勇，勤奋。 ㊴怠(dài)忽：怠慢疏忽。治：治理。 ㊵知德：明白德义。 ㊶然：对，正确。 ㊷实：是。治平二年：即公元1065年。 ㊸祔(fù)：合葬。
㊹其年：同一年。某甲子：某一天。 ㊺文学：文学才能。 ㊻许州临颍县：今河南省漯河市临颍县。 ㊼邓州穰县：今属于河南省邓州市。 ㊽云：表示有所省略。 ㊾铭：铭文。 ㊿蹇(jiǎn)：跛足，指不顺利。 ㊀尤(yóu)：过失。 ㊁慭(yìn)：愿意，宁愿。施：给予。 ㊂孰：谁。 ㊃憾：遗憾，缺失。

【译文】

许州长社县的主簿葛君，名叫良嗣，字兴祖。他的祖先是处州的丽水人，而兴祖的父亲搬迁到明州的鄞县，兴祖把父亲葬在润州丹徒县，所以现在他又成为丹徒人了。他的曾祖父名叫遇，没有做官。祖父名叫旰，追赠官尚书都官郎中。父亲名叫源，以尚书度支郎中终老于宋仁宗时。度支郎中葛源的三个儿子，在天圣、景祐年间，因为文学而有声誉，显赫地中了进士。我的父亲曾接看过他们的诗文，从头至尾阅读完，而且多次感叹葛家有那么多的好儿子。过了不久，三个儿子当中的老大和老二就都去世了，只有第三个还在，就是葛兴祖。

兴祖知识广博能力又强，几次参加进士考试，崭露头角。而且刻苦勤勉、高尚纯洁，对亲友诚信，慷慨激昂，想要有所作为，来为时世效力。他四十多岁才开始以进士资格出来在州县做官。后来的十年，最终因为一直受不到知遇而死去。唉！命运无法被掌握而难以凭借才能被发现，这种情形大概很久之前就有了。然而兴祖对于做官未曾苟且，听闻人们有疾病和痛苦，就想要帮他们摆脱，好像这种疾苦是在自己身上一样。他亲临省视的时候，即使是琐事，别人都不注意的东西，他都必定尽心尽力。谈论他的人感到很奇怪，说："兴祖要老了，疲困不受重用于州县中，可还如此勤劳地服务职事。"我说："这就是我想要在兴祖身上看到的。做官大了就勤奋，做了小官就怠慢疏忽而不治理，这是不是明白德义的人。"兴祖听到这些话，认为我的话很对。

兴祖娶胡氏为妻，后来又娶了郑氏。他死的时候五十三岁，当时是治平二年三月辛巳这一天。他埋葬时，同妻子胡氏祔葬，埋葬在丹徒县这长乐乡显扬村，就在这一年十一月的某一天。兴祖有四个儿子，葛蘩、葛蕴都有文学才能。葛蘩，是许州临颍县主簿。葛蕴，是邓州穰县主簿。葛藻、葛苹年纪还小。他还有四个女儿，都还没出嫁。墓志铭说：

在仕途上不顺利，可以认为是别人的过错。不愿给予他寿命，又是谁主谋的呢？但是他在品德上没有大的缺失，还能要求什么呢？

【题解】

丁宝臣与王安石少时相识，又是他的同僚，所以丁宝臣去世后，王安石“发哭吊其孤，祭焉而许以铭”。在这篇墓志铭中，作者历叙墓主的官职。详细记录他曾与欧阳修交游、任淮南节度掌书记时力争正狱、任剡县时流大姓一人而全县遂治、后因侬智高反叛而被贬官等事。王安石认为面对侬智高的进攻，丁宝臣“驱未尝教之卒，临不可守之城，以战虎狼百倍之贼”，带领州人弃城避难一事，在古代是情有可原的。表达了对丁宝臣的同情与理解，同时又流露出对“吏方操法以责士”的不满。除了这篇墓志铭外，王安石还有《祭丁元珍学士文》，可相互参看。

秘阁校理丁君[1]墓志铭

朝奉郎、尚书司封员外郎、充秘阁校理、新差通判永州军州兼管内劝农事、上轻车都尉、赐绯鱼袋晋陵[2]丁君卒。王某曰：“噫[3]，吾僚[4]也，方[5]吾少时，辅[6]我以仁义者。”乃哭吊[7]其孤，祭焉而许以铭[8]。越[9]三月，君婿以状至[10]，乃叙铭赴[11]其葬。叙曰：

君讳[12]宝臣，字符珍，少与其兄宗臣皆以文行称[13]乡里，号为“二丁”。景祐[14]中，皆以进士起家[15]。君为峡州军事判官[16]，与庐陵欧阳公游[17]，相好也。又为淮南节度掌书记[18]。或诬富人以博[19]，州将[20]，贵人也，猜而专[21]，吏莫敢议[22]，君独力争正[23]其狱。又为杭州观察判官[24]，用举者[25]兼州学教授，又用举者迁太子中允[26]，知越州剡县[27]。

盖其始至[28]，流大姓[29]一人，而县遂治[30]，卒除弊兴利甚众[31]，人至今言[32]之。于是再迁为太常博士[33]，移知端州[34]。

侬智高反[35]，攻至其治所[36]。君出战，能有所捕斩[37]，然卒[38]不胜，乃与其州人皆去而避[39]之，坐免一官[40]，徙黄州。会恩除太常丞[41]，监酒湖州[42]，又以大臣有解举[43]者，迁博士[44]，就差知越州诸暨县[45]。其治诸暨如剡，越人滋以君为循吏[46]也。英宗即位[47]，以尚书屯田员外郎编校秘阁[48]书籍，遂为校理[49]、同知太常礼院[50]。

君质直自守[51]，接上下以恕[52]。虽贫困，未尝言利[53]，于朋友故旧，无所不尽[54]。故其不幸废退[55]，则人莫不怜[56]，少进[57]也，则皆为之喜。居无何[58]，御史论君尝废[59]矣，不当复用，遂出[60]通判永州。世皆以咎[61]言者，谓为不宜[62]，夫驱未尝教之卒[63]，临[64]不可守之城，以战虎狼百倍之贼[65]，议今之法[66]，则独可守死尔[67]，论古之道，则有不去以死，有去之以生[68]。吏方操法以责[69]士，则君之流离穷困几[70]至老死，尚以得罪于言者[71]，亦其理也。

君以治平三年待阙于常州[72]，于是再迁尚书司封员外郎，以四年四月四日卒，年五十八。有文集四十卷。明年二月二十九日，葬于武进县怀德北乡郭庄之原[73]。君曾祖讳辉，祖讳谅，皆不仕[74]。考[75]讳柬之，赠尚书工部侍郎[76]。夫人饶氏，封晋陵县君，前死[77]。子男[78]隅，太庙斋郎[79]，除、隮为进士，其季恩儿尚幼。女嫁秘书省著作佐郎、集贤校理[80]同县胡宗愈。其季未嫁。嫁胡氏者亦又死矣。铭曰：

文于辞为达[81]，行于德为充[82]。道于古为可[83]，命于今为穷。呜呼已矣，卜此新宫[84]。

【注释】

①秘阁校理：官职名，主要负责提供皇帝阅读的书籍及书籍的点校等事。丁君：丁宝臣，字符珍。 ②朝奉郎：宋文散官名，在二十九阶中位列十四，为正六品。尚书司封员外郎：尚书省吏部司封司的属官，掌管官封、叙赠、承袭等事。充：表示兼任。通判：在州府的长官手下掌管粮运、家田、水利和诉讼等事情，同时负责监察州府的长官。永州军州：宋代在军事要冲设立军，与州同级，被称为军州。永州，治所在今天的湖南省零陵县。管内劝农事：负责辖区内的农业生产的官员。上轻车都尉：勋官史，在宋代十二级勋官中位列第五。赐绯鱼袋：从唐朝开始，按官员的品级区别官服，三品以上紫袍，佩金鱼袋；五品以上绯袍，佩银鱼袋；六品以下绿袍，无鱼袋。晋陵：今江苏省常州市。 ③噫(yī)：文言叹词，表示感慨、叹息。 ④僚：同僚，僚友。 ⑤方：当。 ⑥辅：辅佐。 ⑦吊：祭奠死者或对遭到丧事的家人给予慰问。⑧许：许诺，答应。铭：墓志铭。 ⑨越：度过，超过。 ⑩君婿：丁宝臣的女婿。状：叙述死者世系、生平、生卒年月、籍贯、事迹的文章，多由死者门生故吏或亲友撰写，留作墓志或史官的依据。至：来到。 ⑪叙：记叙，写。赴：前往，奔赴。 ⑫讳(huì)：避讳。 ⑬宗臣：丁宗臣(1001—1054)，字符规，宋仁宗景祐元年(1034)进士，历任句容、名山、太湖知县，定州通判，后至屯田员外郎。文行：文章和德行。称：称扬。 ⑭景祐：景祐是北宋仁宗赵祯的第三个年号，从公元1034到1038年，共计五年。 ⑮起家：初次入职，开始做官。⑯峡州：治所在今天的湖北省宜昌市。军事判官：宋代的各军州设置，掌管文簿等事。 ⑰庐陵欧阳公：欧阳修(1007—1072)，字永叔，号醉翁、六一居士，宋吉州永丰(今江西省吉安市永丰县)人，谥号文忠，世称欧阳文忠公。“唐宋八大家”之一。游：交游，游玩。 ⑱淮南节度掌书记：节度掌书记是节度使的属官，负责处理政务和公文。 ⑲或：有人。诬：诬告。博：赌博。 ⑳州将：州的将领。 ㉑猜而专：猜忌而又专横。 ㉒莫敢议：没有敢议论的。

㉓力争：据理力争。正：纠正。 ㉔杭州：今浙江省杭州市。观察判官：全称为“观察使判官”，是各州的属官，负责协理州中的政事。 ㉕用举者：因为有人推荐。 ㉖迁：升迁。太子中允：太子的属官，主要掌管侍从和礼仪等事。 ㉗知：主管。剡县：今属浙江省嵊州市。 ㉘始至：刚上任。 ㉙流：流放。大姓：豪族大家。 ㉚遂：于是，就。治：治理。 ㉛卒：最后。除弊兴利：废除弊端，兴办有利的事情。甚众：非常多。 ㉜言：谈论，称赞。 ㉝太常博士：宋代职官名，属于太常寺，主管礼仪。 ㉞移：调任。端州：治所在今天的广东省肇庆市高要区。 ㉟反：反叛，叛乱。 ㊱治所：地方政府的驻地。 ㊲捕斩：捕获斩杀。 ㊳然：然而，但是。卒：最终。 ㊴去：离开，逃离。避：避难。 ㊵坐：因为……而获罪。免：免除，罢免。一官：一级官职。 ㊶会：恰逢，碰到。恩：恩惠。除：任命官职。太常丞：太常寺丞的省称，辅佐太常寺的事务。 ㊷监酒：监督造酒的官吏。湖州：今浙江省湖州市。 ㊸解举：了解内情而推荐。 ㊹博士：太常博士，宋代职官名，属于太常寺，主管礼仪。 ㊺就差：就近差遣。越州诸暨县：今浙江省诸暨市。 ㊻滋：更加。循吏：守法循理的官吏。 ㊼英宗：宋英宗赵曙(1032—1067)，宋朝第五位皇帝，宋太宗赵光义曾孙，宋仁宗的养子。在位五年，谥号宪文肃武宣孝皇帝，庙号英宗。即位：开始登基做皇帝。 ㊽尚书屯田员外郎：宋代在尚书省工部设置屯田司，掌管屯田、营田、职田、学田和官庄的政令、租税等事。长官为屯田郎中，副长官为屯田员外郎。编校：编辑校订。秘阁：北宋太宗在崇文院中堂建秘阁，收藏书籍、字画等珍品。 ㊾校理：秘阁校理，主要负责提供皇帝阅读的书籍，其他书籍的点校等事。 ㊿同知太常礼院：宋代沿袭唐代，有太常礼院，负责讨论礼制，设有判院、同知院等官职。 51质直：纯朴正直。自守：坚持操守。 52接：对待。恕：宽恕。 53未尝：未曾，没有。言利：谈到私利。 54尽：尽心。 55废退：指降职。 56怜：怜惜。 57少：稍微。进：晋升。 58居无何：过了没多久。 59御史：专门负责监察的官职。废：免职。 60出：离开京城出任外官。 61咎(jiù)：过失，罪过。 62谓为：认为。宜：适宜，合理。 63驱：驱使。教：训练。卒：士兵。 64临：对面。 65以战虎狼

百倍之贼：用来与像虎狼般而且又比自己多出一百倍人数的叛贼交战。⑯议今之法：按现在的法令来说。⑰独：只有，唯独。尔：而已。⑱有不去以死，有去之以生：有可以不放弃城池而战死，也有可以放弃城池以求生。⑲方：正。操：拿着，持有。责：苛责，责怪。⑳流离：因饥荒战祸而居无定所，到处逃难。几：几乎，差不多。㉑言者：进言的人，指御史。㉒治平三年：即公元 1066 年。治平是北宋英宗赵曙的年号，从公元 1064 年至公元 1067 年，共 4 年。待阙（quē）：等待补缺任命。常州：治所在今天江苏省常州市。㉓武进县：今江苏省常州市武进区。原：平坦之处。㉔不仕：没有做官。㉕考：原指父亲，后多指已死的父亲。㉖赠：皇帝为已死的官员及其亲属加封，也称作"特赠"。尚书工部侍郎：尚书省工部的副长官，掌管天下百工、屯田和山泽的政令。㉗前死：在他面前去世。㉘子男：儿子。㉙太庙斋郎：多为朝中官员的子弟荫补的官职，属太常寺，负责太庙的祭祀。㉚集贤校理：主要负责集贤院中书籍的点校等事。㉛达：畅达。㉜充：充沛，充满。㉝可：认可。㉞卜：占卜选择。新宫：指墓地。

【译文】

朝奉郎、尚书司封员外郎、充任秘阁校理，新派任的永州军州通判，兼管内劝农事，上轻车尉，赐绯鱼袋的晋陵人丁君去世了。临川人王安石说："唉！丁君是我的同僚，当我年轻的时候，他以仁义辅佐我。"于是我哭泣着去向他的孀孤吊丧，祭拜并且许诺给他写墓志铭。过了三个月，丁君的女婿把他行状拿来，我就写下了铭文前往他的葬礼。写道：

丁君名叫宝臣，字符珍。少年时与他的哥哥丁宗臣，都因文章和德行称扬乡里，号称为"二丁"，景祐年间，都中进士并开始做官。丁君担任峡州军事判官，与庐陵欧阳修先生交游，十分要好。又做淮南节度掌书记。有人诬告一个富人赌博，州将军又是一个身份高贵的人，他喜好猜忌又专横，官吏们没有敢议论他的，只有丁君据理力争才纠正了这件案子。后来又担任杭州观察判官,因为有人推荐,兼任州学教授。又因为被人举荐,迁升担任太子中允,知理越州剡县。大概他刚上任不久,就流放了一家豪族大家,而这个县马上就治理好了,最后废除弊端,兴办利民的事情非常多,人们至今还在称赞他。于是又升为太常博士,调任端州知府。

侬智高反叛,攻打到他的治所。丁君出门迎战,捕获斩杀了一些人,然而终于无法战胜侬智高,就和端州人都逃离避难去了,因此被免去一级官职,迁任黄州。又恰逢恩惠,被任命为太常丞,任湖州监酒。又因为大臣中有人了解内情而推荐,升任太常博士,就近差遣,被任为越州诸暨县令。他治理诸暨的方法像治理剡县一样,越州人更加认为丁君是守法循理的官吏。宋英宗即位,丁君以屯田员外郎的身份编辑校订秘阁中所藏的书籍,后来就担任校理、同时任职太常礼院。

丁君纯朴正直,坚持自守,对待上下级都报以宽容的态度。虽然穷困,但也没有谈到私利。他对待朋友和故人,没有不尽心的。所以当他不幸被降职时,人们没有不怜惜的;稍微有晋升,就都为他感到高兴。过了没多久,御史认为丁君曾经被免职,不应该重新重用,于是离京出任永州通判。世人都以从前的过错来评论,是不合适的。驱使着没经过训练的士兵,面对着不可能固守的城池,用来与像虎狼般而且又比自己多出一百倍人数的叛贼交战,按现在的法令来说,就只可以坚守而死,但按古代的道义来说,就有可以不放弃城池而战死,也可以放弃城池以求生两种选择。正当那些官吏拿着法令来苛责士人们的时候,那么丁君颠沛流离贫穷困顿,差不多都快老死了,还因为御史而获罪,也算是合理了。

丁君于治平三年,在常州等待进京任职,于是连升两级任尚书司封员外郎，于治平四年四月四日去世，享年五十八岁，有文集四十卷。第二年二月二十九日，葬在武进县怀德北乡郭庄的平坦之处。丁君曾祖父名叫丁辉，祖父名叫丁谅，都没有做官。父亲名叫丁柬之，追赠为尚书工部侍郎。夫人饶氏，封为晋陵县君，在他前面去世。儿子丁隅任太庙斋郎，丁除、丁齐二人是进士，最小的恩儿还年幼。女儿嫁给秘书省著作佐郎、集贤校理，同县的胡宗愈，最小的女儿还没出嫁，嫁给胡宗愈的那个女子也已去世了。铭文说：

文辞畅达，德行充沛。认可古代的道义，命运在当今却穷困。唉！一切都已成过去了。占卜选择这个地方做新的墓地。

【题解】

本文的墓主征集是一个名不见经传的处士，王安石却给他撰写墓表，所以这是一篇独具一格的铭文。作者不只写征集一人，连带记录杜婴和徐仲坚。他们三个都是民间不仕的处士：杜婴寓于医，不取不义之财，即使“穷空”至无以自存都不会露出“不足之色”；徐仲坚寓于筮，每天赚数百钱就止；征集事母至孝，不与人校曲直。王安石认为他们是“善士”，体现出他与众不同的犀利眼光。

处士征君墓表[1]

淮之南有善士[2]三人，皆居于真州之扬子[3]。杜君[4]者，寓于医[5]，无[6]贫富贵贱，请之辄[7]往。与[8]之财，非义辄谢而不受[9]。时时穷空[10]，几不能以自存[11]，而未尝有不足之色[12]。盖善言性命之理，而其心旷然无累于物[13]。而予尝与之语[14]，久之而不厌[15]也。

徐君[16]，忠信笃实[17]，遇人至谨[18]。虽疾病召筮[19]，不正衣巾[20]不见。寓于筮，日得百数十钱则止[21]，不更[22]筮也。能为诗，亦好属文[23]，有集若干[24]卷。

两人者，以医筮故[25]，多为贤士大夫所知，而征君独不闻于世。征君者，讳某，字某，事[26]其母夫人至孝。居乡里，恂恂[27]恭谨，乐振[28]人之穷急，而未尝与人校曲直[29]。好蓄[30]书，能为诗。有子五人，而教其三人为进士。某今为某官，某今为某官，某亦再贡于乡[31]。征君与两人者，相为友，至欢而莫逆[32]也。两人者皆先征君以死，而征君

以某年某月某甲子[33]终于家，年七十七。

噫[34]，古者一乡之善士必有以贵于一乡，一国之善士必有以贵于一国，此道亡[35]也久矣。余独私爱夫三人者，而乐为好事者道[36]之，而征君之子又以请[37]，于是书以遗[38]之，使之镵诸[39]墓上。杜君讳婴，字大和。徐君讳仲坚，字某。

【注释】

①处士：指有才德没有做过官的士人。征君：征集，生平事迹仅见于本文记载。墓表：即墓碑。 ②淮之南：指淮河以南，长江以北地区。善士：有德行的人。 ③真州之扬子：今天的江苏省仪征市。 ④杜君：杜婴，字大和。 ⑤寓于医：以医生为职业。 ⑥无：无论。 ⑦辄：于是，就。 ⑧与：给予，给。 ⑨非义：即不义之财。谢：谢绝。受：接受。 ⑩时时穷空：时常穷得空无一物。 ⑪几：几乎，差不多。自存：自我存活。 ⑫未尝：未曾，没有。色：脸色。 ⑬旷然：宽广豁达的样子。无累于物：不被所物所累。 ⑭与之语：和他交谈。 ⑮久之而不厌：很久都不感到厌烦。 ⑯徐君：徐仲坚。 ⑰笃(dǔ)实：忠厚老实。 ⑱遇人：待人。至谨：非常谨慎。 ⑲召：召唤，请。筮(shì)：古代指用蓍草占卦。 ⑳正衣巾：整理自己的衣服头巾。 ㉑日：每天。止：停止。 ㉒更：再，又。 ㉓属(zhǔ)文：写文章。 ㉔若干：用来指不确定的数量。 ㉕故：缘故。 ㉖事：侍奉。 ㉗恂(xún)恂：恭谨温顺的样子。 ㉘振：同"赈"，救济。 ㉙校曲直：计较是非。 ㉚蓄：储蓄，收藏。 ㉛再贡于乡：两次被乡里举荐。 ㉜至欢：非常欢快。莫逆：没有违逆，指朋友之间意气相投，交往密切友好。 ㉝某甲子：某一天。 ㉞噫(yī)：文言叹词，表示感慨、叹息。 ㉟亡：消亡，消失。 ㊱好事者：喜欢这一类事的人。道：称道，谈论。 ㊲请：请求。 ㊳书：书写。遗(wèi)：给予，赠送。 ㊴镵(chán)：凿，刻。诸："之于"的合音。

【译文】

淮河的南边有三个有德行的人，都居住在真州扬子县。杜君以医生为职业，无论贫富贵贱，只要有人邀请就前去。如果给他的是不义之财，他就谢绝不接受。杜君时常穷得空无一物，几乎都快不能存活了，但脸上却从未表现出家用不足的样子。大概是由于他喜欢谈论性命之理，所以胸怀宽广豁达，不被外物所累。我曾经和他交谈过，谈了很久都不感到厌烦。

徐君忠厚、诚信、老实，待人非常谨慎，即使在他生病时请他去占卜，他也要把衣巾穿戴整齐才见客。他托身于卜筮之中，每日挣到数百十个铜钱就停止，不再卜筮了。他善写诗，也喜欢写文章，有文集若干卷。

上述二人，因为医术、卜筮的缘故，为一般的贤士大夫所知道，而征君却不为世人所知。征君，名叫某某，字某某，对他的母亲侍奉得非常孝顺。在乡里温顺恭谨，喜欢救济别人的急难，而未曾与别人计较是非曲直。他喜欢收藏书籍，能写诗。他有五个儿子，将其中三个教育成进士。某某现在担任某某官职，某某现在担任某某官职，某某两次被乡里举荐。征君与杜君、徐君是朋友，在一起非常欢乐，是莫逆之交。那两人都先征君而死，而征君在某年某月某甲子死在家中，终年七十七岁。

唉！古代一个乡里中有德行的士人一定能显贵于乡里，一国之中的有德行的士人一定也能显贵于国中，但这种制度早就消亡了。我个人独独很欣赏这三个人，又乐于为喜欢这类事的人称道他们，而征君的儿子又来请求我，于是我就写下这篇墓志铭交给他，让他们刻在墓碑上。杜君名婴，字大和；徐君名仲坚，字某。

【题解】

本文是王安石给孔子的第四十五代孙孔道辅写的墓志铭，篇中记载墓主上书请明肃太后还政宋仁宗、引谏官御史伏阁争废郭皇后等事，体现他“刚毅谅直”的德行。同时记录孔道辅因冯士元事件被皇帝视为朋党大臣而出知郓州，说明他受到了谗害和排挤。在墓志铭的最后，作者添加他不好鬼神而举笏杀蛇的壮举，再与他在朝廷大议中祸福无所择相类比，表现孔道辅智勇过人的特点。

给事中孔公[①]墓志铭

宋故朝请大夫、给事中、知郓州军州事兼管内河堤劝农、同群牧使、上护军、鲁郡开国侯、食邑一千六百户，食实[②]封二百户，赐紫金鱼袋孔公者，尚书工部侍郎、赠尚书吏部侍郎讳勖[③]之子，兖州曲阜县令、袭封文宣公、赠兵部尚书讳仁玉[④]之孙，兖州泗水县主簿讳光嗣[⑤]之曾孙，而孔子之四十五世孙也。

其仕当今天子天圣、宝元[⑥]之间，以刚毅谅直[⑦]名闻天下。尝知谏院[⑧]矣，上书请明肃太后[⑨]归政天子，而廷奏枢密使曹利用[⑩]、上御药罗崇勋[⑪]罪状。当是时，崇勋操权利与士大夫为市[⑫]，而利用悍强不逊[⑬]，内外惮[⑭]之。尝为御史中丞[⑮]矣，皇后郭氏废[⑯]，引谏官、御史伏阁以争[⑰]，又求见上，皆不许，而固[⑱]争之，得罪然后已。盖公事君之大节[⑲]如此。此其所以名闻天下，而士大夫多以公不终于大位为天下惜[⑳]者也。

公讳[21]道辅，字原鲁。初以进士释褐[22]，补宁州军事推官[23]，年少耳，然断狱议事[24]，已能使老吏惮惊。遂迁[25]大理寺丞，知兖州仙源县[26]事，又有能名[27]。其后尝直史馆[28]，待制龙图阁[29]，判三司理欠凭由司、登闻检院、吏部流内铨[30]，纠察在京刑狱，知许、徐、兖、郓、泰五州[31]，留守南京[32]。而兖、郓、御史中丞皆再至[33]。所至官治[34]，数以争职不阿或绌[35]或迁，而公持一节[36]以终身，盖未尝自诎[37]也。其在兖州也，近臣[38]有献诗百篇者，执政请除[39]龙图阁直学士，上曰："是诗虽多，不如孔道辅一言。"乃以公为龙图阁直学士。于是度[40]公为上所思，且不久于外[41]矣。未几[42]，果复召以为中丞，而宰相使人说公稍折节以待迁[43]，公乃告以不能。于是又度公且不得久居中，而公果出。初[44]，开封府吏冯士元坐[45]狱，语连大臣数人，故移其狱御史。御史劾[46]士元罪止于杖，又多更赦。公见上，上固怪士元以小吏与大臣交私[47]，污[48]朝廷，而所坐如此，而执政又以谓公为大臣道地[49]，故出知郓州。

公以宝元二年[50]如郓，道得疾[51]，以十二月壬申卒于滑州之韦城驿[52]，享年五十四。其后诏追复郭皇后位号，而近臣有为上言公明肃太后时事者，上亦记公平生所为，故特赠公尚书工部侍郎。公夫人金城郡君[53]尚氏，尚书都官员外郎[54]讳宾之女。生二男子，曰淘，今为尚书屯田员外郎[55]，曰宗翰，今为太常博士[56]，皆有行治世[57]其家。累赠公金紫光禄大夫、尚书兵部侍郎[58]，而以嘉祐七年[59]十月壬寅，葬公孔子墓之西南百步。公廉[60]于财，乐振施[61]，遇故人子恩厚尤笃[62]，而尤不好鬼神禨祥[63]事。在宁

州，道士治真武[64]像，有蛇穿其前，数出近人，人传以为神。州将欲视验[65]以闻，故率其属[66]往拜之，而蛇果出。公即举笏[67]击蛇杀之，自州将以下皆大惊，已而又皆大服。公由此始知名。然余观公数处朝廷大议，视祸福无所择[68]，其智勇有过人者，胜一蛇之妖，何足道哉[69]。世多以此称公者，故余亦不得而略[70]也。铭曰：

展[71]也孔公，维志之求。行有险夷[72]，不改其辀[73]。权强所忌[74]，谗谄所雠[75]。考终厥位[76]，宠禄优优[77]。维皇好直[78]，是锡公休[79]。序行纳铭[80]，为识诸幽[81]。

【注释】

①给事中：门下省属官，侍奉于皇帝左右，以备顾问和应对等。孔公：孔道辅(987—1040)，初名延鲁，字原鲁，孔子第四十五代孙。 ②故：过去，已经过世的。朝请大夫：宋代的文官的阶官名，位列十九阶中的十三，是从五品。知郓州军州事：任郓州军州的知州。管内：只负责辖区内部事宜。同群牧使：宋代设置群牧司，总领内外饲养、放牧、管理和支配国马之政，群牧使是其长官，而同群牧使是他编制外的差遣官。上护军：宋代的勋官名，是十二转中的第三转。开国侯：爵位名，位于十二级中的第九级。食邑：国家赏赐给士大夫作为世禄的田邑。食实：指实际享用其封户租赋。 ③尚书工部侍郎：尚书省工部的副长官，掌管天下百工、屯田和山泽的政令。赠：皇帝为已死的官员及其亲属加封，也称作“特赠”。尚书吏部侍郎：尚书省工部的副长官，负责官员的考核与升迁等事。讳(huì)：避讳。勖：孔勖，字自牧，宋太宗雍熙二年(公元985年)进士，孔子第四十三代孙。 ④兖州曲阜：今山东省曲阜市。袭封文宣公：唐开元二十七年(公元739年)，追赠孔子为文宣王，此后其后裔便袭爵封为文宣公。兵部尚书：兵部的长官。仁玉：孔仁玉(912—956)，字温如，孔子第四十二代孙。 ⑤兖州泗水县：今山东省济宁市泗水县。主簿：宋代中央和地方都设有此官职，为长官掌管文书簿籍与印鉴。光嗣：孔光嗣，生

于晚唐，卒于后梁太祖干化三年（公元913年），孔子第四十一代孙。 ⑥仕：出仕，做官。天圣：天圣是北宋仁宗赵祯的第一个年号，从公元1023到1032年，共计十年。宝元：宝元是北宋神宗赵顼的第四个年号，从公元1038年至公元1040年，共计三年。 ⑦刚毅：刚强坚毅。谅直：诚实正直。 ⑧知谏院：在谏院实际供职言事的官员，称为“知谏院”。 ⑨明肃太后：宋真宗赵恒的刘皇后，死后谥章献明肃。真宗去世后，遗诏尊刘太后为皇太后，可处置军国大事。 ⑩枢密使：掌管接受表奏以及向中书门人传达皇帝的命令。曹利用：字用之（971—1029），宋赵州宁晋人（今河北省邢台市宁晋县）。 ⑪上御药：宦官名，负责皇帝的医药。罗崇勋：太监，当时负责接皇帝的医药供奉。 ⑫市：交易。 ⑬悍强：强横无畏。逊：谦逊，谦虚。 ⑭惮：忌惮，害怕。 ⑮御史中丞：宋代中央设御史台负责监察，官员有御史大夫和御史中丞。 ⑯皇后郭氏废：宋仁宗郭皇后，在明道二年（1033），因失宠而被废为净妃玉京冲妙仙师。 ⑰引谏官、御史伏阁以争：据《宋史·孔道辅传》记载：“郭皇后废，道辅率谏官孙祖德、范仲淹、宋郊、刘涣，御史蒋堂、郭劝、杨偕、马绛、段少连，十人诣垂拱殿伏奏。” ⑱固：坚持。 ⑲大节：高尚的节操。 ⑳大位：显贵的官位。惜：惋惜。 ㉑讳（huì）：避讳。 ㉒释褐（hè）：脱掉平民的衣服，比喻开始做官。 ㉓补：官位有缺而选人补充称为“补”。宁州：治所在今天的甘肃省宁县。军事推官：州府的幕职官，主要负责军事事务。 ㉔断狱议事：决断案件、评议时事。 ㉕遂：于是，就。迁：升迁。 ㉖兖州仙源县：今属于山东省曲阜县。 ㉗能名：能干的名声。 ㉘直史馆：宋代设有史馆，专门负责撰修国史，设有修撰、直馆等职。 ㉙待制龙图阁：龙图阁专门收藏皇家的书籍和图画等，设学士、直学士、待制和直龙图阁等职。 ㉚判：唐宋时期，以较高的官职兼任较低的职务，特别是以中央官兼任地方官，就称为“判”。三司理欠凭由司：三司（盐铁、度支和户部）的下属机构。理欠司负责管理在京城和地方欠负官物的账籍和催收。凭由司负责掌管京城官物的支付。登闻检院：谏议大夫的属官，负责接受文武官员及百姓的奏章。吏部流内铨：负责七品以下京官的铨选。 ㉛许、徐、兖（yǎn）、郓（yùn）、泰五州：许州，治所在今天的河南省许昌市。徐州，治所在今天的江苏省徐州市。兖州，治所在今天的山东省济宁市。郓州，治所在今天山东省泰安市东平县。泰州，治所在今天的江苏省泰州市。 ㉜留守：居留下来看管。南京：北宋以应天府为南京，治所在今天河南省商丘市。 ㉝再至：第二次担任。 ㉞官治：官署，衙门。 ㉟数：多数。争职：在职权范围内谏诤。阿(ē)：迎合。绌(chù)：通“黜”，贬退。 ㊱一节：一贯的气节。 ㊲自诎(qū)：自我贬低、轻视。诎，通“屈”，屈辱。 ㊳近臣：指皇帝身边的大臣。 ㊴执政：指掌权的人。除：任命官职。 ㊵度(duó)：推测。 ㊶不久于外：在外地任官不会太长时间。 ㊷未几：不久。 ㊸说：劝说。稍：稍微。折节：指屈身奉承。待迁：等待升迁。 ㊹初：当初，最开始。 ㊺坐：因为……而获罪。 ㊻劾：劾按，审理核实罪状。 ㊼交私：私下交结。 ㊽污：玷污。 ㊾道地：找人事先疏通。 ㊿宝元二年：即公元1039年。 (51)道得疾：在中途染病。 (52)滑州：治所在今天的河南省滑县。韦城：今河南省滑县东南。驿(yì)：驿站，古代给传递公文的人中途休息、换马的地方。 (53)郡君：古代对女人的封号。
(54)尚书都官员外郎：尚书省刑部都官司的属官，主要负责刑、配隶、吏籍等事。
(55)尚书屯田员外郎：宋代在尚书省工部设置屯田司，掌管屯田、营田、职田、学田和官庄的政令、租税等事。长官为屯田郎中，副长官为屯田员外郎。
(56)太常博士：宋代职官名，属于太常寺，主管礼仪。 (57)行治：品行和治理才能。世：继承。 (58)金紫光禄大夫：宋代阶官名，为正二品。尚书兵部侍郎：尚书省兵部的副长官。 (59)嘉祐七年：即公元1062年。嘉祐是北宋仁宗赵祯使用过的第九个也是最后一个年号，从1056年至1063年，共计八年。
(60)廉：廉洁，不贪污。 (61)振施：救济施舍。 (62)故人：旧交，老朋友。尤(yóu)：尤其，格外。笃(dǔ)：厚实。 (63)机(jī)祥：吉凶的先兆。 (64)治：塑造。真武：即玄武，道教视玄武为北方之神。 (65)州将：州的将领。视验：检验。 (66)属：部属，属下。 (67)笏(hù)：古代大臣上朝拿着的手板，用玉、象牙或竹片制成，上面可以记事。 (68)择：选择。 (69)何足道哉：哪里值得称道呢。 (70)略：省略，简略。 (71)展：诚，真正。 (72)险夷：崎岖或平坦。 (73)辀

(zhōu):车辕,这里指方向。 ⑭忌:畏惧,害怕。 ⑮谗(chán):说他人坏话。谄:巴结奉承。雠(chóu):同“仇”,仇视。 ⑯考终厥(jué)位:在他的官位上年老去世。 ⑰优优:宽和的样子。 ⑱皇:指上帝或上天。好直:喜欢正直。 ⑲锡:同“赐”。休:美好,这里指好的品质。 ⑳序行纳铭:叙述他的行为,纳入墓志铭。 ㉑识:同“志”,记下。幽:幽冥,指阴间。

【译文】

宋朝已经去世的朝请大夫、给事中、主持郓州军州事、兼管内河堤劝农同群牧使、上护军、鲁郡开国侯,食邑有一千六百户,实封二百户,赐紫金鱼袋的孔道辅,是尚书工部侍郎,追赠尚书吏部侍郎孔勖的儿子,是兖州曲阜县令,袭封文宣公,追赠兵部尚书孔仁玉的孙子,兖州泗水县主簿孔光嗣的曾孙,是孔子的第四十五代世孙。他在当今天子天圣、宝元年间当官,因为刚强坚毅、诚实正直而名闻天下。曾经主持谏院,上书请求明肃太后将政权还给天子,同时在朝廷上奏明枢密使曹利用、上御药罗崇勋的罪状。那个时候,崇勋掌握权力和利益,与士大夫做交易;而曹利用强横无畏又不谦逊,朝廷内外的人都害怕他。孔道辅曾经当御史中丞,皇后郭氏被废,他便引领着谏官和御史伏在小门上争辩这件事,要求面见圣上,都没有得到允许,他却坚持力争,得了罪名之后才罢休。孔道辅侍奉君主的节操就是这样。这就是他闻名天下的原因,多数士大夫因为他最终没有显贵的官位而为天下人所惋惜。

孔公名道辅,字原鲁。最初凭着进士做官,补任宁州军事推官。虽然他年纪很小,但决断案件、评议时事,已经能让年老的官吏忌惮和震惊了。后来就迁升为大理寺丞,任兖州仙源县知县,传出能干的名声。之后曾担任史馆直学士、龙图阁待制,兼任三司理欠、凭由司、登闻检院、吏部流内铨,纠察在京的刑事案件,任许州、徐州、兖州、郓州和泰州五个州的知事,后来留守在南京,兖州、郓州、御史中丞的职务都是第二次担任。他每次到过官署，多次因为谏诤刚直不阿，有时被贬退，有时升迁，他坚持一贯气节直到终老，从没有自我屈服过。

当他在兖州的时候，皇帝身边的大臣有献上一百篇诗的，执事的人请求升他为龙图阁直学士。皇上说："这人的诗虽然多，却不如孔道辅的一句话。"就让孔道辅担任了龙图阁直学士。于是人们揣度着孔道辅被皇上看重，并且在外地任官的时间将不会太长了。不久，孔道辅果然被再次召见，让他担任中丞。宰相派人劝孔道辅稍微屈身奉承一下，以便等待升迁，孔道辅就告诉他不能这样。于是人们又揣度孔道辅在朝廷中任官的时间将不久了，后来孔道辅果然被贬出京城。当初，开封府的官吏冯士元因受牵连入狱，他的供词中牵连了好几个大臣，因此把他的案件移到御史台。孔道辅核实罪状，对他只是进行了杖责，又多次更改赦免。孔道辅觐见皇上，皇上本来就为冯士元以小官的身份和大臣私自结交感觉奇怪，认为此事玷污了朝廷，而他的刑罚却只是这些。执政又趁机说孔道辅替大臣做了疏通，因此将他贬出京城任职郓州。

孔道辅于宝元二年到郓州，在中途染病，在十二月壬申日死在滑州的韦城驿，享年五十四。之后诏书追认恢复郭皇后位号，而近臣中有人对皇上说起孔道辅在明肃太后一事上的行为，皇上也记挂着孔道辅平生所作所为，因此特意追赠他为尚书工部侍郎。孔道辅的夫人金城郡君尚氏，是尚书都官员外郎尚宾的女儿。她生了两个儿子，一个叫孔淘，现任尚书屯田员外郎，一个叫孔宗翰，现任太常博士，都有品行和治理才能，继承家族传统。朝廷多次追赠孔道辅为金紫光禄大夫、尚书兵部侍郎，在嘉祐七年十月壬寅日将孔道辅埋葬在孔子坟墓西南方向百步之外。

孔道辅在钱财上十分清廉，乐于赈济施舍给别人。遇上老朋友的孩子，他的恩惠厚禄尤其多。但是他最不喜欢鬼神机祥之类的事。在宁州时，道士塑造北方之神玄武的雕像，有一条蛇从它前面穿过，数次接近人，人们谣传认为它是神。州官将要去检验这个传闻，因此率领部属前去拜像，蛇果然出来了。孔道辅便举起笏板将蛇杀死，自州官以下所有的人都大惊失色，之后又都大为折服。孔道辅由此开始出名。然而我观察孔道辅多次于朝廷议论大事之时，认为祸害或福泽都无从选择，他的智慧和勇敢本来就有过人之处，比起处理蛇妖这件事来，哪里值得称道呢。但世人多用它来称赞孔道辅，所以我也不能够省略掉它。墓志铭说：

孔道辅真是诚实啊，只追求他的方向。道路中有很多崎岖或平坦之处，他也不改变自己的方向。强权畏惧他，谗谄小人仇视他。在官位上年老而去世。他得到的宠幸和荣禄丰厚。正是因为上天喜欢正直的品质，是上天赐给他的好品质。我叙述他的行为，纳入墓志铭中，在幽冥中有个记录。

【题解】

这是一篇内容非常翔实的墓志铭，王安石细致而生动地记载了刘牧的办事能力，如请通登莱盐商、礼遇出使契丹的中贵人、用党羽推逐盗贼、并县里均徭役、议均江西茶税，体现了他“敏而敢为”的才能。但是墓主虽然先获赞于范仲淹，后赏识于宰相富弼，却生不逢时，几乎快老时才得到朝廷的重用。于是作者在铭文中发出“何畜之久而施之浅”的感慨。

荆湖北路转运判官尚书屯田郎中刘君[①]墓志铭并序

治平元年[②]五月六日，荆湖北路转运判官、尚书屯田郎中刘君年五十四以官卒[③]。三年，卜[④]十月某日，葬真州扬子县[⑤]蜀冈，而子洙以武宁章望之状[⑥]来求铭。噫[⑦]，余故人[⑧]也，为序而铭[⑨]焉。序曰：

君讳[⑩]牧，字先之，其先杭州临安县[⑪]人。君曾大父[⑫]讳彦琛，为吴越王[⑬]将，有功，刺衢州[⑭]，葬西安[⑮]，于是刘氏又为西安人。当太宗[⑯]时，尝求诸有功于吴越者录其后[⑰]，而君大父[⑱]讳仁祚辞以疾[⑲]，及君父讳知礼又不仕[⑳]，而乡人称为君子。后以君故，赠官至尚书职方郎中[㉑]。

君少则明敏[㉒]，年十六，求举进士不中，曰：“有司岂枉[㉓]我哉？”乃多买书，闭户治[㉔]之。及再举，遂为举首[㉕]。起家饶州军事推官[㉖]，与州将争[㉗]公事，为所挤[㉘]，几不

免[29]，及后将范文正公[30]至，君大喜曰：“此吾师也。”遂以为师。文正公亦数称[31]君，勉[32]以学。君论议仁恕[33]，急人之穷[34]，于财物无所顾计[35]，凡以慕文正公故[36]也。弋阳富人为客所诬[37]，将抵死[38]，君得实以告。文正公未甚[39]信，然以君故使吏杂治[40]之。居数日[41]，富人得不死，文正公由此愈[42]知君，任以事[43]。岁终[44]，将举京官[45]，君以让其同官有亲而老者，文正公为叹息许[46]之，曰：“吾不可以不成[47]君之善。”及文正公安抚河东[48]，乃始举君可治剧[49]，于是君为兖州观察推官[50]。又学《春秋》于孙复[51]，与石介[52]为友。州旱蝗[53]，奏便宜[54]十余事，其一事请通登、莱[55]盐商，至今以为赖[56]。改大理寺丞[57]，知大名府馆陶县[58]。中贵人随契丹使[59]，往来多扰县，君视遇[60]有理，人吏以无所苦。先是多盗，君用其党推逐[61]，有发辄得[62]，后遂无为盗者。诏集强壮刺其手为义勇[63]，多惶怖[64]不知所为，欲走[65]，君谕以诏意[66]，为言利害，皆就[67]刺，欣然[68]曰：“刘君不吾欺也。”留守称其能[69]，虽府事往往咨[70]君计策。用举者通判广信军[71]，以亲老不行[72]，通判建州[73]。当是时[74]，今河阳宰相富公以枢密副使使[75]河北，奏君掌机宜文字[76]。保州[77]兵士为乱，富公请君抚视[78]。君自长垣乘驿[79]至其城下，以三日，会富公罢出[80]，君乃之[81]建州。方并属县诸里[82]，均其徭役[83]，人大喜，而遭职方君丧以去[84]。通判青州[85]，又以母夫人丧罢[86]。又通判庐州[87]。朝廷弛茶榷[88]，以君使江西，议均其税，盖期年[89]而后反。客曰：“平生闻君敏而敢为[90]，今濡滞[91]若此，何故也？”君笑曰：“是固君之所能易[92]也，而我则不能。且是役[93]也，朝廷岂以为它[94],亦曰爱人而已。今不深知其利害而苟简以成[95]之,君虽以吾为敏,而人必有不胜其弊[96]者。”及奏事皆听[97],人果便[98]之。除广南西路转运判官[99]。于是修险厄[100],募丁壮[101],以减戍卒[102],徙仓便输[103],考摄官功次[104],绝其行赇[105]。居二年[106],凡利害无所不兴废[107],乃移荆湖北路[108],至,逾月[109]卒。家贫无以为丧,自棺椁[110]诸物,皆荆南士人为具[111]。

君娶江氏,生五男二女。男曰洙、沂、汶,为进士。洙以君故,试将作监主簿[112],余尚幼。初君为范、富二公所知,一时士大夫争誉其才[113],君亦慨然自以[114]当得意。已而迍邅[115]流落,抑没于庸人[116]之中。几[117]老矣,乃稍[118]出为世用。若将有以为也,而既[119]死。此爱君者所为恨惜,然士之赫赫为世所愿者可睹[120]矣。以君始终得丧相除[121],亦何负[122]彼之有哉? 铭曰:

嗟乎[123]刘君,宜[124]寿而显。何畜[125]之久,而施之浅[126]?虽或止之,亦或使之。唯其有命,故止于斯。

【注释】

①荆湖北路:今湖北省荆州市。转运判官:是转运史的属官,掌管一路军需粮饷的运输。尚书屯田郎中:宋代在尚书省工部设置屯田司,掌管屯田、营田、职田、学田和官庄的政令、租税等事。刘君:刘牧,字先之。 ②治平元年:即公元1064年。治平是北宋英宗赵曙的年号,从公元1064年至公元1067年,共4年。 ③以官卒:死在官任上。 ④卜:占卜选定日期和埋葬地点。 ⑤真州扬子县:今天的江苏省仪征市。 ⑥武宁:今江西省九江市武宁县。章望之:字表民,其实是建州浦城(今福建省南平市浦城县)人。状:行状。 ⑦噫(yī):文言叹词,表示感慨、叹息。 ⑧故人:旧交,老朋友。

⑨为：写，创作。序而铭：墓志铭一般由两部分组成，前一部分称为“序”或“志”，后一部分称为“铭”。 ⑩讳(huì)：避讳。 ⑪杭州临安县：今浙江省临安市。 ⑫曾大父：曾祖，祖父的父亲称为曾祖。 ⑬吴越王：指钱镠(liú)(852—932)，五代十国时吴越国的开创者。 ⑭刺衢州：任衢州刺史。
⑮西安：唐唐懿宗咸通年间将浙江信安县改名为西安县，属于衢州。 ⑯太宗：宋太宗赵光义(939—997)，字廷宜，宋朝的第二位皇帝。 ⑰录其后：记录封赏他们的后人。 ⑱大父：祖父。 ⑲辞以疾：用疾病的理由来推辞。
⑳仕：出仕，当官。 ㉑赠：皇帝为已死的官员及其亲属加封，也称作“特赠”。尚书职方郎中：尚书省兵部职方司的主官，负责收受各州的地图和图经等事。
㉒明敏：聪明敏捷。 ㉓有司：泛指官员。岂：岂能，难道。枉：冤枉。
㉔户：门户，门。治：指研读。 ㉕遂：于是，就。举首：指进士第一名。
㉖起家：初次入职，开始做官。饶州：治所在今天的江西省鄱阳县。军事推官：州府的幕职官，主要负责军事事务。 ㉗州将：州的将领。争：争论。
㉘挤：排挤。 ㉙几：几乎，差不多。不免：不能免于受难，即遭到不测。
㉚范文正公：范仲淹(989—1052)，字希文，宋吴县(今江苏省苏州市)人，宋真宗大中祥符八年(1015)进士，官至枢密副使、参知政事，谥号文正。 ㉛数：多次。称：称赞。 ㉜勉：勉励，劝勉。 ㉝仁恕：仁义宽恕。 ㉞急人之穷：为别人的穷困心急奔走。 ㉟顾计：顾惜考虑。 ㊱凡：凡是，都。以：因为。慕：仰慕。故：缘故。 ㊲弋(yì)阳：今江西省上饶市弋阳县。诬：诬陷。
㊳抵死：以死抵罪。 ㊴甚：非常，完全。 ㊵杂治：共同审理。 ㊶居数日：过了几天。 ㊷愈：更加。 ㊸任以事：将事情交给他处理。 ㊹岁终：年末。 ㊺举京官：推荐人进京做官。 ㊻许：允许，答应。 ㊼成：成全。
㊽安抚：任安抚史，唐代前期派大臣巡视经过战争或受灾地区，称为安抚使。后来逐渐成为各路负责军条治安的长官。河东：河东路，治所在今天的山西省太原市。 ㊾治剧：治理复杂繁难的事务。 ㊿兖(yǎn)州：治所在今天的山东省济宁市。观察推官：观察者佐吏，位次于判官、掌书记，负责狱讼之事。 51《春秋》：儒家经典之一，是孔子修订的关于春秋时鲁国的编年史，记

录从鲁隐公到鲁哀公，共计十二代君主，二百四十四年的历史。孙复：字明复(992—1057)，晋州平阳(今属山西省临汾市)人，以钻研《春秋》而闻名，曾讲学于泰山。 ㊷石介：字守道(1005—1045)，兖州奉符(今属山东省泰安市)人，宋仁宗天圣八年(1030)进士。官至国子监主讲，学者称他为徂徕先生。 ㊸旱蝗：大旱发生蝗虫灾害。 ㊹奏：上奏。便宜：方便，适宜。 ㊺通：指允许食盐贸易。登、莱：登州和莱州，治所分别位于今天山东省蓬莱市和莱州市。 ㊻赖：依赖，依靠。 ㊼大理寺丞：大理寺是中央掌管司法的机关，大理寺卿是长官，大理寺丞是副手，掌管讼狱和刑罚。 ㊽知大名府馆陶县：任馆陶县知县。 ㊾中贵人：指宦官。随契丹使：随同出使契丹。 ㊿视遇：看待，对待。 ⑥1党：党羽。推逐：追捕。 ⑥2有发辄得：有盗贼发生就马上抓到。 ⑥3诏：诏令。刺其手：在手上刺字，以防士兵逃跑。义勇：指北宋时的乡兵。 ⑥4惶怖：惶恐害怕。 ⑥5走：逃跑。 ⑥6谕(yù)：告诉，使人知道。诏意：诏书的意图。 ⑥7就：前往。 ⑥8欣然：愉快的样子。 ⑥9留守：北宋在西京河南府、南京应天府和北京大名府都置留守，一般用知府兼任，掌管守卫等事。称其能：称赞他的才能。 ⑦0咨：咨询。 ⑦1用举者：因为有人举荐。通判广信军：任广信军通判。 ⑦2亲老：双亲年老。不行：没有成行，指没有上任。 ⑦3建州：治所在今天的福建省建瓯市。 ⑦4当是时：在这个时候。 ⑦5河阳：今河南省孟州市。宰相富公：富弼(1004—1083)，字彦国，河南(今河南省洛阳市)人。至和二年(1055)任宰相。枢密副使：宋代用枢密院掌军国机务、兵防、边备、军马等政令，与中书门下分掌文武事宜，其长官为枢密使，枢密副使为副长官。 ⑦6机宜文字：经略安抚司有属官主管机宜文字，负责与军事有关的机密事件。 ⑦7保州：治所在今天的河北省保定市。 ⑦8抚视：安抚巡视。 ⑦9长垣(yuán)：治所在今天的河南省长垣县。乘驿(yì)：乘坐驿车。 ⑧0会：会逢，碰到。富公罢出：庆历五年(公元1045年)，富弼自河北返京途中，受到右正言钱明逸谗毁，便贬为郓州知州。 ⑧1之：到，去。 ⑧2方：正。并：合并。属县诸里：建州下属的县里。 ⑧3均：平均。徭役(yì)：古代官府向人民摊派的无偿劳动，包括力役、杂役和军役等。

㉞遭:碰到,遭遇。职方君:指刘牧的父亲刘知礼。去:离开,离去。 ㉟青州:治所在今天的山东省青岛市。 ㊱罢:去职,离职。 ㊲庐州:治所在今天的安徽省合肥市。 ㊳弛茶榷(què):解除卖茶专利。 ㊴期(jī)年:一整年。 ㊵敏而敢为:做事敏捷并且敢作敢为。 ㊶濡滞:延迟。 ㊷能易:能够改变。 ㊸是役(yì):指平均茶税。 ㊹岂以为它:难道会为了别的其他目的。 ㊺苟简:苟且简便。成:完成。 ㊻不胜其弊:不能承受的弊病。 ㊼听:听从,听取。 ㊽便:便利。 ㊾除:任命官职。广南西路:治所在今天的广西省桂林市。转运判官:是转运史的属官,掌管一路军需粮饷的运输。 ⑩⓪险厄:险要的地方。 ⑩①募:招募。丁壮:壮丁,即成年男子。 ⑩②戍(shù)卒:戍守的士兵。 ⑩③徙(xǐ)仓便输:迁移粮仓以便于运输。 ⑩④考:考核。摄官:非正式任命的暂时代理的官员。功次:功绩的大小、官阶升迁的先后顺序。 ⑩⑤绝:断绝。行赇(qiú):行贿。赇,贿赂。 ⑩⑥居二年:过了两年。 ⑩⑦利害无所不兴废:兴利废害。 ⑩⑧移:迁移,调动。荆湖北路:治所在今天的湖北省荆州市。 ⑩⑨逾(yú)月:超过一个月。 ⑪⓪棺椁(guǒ):棺材。椁,套在棺材外面的大棺材。 ⑪①具:具办,置办。 ⑪②试:试任,正式任命之前的一种任用。将作监主簿:宋代设将作临掌管祭祀所需要的牲畜、牌位、镇石、炷香等事,有判监事一人,主簿是其属官。 ⑪③争誉其才:争相赞誉他的才能。 ⑪④慨然:慷慨激昂的样子。自以:自己认为。 ⑪⑤已而:不久,后来。迍邅(zhūn zhān):处境艰难的样子。 ⑪⑥抑没:隐没。庸人:普通人。 ⑪⑦几:几乎,差不多。 ⑪⑧稍:稍稍,稍微。 ⑪⑨既:不久,随即。 ⑫⓪赫(hè)赫:显赫盛大的样子。愿:羡慕。睹(dǔ):看见。 ⑫①得丧:即得失。相除:相抵。 ⑫②负:辜负。 ⑫③嗟(jiē)乎:也写作"嗟呼",感叹词,相当于"唉"。 ⑫④宜:应该。 ⑫⑤畜:培育,积蓄。 ⑫⑥施之浅:指才能没有得到充分发挥。

【译文】

治平元年五月六日,荆湖北路转运判官、尚书屯田郎中刘君,五十四岁,死在官任上。治平三年,占卜选中十月某一吉日,葬在真州扬子县蜀冈。他的儿子刘洙拿着武宁章望的名状来求我作墓志铭。

唉，他是我的老朋友啊。于是为他写序，再作铭。序文说：

刘君名牧，字先之。他的祖先是杭州临安县人。刘君的曾祖父叫彦琛，是吴越国王的将领，立有战功，任衢州刺史，死后葬在西安，于是刘家又变成了西安人。在太宗朝时，朝廷曾经访求对吴越国有功的人，要封赏他们的后人，但是刘君祖父仁祚，用疾病的理由来推辞。到了刘君的父亲刘知礼，也不做官，但是乡里人称他为君子。后来因为刘君的缘故，追赠官至尚书职方郎中。

刘君年少时就聪明敏捷，十六岁时，考进士，没有中举，他说："有司难道会冤枉我吗？"于是又买了很多书，闭门研读。等到第二次参加进士考试，成为第一名。初次入职做饶州军事推官，和饶州的将领为公事争论，遭到排挤，几乎快命陷不测。等到后来的州将范文正公（范仲淹）到来，刘君大喜，说："这是我的老师。"于是拜他为师。文正公也多次称赞刘君，勉励他好好学习。刘君议论仁义宽恕，为别人的穷困心急奔走，对财物也没有什么顾惜考虑，这些都是因为仰慕文正公的缘故。弋阳县有个富人被客人诬陷，将要以死抵罪，刘君查得这个案件的实际情况，告诉给了文正公。文正公没有完全相信，但是因为刘君的原因，让下属再去审理这个案件。过了几天，富人得以不死。文正公由这件事而更加知遇刘君，把很多事交给他处理。年末，要推荐进京做官之人，刘君把这种机会让给同僚中的父母年纪大了的人。文正公为他叹息而答应他，说："我不能不成全你的善行。"

等到范文正公去河东任安抚使，于是开始举荐刘君能够治理复杂繁难的事务，于是刘君就做了兖州观察推官。他又向孙复学习《春秋》，与石介交朋友。兖州大旱发生蝗虫灾害，他奏请有利于国家并且合乎时宜的建议有十多条。其中一件事就是请求允许登州、莱州盐务自由贸易，这至今仍然是兖州财政的依靠。后来他改任大理寺丞，任大名府馆陶县知县。宫中的宦官随同使节到契丹去，往来反复之间，经常惊扰馆陶县，刘君接待礼遇有理有据，所以百姓吏属没有受什么苦。刚开始县里有很多盗贼，刘君采用盗贼的党羽来追捕他们，有盗贼出现就马上抓到，以后就再也没有做盗贼的人了。皇帝下诏令召集强壮之人，在他们手上刺字做乡兵，这些人都感到惶恐害怕，不知要干什么，想逃跑，刘君告诉他们诏书的意图，为他们分析其中的利害关系，人们都前往接受刺字，愉快地说："刘君是不会欺骗我们的。"留守赞许他的办事才能，即便是府中的公事往往也向刘君咨询计策。有人举荐他做广信军的通判，却因为双亲年老而没有做成，改做建州通判。

那个时候，现在的河阳宰相富公以枢密副使的身份出使黄河以北，奏请刘君掌管机密文书。保州的兵士作乱，富公请刘君安抚巡视。刘君从长垣乘驿马直达保州城下，用三天时间就安定了兵士。适逢富公被罢免出朝，刘君就来到建州。方才合并下属各县各乡，平均各地徭役。百姓都非常高兴，刘君却因父亲职方君的丧事变故而离开官位。后做青州通判，又因母亲的丧事而离职。后又做庐州通判。朝廷茶税松弛，所以让刘君出使江西，商议要平均摊派茶税，预计期满一年后才能回去。有人说道："平生听人说你做事敏捷并且敢作敢为，现在却延迟到如此程度，是什么原因呢？"刘君笑着说："你当然能够很容易办到，而我却不能。况且这种徭役，朝廷难道会为了别的其他目的么，也就是为了爱护百姓罢了。现在如果不深入了解其中的利害关系，苟且简便地完成它，虽然你会认为我敏捷，可百姓一定会有不能承受的弊病。"等到上奏此事，都听从施行，人们果然因此而得到便利。后他又移官广南西路转运判官，于是他修建险要的地方，募集壮汉，以减少戍守的士兵，迁移粮仓以便于运输，考核官员的功绩大小和升迁顺序，断绝他们的行贿之路。过了两年，所有有利的事都兴办起来，有弊的事都废止了。于是又移官到荆湖北路，上任一个月就死了。他家里贫苦没有钱办理丧事，棺椁等各种物品都是荆南士人为他置办的。

刘君娶妻江氏，生了五个儿子和两个女儿。男孩洙、沂、汶，都是进士。刘洙因为刘君的原因，考试将做监主簿，其他的孩子都还小。当初，刘君被范、富二公所赏识，一时士大夫都争相赞誉他的才能，刘君也慷慨激昂地认为以后会官场得意。不久后他却处境艰难，隐没于普通人之中。几乎快老了，才稍稍被提拔为世所用，好像将要有所作为了，却随即又死了。这是爱惜刘君的人最为他感到痛恨可惜的，然而士人中那些地位显赫被世人所羡慕的却可以看到。由于刘君从始至终得失相抵，又有何辜负他所拥有的呢？墓志铭说：

唉，刘君！应该长寿且显赫。为什么培育他那么长时间，而才能没有得到充分发挥呢？虽然有人阻止他，但也有人使用他。只因为天命，所以停止在这里。

【题解】

王安石给苏安世所作的墓志铭，开篇详写他为被中贵人所诬的欧阳修进言，令皇上醒悟，使他幸免于难，既强调了对欧阳修的帮助，又体现了他忠正又敢于直言的品质。随后又通过写他以一骑出于谋划叛乱的戍卒间而保全戍卒与陕人、上书进言赦免逃亡而归的士兵和钩治坊州税赋而为里正解忧三件事来刻画他“仁与智”的形象。虽然墓主五年之间六次迁徙，辗转多达万里，可他却“其心恬然，无有怨悔”，从中可以看出王安石对他的钦佩。

广西转运使苏君[①]墓志铭

庆历五年[②]，河北都转运使、龙图阁直学士信都欧阳修[③]，以言事切直[④]，为权贵人[⑤]所怒，因其孤甥女子[⑥]有狱，诬以奸利[⑦]事，天子使三司户部判官、太常博士武功苏君与中贵人杂治[⑧]。当是时，权贵人连内外诸怨恶[⑨]修者，为恶言欲倾修锐甚[⑩]，天下汹汹[⑪]，必修不能自脱[⑫]。苏君卒白[⑬]上曰：“修无罪，言者诬之耳[⑭]。”于是权贵人大怒，诬君以不直[⑮]，绌使为殿中丞、泰州监税[⑯]。然天子遂寤[⑰]，言者不得意[⑱]，而修等皆无恙[⑲]，苏君以此名闻天下。嗟乎[⑳]，以忠为不忠，而诛不当[㉑]于有罪，人主之大戒[㉒]。然古之陷此者相随属[㉓]，以有左右之谗[㉓]，而无如苏君之救，是以卒至于败亡而不寤。然则苏君一动[㉔]，其功于天下，岂小也哉？苏君既出逐[㉕]，权贵人更用事[㉖]，凡五年之间再赦而君六徙[㉗]，东西南北，水陆奔走辄[㉘]万里。其心

恬然[29]，无有怨悔。遇事强果[30]，未尝少屈[31]。盖孔子所谓刚者[32]，殆[33]苏君乎？

苏君之仁与智，又有足称[34]者。尝通判陕府[35]，当[36]葛怀敏之败，边告急[37]，枢密使取道路戍还之卒[38]，再戍仪、渭[39]。于是延州[40]还者千人至陕，闻再戍，大恐，即讙聚谋为变[41]。吏白[42]闭城，城中无一人敢出。君徐以一骑[43]出卒间，谕慰止[44]之，而以便宜[45]还使者。戍卒喜曰："微[46]苏君，吾不得生[47]。"陕人亦曰："微苏君，吾其掠死[48]矣。"有令刺[49]陕西之民以为兵，敢亡[50]者死。既而亡者得[51]，有司治[52]之以死，君辄纵去[53]，而言上曰："令民以死者，为事不集[54]也。事集矣，亡者犹不赦[55]，恐其众相聚[56]而为盗。惟朝廷幸哀怜愚民[57]，使得自反[58]。"天子以君言为然[59]，而三十州之亡者皆不死。其后知坊州[60]，州税赋之无归[61]者，里正代为之输[62]，岁弊大家数十[63]，君悉钩治[64]，使归其主。坊人不忧[65]为里正，自苏君始也。

苏君讳[66]安世，字梦得。其先武功人，后徙蜀[67]。蜀亡，归家于京师[68]，今为开封人也。曾大考[69]讳进之，率府[70]副率。大考[71]讳继，殿直[72]。考讳咸熙，赠都官郎中[73]。君以进士起家[74]三十二年，其卒年五十九。为广西转运使，而官止于尚书屯田员外郎[75]者，以君十五年不求磨勘[76]也。君娶南阳[77]郭氏，又娶清河[78]张氏，为清河县君[79]。子四人，台文，永州推官[80]。祥文，太庙斋郎[81]。炳文，试将作监主簿[82]。彦文，未仕[83]。女子五人，适进士会稽[84]江崧、单州鱼台县尉江山[85]赵扬，三人尚幼。君既卒之三年，嘉祐二年[86]十月庚午，其子葬君扬州之江都[87]东

兴宁乡马坊村，而太常博士、知常州军州事临川王某[88]为铭曰：

皇有四极[89]，周绥[90]以福，使维苏君，奠我南服[91]。亢亢[92]苏君，不圆其方[93]，不晦[94]其明，君子之刚。其枉在人[95]，我得吾直，谁怼谁愠[96]，祗[97]天之役。日月有丘，其下冥冥[98]，昭[99]君无穷，安石之铭。

【注释】

①广西：即广南西路，治所在今天的广西省桂林市。苏君：苏安世，字梦得。 ②庆历五年：即公元1045年。庆历是北宋仁宗赵祯使用过的第六个年号，从1041年至1048年，共计八年。 ③河北：河北路，大致相当于今天河北全境，以及河南、山东黄河以北之地，治所在魏州，即今河北大名东北。都转运使：转运使中职位高者称为“都转运使”。龙图阁直学士：龙图阁专门收藏皇家的书籍和图画等，设学士、直学士、待制和直龙图阁等职。信都：今河北省冀州市。欧阳修：字永叔(1007－1072)，号醉翁、六一居士，宋吉州永丰(今江西省吉安市永丰县)人，谥号文忠，世称欧阳文忠公。“唐宋八大家”之一。 ④切直：恳切率直。 ⑤权贵人：当权的贵人。 ⑥孤甥女子：欧阳修的妹妹嫁给张龟正，死后没有子女。而前妻有女张氏，后嫁给欧阳修族兄子欧阳晟。 ⑦诬：诬陷。奸利：非法谋取利益，这里指帮助外甥女。 ⑧三司户部判官：宋代用三司(盐铁司、度支司、户部司)管理国家财政，户部掌管全国户口和税收，户部判官是它的属官。太常博士：宋代职官名，属于太常寺，主管礼仪。武功：今陕西省咸阳市武功县。中贵人：指宦官。杂治：共同审理。 ⑨诸：众，各个。恶：憎恶，讨厌。 ⑩倾：倾覆。锐甚：非常尖锐。⑪汹(xiōng)汹：吵闹不休的样子。 ⑫必：肯定，必然。自脱：自我逃脱。⑬卒：最后。白：告白，讲明。 ⑭耳：而已，罢了。 ⑮直：公正，合理。⑯绌(chù)：通“黜”，贬退。殿中丞：唐代改殿内省为殿中省，殿中丞是其属官，掌管郊祀用具等杂物掌管郊祀用具等杂物，宋代是寄禄官。泰州：治所在

今天的江苏省泰州市。监税：掌管税务的小官。 ⑰遂：于是，就。寤(wù)：同“悟”，醒悟。 ⑱不得意：没有如愿。 ⑲无恙(yàng)：平安无事。恙，病。 ⑳嗟(jiē)乎：也写作“嗟呼”，感叹词，相当于“唉”。 ㉑诛：责罚，罪责。不当：不恰当。 ㉒戒：警戒。 ㉓陷：沦陷，陷入。随属：接连。 ㉓谗(chán)：说他人坏话。 ㉔动：举动。 ㉕出逐：被贬出京城。 ㉖更用事：更相掌握了大权。 ㉗徙(xǐ)：迁徙，迁移。 ㉘辄(zhé)：则，有。 ㉙恬(tián)然：坦然，安然。 ㉚遇：对待，处理。强果：刚强果敢。 ㉛未尝：未曾，没有。少屈：稍稍屈服。 ㉜盖孔子所谓刚者：《论语·公冶长》：“子曰：‘吾未见刚者。’或对曰：‘申枨。’子曰：‘枨也欲，焉得刚。’” ㉝殆(dài)：大概。 ㉞足称：值得称道。 ㉟尝：曾经。通判陕府：任陕府的通判。㊱当：碰到。 ㊲边：边境。告急：报告事情紧急，并请求援助。 ㊳枢密使：掌管接受表奏以及向中书门人传达皇帝的命令。戍(shù)还之卒：任期已满由边境还家的士兵。 ㊴仪、渭：仪州和谓州，治所分别在今天的甘肃华亭县和平凉县。 ㊵延州：治所在今天的陕西省延安市。 ㊶讙：通“喧”，吵闹，喧哗。聚谋为变：聚集到一起谋划发动兵变。 ㊷白：告白，这里指建议。㊸徐：缓缓，从容。骑：马。 ㊹谕(yù)：告诉，使人明白。慰：安慰。止：阻止。 ㊺便宜：方便，适宜。这里指合乎形势的处理方式。 ㊻微：无，非。㊼生：生存，活命。 ㊽掠死：被劫掠而死。 ㊾刺：在手上或脸上刺字，以防逃跑。 ㊿亡：逃亡，逃跑。 51既而：后来，不久。得：指被抓到。 52有司：泛指官员。治：审判。 53纵去：放纵他，让他离去，指放走。 54集：成功，成就。 55赦：赦免。 56相聚：相继。 57愚民：愚昧的百姓。 58自反：自己改正过失。 59然：正确，对。 60知：主管，任知州。坊州：治所在今天的陕西省黄陵县。 61税赋：田赋及各种捐税的总称。归：归属，着落。62里正：古代里一级的长官，主要负责户口和纳税。输：交纳。 63岁弊(bì)大家数十：每年导致数十家大户破产。弊，败，疲困。大家，有钱的人家。64悉：详尽。钩治：查核处治。 65忧：害怕，担心。 66讳(huì)：避讳。67蜀：五代十国时的后蜀，在公元934年由孟知祥建立，公元965年被北宋灭亡。　⑥⑧京师：北宋的都城汴梁，今河南开封。　⑥⑨曾大考：即曾祖父。⑦⓪率府：太子的属官，掌管东宫的兵仗、仪卫、门禁等事。　⑦①大考：即祖父。⑦②殿直：皇帝的侍从官，有左班殿直和右班殿直。　⑦③赠：皇帝为已死的官员及其亲属加封，也称作“特赠”。都官郎中：尚书省刑部都官司的主官。⑦④起家：初次入职，开始做官。　⑦⑤尚书屯田员外郎：宋代在尚书省工部设置屯田司，掌管屯田、营田、职田、学田和官庄的政令、租税等事。长官为屯田郎中，副长官为屯田员外郎。　⑦⑥磨勘：唐宋时期官员考绩升迁的一种制度。⑦⑦南阳：今河南省南阳市。　⑦⑧清河：今河北省邢台市清河区。　⑦⑨县君：古代对妇人的封号。　⑧⓪永州：治所在今天湖南省零陵县。推官：州府的幕职官，主要负责军事事务。　⑧①太庙斋郎：多为朝中官员的子弟荫补的官职，属太常寺，负责太庙的祭祀。　⑧②试：试任，正式任命之前的一种任用。将作监主簿：宋代设将作临掌管祭祀所需要的牲畜、牌位、镇石、炷香等事，有判监事一人，主簿是其属官。　⑧③仕：出仕，做官。　⑧④适：嫁。会稽：今浙江省绍兴市。　⑧⑤单州鱼台县：今山东省济宁市鱼台县。尉：县尉，位在县令之下，主管军事和治安。江山：今浙江省江山市。　⑧⑥嘉祐二年：即公元 1057 年。嘉祐是北宋仁宗赵祯使用过的第九个也是最后一个年号，从 1056 年至 1063 年，共计八年。　⑧⑦扬州之江都：今江苏省扬州市江都区。　⑧⑧知常州军州事：任常州知州。军州：宋代在军事要冲设立军，与州同级，被称为军州。临川：今江西省抚州市临川区。王某：即王安石。　⑧⑨皇：上天。四极：四方。⑨⓪周：四周。绥（suí）：安抚。　⑨①奠：定，安定。南服：南方。　⑨②亢亢：无所卑屈的样子。　⑨③不圆其方：不肯磨圆自己的方正。　⑨④晦（huì）：掩蔽，隐晦。　⑨⑤其枉在人：委曲求全的是别人。　⑨⑥怼（duì）：怨恨。愠（yùn）：怨恨。　⑨⑦祗（zhī）：恭敬。　⑨⑧冥冥：不明亮的样子。　⑨⑨昭：照亮。

【译文】

庆历五年，河北路都转运使、龙图阁直学士、信都人欧阳修因为奏议国事恳切率直，被当权的贵人怨恨。因为他的外甥女在坐牢，就诬陷欧阳修违法帮助她。天子派三司户部判官、太常博士、武功人苏君和宦官共同审理。就在这个时候,权贵们联合朝廷内外那些怨恨憎恶欧阳修的人,编造谣言想倾覆欧阳修,言辞非常尖锐。所有人吵闹不休,大都觉得欧阳修这次肯定不能逃脱。苏君最后向皇上讲明,说:"欧阳修没有罪,是检举的人诬告他罢了。"于是当权的人大怒,诬蔑苏君不公正合理,把他贬为殿中丞、泰州监税。然而天子还是醒悟了,言事的人没有如愿,欧阳修等人也都没事。苏君因为这件事而名闻天下。唉!把忠贞的人当成不忠的,对有罪的惩罚又不恰当,这是君主要大力警戒的。可是古代陷入这种情况的事情接连不断,因为身边的人进谗言,却没有像苏君这样的人来补救,于是终于到了失败灭亡的地步还没明白过来。这么说来,苏君这一举动对于天下来说,难道说是小事吗?苏君被贬出京城之后,那些当权的人更是掌握了大权,五年之内总共有两次赦免和六次迁徙,从东至西,由南到北,水上陆路奔波上万里。但苏君的内心坦然,没有怨言和悔恨。他处理事情刚强果敢,未曾稍有屈服。大概孔子所说的刚毅之人,就是像苏君这样的吧。

苏君的仁义与智慧,还有值得称道的。他曾经担任陕府通判,适逢葛怀敏打了败仗,边境告急,枢密使让征用任期已满由边境还家尚在路边的士兵重新驻守仪渭一带。那个时候延州回防的人到了陕府听说又要重新驻边,有很大的怨气,当即喧哗起来,聚集到一起谋划发动兵变。官员建议关闭城门,城里没有一个人敢出去。苏君从容地一个人骑着马出城来到士卒中间,劝告抚慰制止了他们,并且采取适当的方法回去报告使者。守边的士兵们最后高兴地说:"没有苏君,我们都不可能活命。"陕府的人说:"没有苏君,我们大概就要被劫掠而死了。"朝廷曾下令在陕西的百姓身上刺字来招募士兵,如有打了败仗逃跑的人就判死刑。后来逃跑的人被抓到,主管的官员判他们死罪，而苏君却马上放走他们，向皇上说："用死刑来命令百姓，是因为事情办不好。现在事情已经成功解决了，可是逃跑的人还得不到赦免，恐怕那些人会相继成为盗贼。希望朝廷能够哀悯怜恤愚昧的百姓，使他们能够自己改正过失。"天子认为苏君的话是对的，所以三十个州县逃亡的人都没有被处死。这之后苏君任坊州知府，州里的税赋没有着落的，里正要替他们缴纳，每年令数十家大户破产。苏君详尽地查核处治，使税赋各归其主。坊州人不再害怕担任里正，是从苏君开始的。

苏君名叫安世，字梦得。他的祖先是武功人，后来迁移到蜀国，蜀国灭亡，回到了京城。现在是开封人。曾祖父名叫进之，担任过率府副率。祖父名继，做过殿直。父亲名叫成熙，追赠为都官郎中。苏君从中进士开始为官，做了三十二年。他去世时五十九岁，当时任到广西转运使，可是官衔仅停留在尚书屯田员外郎，是因为他十五年来在评定政绩时不求钻营。苏君娶南阳郭氏，后来又娶了清河张氏，张氏被封为清河县君。儿子四人：台文，担任永州推官；祥文，担任太庙斋郎；炳文，试任将作监主簿；彦文，没有出仕做官。女儿五人，一个嫁给了进士，即会稽人江崧，另一个嫁给了鱼台县尉江山人赵扬，另外三个还年小。苏君去世之后的第三年，嘉祐二年十月庚午，他的儿子把他葬在扬州的江都东兴宁乡马坊村。太常博士兼管常州军州事务，临川人王安石为他作铭文：

上天拥有四方广大的土地，用福祉安抚四周，派任苏君，安定我们的南疆。无所卑屈的苏君，不肯磨圆自己的方正，不肯隐晦自己的光明，真是刚毅的君子。委曲求全的是别人，我只愿正直不阿，不管谁怨恨谁气恼，只敬奉上天派给我的差事。太阳月亮上有山丘，所以下面会有幽暗无际的阴影，能照亮至无穷尽的，是王安石所作的墓志铭。

【题解】

墓主的儿子胡舜元是王安石的旧友。胡舜元的父亲去世后，他放下丧礼，跋山涉水，不远万里来到鄞县请求作者写墓志铭。胡舜元的孝心和诚心令人感动。王安石在这篇文章中虽然说“取吾所素知者为之志而铭之”，可是我们现在所看到的却非常简略，除了记叙写作缘起外，基本没有关于墓主生平事迹的记载。

胡君[1]墓志铭

王某之治鄞[2]三月，其故人胡舜元凶服[3]立于门。揖入问吊[4]故，则丧其父五月，留而馆[5]，意独怪[6]其来之早也。居数月[7]，语吾弟曰：“吾释父之殡[8]，跋山浮江[9]，从子之兄于海旁[10]，愿有谒[11]也久矣，不敢以言。吾亲之生[12]，我学于四方，不得所欲以养[13]。今已不幸卒也，得子之兄志而铭之[14]，藏之墓中，可以显于今世以传于后，虽吾小人，与荣[15]焉，无悔焉。不知子之兄可不可?”吾弟以告，予叹曰：“审如是[16]，可以为孝。君子固成[17]人之孝，而吾与之又旧，其何顾而辞耶[18]?”取吾所素[19]知者为之志而铭之。

志曰：君讳[20]某，池之铜陵[21]人。生于丁丑[22]，兴国之年也；卒于丁亥，是为庆历七年[23]。子七人。某以十月葬君于谷垂山。胡氏世大家，阖[24]门数百人。君有子舜元，独招里[25]先生教之为士。其卒也，族分而赀衰[26]，舜元为善士。

铭曰:寿七十一,不为不多。吾与之铭,千古不磨㉗。

【注释】

①胡君:人名和生平事迹不详。 ②王某之治鄞:王安石于北宋仁宗庆历七年(1047)任鄞县知县。鄞,鄞县,即今天的浙江宁波。 ③故人:旧友,老朋友。胡舜元:胡舜元,字叔才,少年与王安石是同窗,后官至著作郎。凶服:丧服。 ④揖:古代的拱手礼。吊:祭奠死者。 ⑤馆:居住。 ⑥意:意料,猜测。独怪:独自奇怪。 ⑦居数月:过了几个月。 ⑧释:放下,搁置。殡(bìn):停放灵柩或把灵柩送到墓地去。 ⑨跋(bá):翻山越岭。浮:飘浮,这里指渡过。 ⑩从:跟从,随从。子:对对方的敬称,相当于"你"。海旁:鄞县在东海边上,所以称为"海旁"。 ⑪谒(yè):拜见。 ⑫吾亲:指胡舜元的父亲。生:活着的时候。 ⑬不得所欲以养:没有实现侍养他的愿望。⑭志而铭之:即墓志铭,墓志铭一般由两部分组成,前一部分称为"序"或"志",多用散文形式撰写墓主的生平。后一部分称为"铭",用韵文写成,主要是概括全篇,并对墓主进行评价。 ⑮与荣:感到光荣。与,参与。 ⑯审:确实,果真。如是:像这样。 ⑰固:固然,本来。成:成全。 ⑱顾:顾虑。辞:推辞。耶(yé):文言语气助词,用于句末,表示反问。 ⑲素:平时,向来。⑳讳(huì):避讳。 ㉑池:池州,治所在今天的安徽省池州市贵池区。铜陵:今安徽省铜陵市。 ㉒丁丑:太平兴国二年,即977年。 ㉓丁亥,是为庆历七年:即公元1047年。庆历是北宋仁宗赵祯使用过的第六个年号,从1041年至1048年,共计八年。 ㉔阖(hé):全,总共。 ㉕里:乡里。古代二十五家为一里。 ㉖族分而贵衰(cuī):同族人根据血缘关系的远近而分别穿斩衰、齐衰、大功、小功、缌麻五种等级的丧服。 ㉗磨:磨灭。

【译文】

王安石任鄞县知县三个月的时候,他的旧友胡舜元穿着丧服站在他门前。作揖让他进门,询问起他吊丧的缘故,原来是父亲离世五个月。留他住下,心里独自奇怪他来得那么早。又过了几个月,他对我的弟弟说："我搁置父亲殡礼，跋山涉水，跟着你的兄长到海边，希望拜见他已很久了，不敢把这件事跟他说。我父亲活着的时候，我四方游学，没有实现侍养他的愿望。现在很不幸他已经过世了，假使能得到你的兄长为他写墓志铭，埋藏于墓中，可以名显于今世而流传后代，即使我这样卑微的小人也都会感到光荣，我就没有什么遗憾了。不知你的兄长同不同意？"我弟弟把他的话告诉我。我叹息说："如果确实是这样的话，可以认为是孝顺了。君子本来就应该成全别人的孝道，而我与他又是旧相识，为何顾虑而推辞呢？"就立刻选取我素昔所了解到的事迹写了这篇墓志，刻石为铭。

墓志说：他名叫某某，是池州铜陵人。生于兴国丁丑年，死于庆历丁亥七年。有七个儿子。某某在十月把父亲葬在谷垂山。胡氏是世族大家，全族有几百人。父亲有个儿子叫舜元，单独为他招请当地的先生教他，使他成士大夫。父亲死后，家族分裂，财产衰败。舜元是一个品行高尚的人。

铭文说：寿命至七十一岁，不可以说不算多。我为他作墓志铭，希望千百年也不磨灭。

【题解】

墓主常秩是王安石的好友，曾支持王安石变法。常秩仕途较短，可以记载的政绩不多，所以作者巧妙地避开这一点，全篇没有写他的一件实事，只是用“使莅谏职”和“使董学政”加以概括。王安石重点介绍他的德行：学不期言、行不期闻，违俗适己、独行特起。

宝文阁待制常公墓表[1]

右正言、宝文阁待制、特赠右谏议大夫汝阴[2]常公，以熙宁十年[3]二月己酉卒，以五月壬申葬。临川王某志其墓[4]曰：

公学不期言[5]也，正其行而已；行不期闻也，信[6]其义而已。所不取也，可使贪者矜[7]焉，而非雕斫以为廉[8]；所不为也，可使弱者立焉，而非矫抗[9]以为勇。官之而不事[10]，召之而不赴[11]，或曰：“必退者[12]也，终此而已矣。”及为今天子所礼[13]，则出而应[14]焉。于是天子悦其至，虚己[15]而问焉。使莅谏职[16]，以观其迪己[17]也；使董学政[18]，以观其造士[19]也。公所言乎上者无传[20]，然皆知其忠而不阿[21]；所施乎下者无助，然皆见其正而不苟[22]。

《诗》曰“胡[23]不万年”，惜乎既病而归死也。自周道隐[24]，观学者所取舍，大抵时所好[25]也。违俗而适己[26]，独行而特起[27]，呜呼，公贤远矣。传载公久，莫如以石。石可磨[28]也，亦可泐[29]也，谓公且[30]朽，不可得也。

【注释】

①宝文阁：宋宫殿名，在天章阁北边，原名寿昌阁，后改此名，用来贮藏宋仁宗的遗书。待制：宋代在各个殿阁设学士、直学士、待制等职，用来负责校书。常公：常秩(1019—1077)，字夷甫。墓表：即墓碑，大多竖立于墓前或墓道内，以来表彰死者，所以称为“墓表”。 ②右正言：唐代设有左右拾遗，宋初改为左右正言，分别隶属门下省和中书省，主要掌握规谏讽喻之事。特赠：皇帝为已死的官员及其亲属加封。右谏议大夫：谏官名，与左谏议大夫相对，右谏议大夫隶属中书省，左谏议大夫隶属门下省。汝阴：今安徽省阜阳市。③熙宁十年：即公元 1077 年。熙宁是北宋神宗赵顼的第一个年号，从公元 1068 年至公元 1077 年，共十年。 ④临川王某：王安石，临川(今江西省抚州市临川区)人。志其墓：即写墓志铭。志，记。 ⑤期：期待，期望。言：立言，即著书立说。 ⑥信：通“伸”，伸张。 ⑦矜(jīn)：庄重，拘谨。 ⑧雕斫(zhuó)：即“雕琢”，比喻粉饰。廉：廉洁。 ⑨矫抗：故意与众人不同而显得高尚。 ⑩官之而不事：任命官职他不去做。 ⑪赴：前往。 ⑫退者：隐退的人。 ⑬礼：礼遇。 ⑭应：答应。 ⑮虚己：虚心。 ⑯莅(lì)：到。谏职：即上文的右正言一职。 ⑰迪己：启迪、引导自己。 ⑱董：管理。学政：据《续资治通鉴长编》记载，熙宁四年(公元 1072 年)，常秩管勾国子监。⑲造士：培养人才。 ⑳无传：没有流传下来。 ㉑阿(ē)：迎合。 ㉒苟：苟且，随便。 ㉓胡：为什么。 ㉔周道：周朝的道义。隐：隐藏，沦丧。 ㉕大抵：大概。时所好：时代的喜好。 ㉖违俗：违背风俗。适己：满足自己，即按照自己的意志行事。 ㉗特起：挺出，卓越。 ㉘磨：磨灭。 ㉙泐(lè)：裂开。 ㉚且：将要。

【译文】

右正言、宝文阁待制、特赠右谏议大夫汝阴常公，在熙宁十年二月己酉日去世，五月壬申日安葬。临川王安石为他作墓志铭：

常公学习并非是期望将来能够著书立说，只是为了修正自己的行为；修正行为也并非是期望出名，只是为了伸张道义而已。他有所不取，可以让贪婪的人变得拘谨，而这并不是他故意雕琢自己，让自己显得廉洁；他有所不为，可以使那些懦弱的人自然起来，而这并不是他故意显得与众不同，让自己显得很英勇。任命官职他不去做，召见他也不去，有人说："他一定是想退隐，终身都这样。"但等到他受到天子的礼遇，马上就应召出仕。天子因他的到来很高兴，虚心地询问他，让他出任谏官，以观看他能否启迪、引导自己；又让他主管学政，以观看他能否培养人才。他对皇上的进言没有流传下来，但大家都知道他忠贞不阿；他对下推行的措施得不到别人的辅助，但大家都看到他的公正、一丝不苟。

《诗经》上说："为什么不能长命百岁呢？"可惜他马上得病，回家后就去世了。自从周代的德义沦丧以后，我看当今学者们的取舍，大概都是根据时代的喜好。只有常公违背风俗，按照自己的意志行事，行为独特、与众不同。唉！常公的贤德远远超过别人。能让常公的事迹长久流传于世的，没有什么能比得上在石头上铭刻了。石头可能会磨灭，也可能裂开残缺，但如果说常公的名节会腐朽，却是不可能的。

【题解】

墓主吴蕃是王安石的舅舅，可是这篇墓志铭写得比较简短，丝毫没有夸饰的成分。作者说吴蕃“和易罕言，外如其中，言未尝及人过失”、“读书甚众，尤好古而学其辞。其辞又能尽其议论”，都是公正的言论。而“四以进士试于有司，而卒困于无所就”则表达了对他不被知遇的感叹。后文又继续发论，虽然吴蕃没有俸禄以行其意，用来祭祖先、养父母和遗子孙，但是在王安石看来，作为学者的他，只要尽性知命，便不用感到悲哀。本书还收有《〈灵谷诗〉序》，是王安石给吴蕃的诗集《灵谷诗》作的序。

金溪吴君[1]墓志铭

君和易罕言[2]，外如其中[3]，言未尝极[4]人过失。至论前世善恶，其国家存亡治乱成败所繇[5]，甚可[6]听也。尝[7]所读书甚众，尤好古而学其辞[8]，其辞又能尽其议论。年四十三，四以进士试于有司[9]，而卒困于无所就[10]。其葬也，以皇祐六年[11]某月日，抚州之金溪县归德乡石廪之原[12]，在其舍[13]南五里。当是时，君母夫人既[14]老，而子世隆、世范皆尚幼。三女子，其一卒，其二未嫁云[15]。呜呼，以君之有[16]，与夫世之贵富而名闻天下者计[17]焉，其独慊彼耶[18]？然而不得禄以行其意[19]，以祭以养[20]，以遗[21]其子孙以卒，此其士友之所以悲也。夫学者将以尽其性[22]，尽性而命可知也。知命矣，于君之不得意，其又何悲耶？铭曰：

蕃君名，字彦弼，氏吴其先自姬出[23]。以儒起家世冕黻[24]，独成之难幽以折，厥铭维甥订君实[25]。

【注释】

①金溪：今江西省抚州市金溪县。吴君：吴蕃，字彦弼。 ②和易：温和平易。罕言：少言。 ③外如其中：外表和内心如一。 ④极："极"字应该写作"及"，涉及，谈及。 ⑤繇(yóu)：同"由"，缘由。 ⑥甚：非常，很。可：可以，值得。 ⑦尝：曾经。 ⑧尤(yóu)：尤其，格外。辞：文辞，辞章。 ⑨四：四次。试：考试，考核。以进士试于有司：以进士的身份在有关部门应试。有司，古代设官分职，各有专司，所以称作有司，后泛指官员。 ⑩卒：最终。困：困顿，困厄。就：成就。 ⑪皇祐六年：即公元1054年。皇祐是北宋仁宗赵祯使用过的第三个年号，从公元1049至公元1054年，共计六年。 ⑫抚州：今江西省抚州市。原：平坦之处。 ⑬舍：房舍，房屋。 ⑭母夫人：母亲。既：已经。 ⑮云：表示有所省略。 ⑯有：拥有的东西。 ⑰计：比较。 ⑱慊(qiàn)：不满，怨恨。彼：他们。耶(yé)：文言语气助词，用于句末，表示反问。 ⑲禄：俸禄。行其意：实现他的意愿。 ⑳以：来，用以。祭：祭祀。养：奉养。 ㉑遗：遗留(财产)。 ㉒尽其性：发挥他们的天性。 ㉓氏：姓氏。其先自姬出：周太王长子吴太伯封于吴，子孙遂以吴为氏。而周人本姓姬，所以说吴氏出自姬姓。 ㉔起家：开始做官。世：世代。冕(miǎn)：君王和大臣所戴的礼帽。黻(fú)：古代礼服上黑与青相间的花纹。 ㉕厥(jué)：代词，其。维：是。甥：吴蕃是王安石的舅舅，所以这里称"甥"。订：考订。君实：王安石，字君实。

【译文】

吴君温和平易少言，外表和内心如一，言谈从未说及他人过失。至于论及前代的善恶好坏，以及国家存亡治乱成败的缘由，很值得一听。曾经读过的书非常多，尤其喜爱古人而学习他们的文辞，他的文辞又能够阐明论尽他所议论之事。四十三岁，四次以进士的身份在有司那里考核，而最终却困厄于无所成就。皇祐六年某月某日，葬于抚州金溪县归德乡石廪的平坦之处，在他房屋南边五里。那个时候，吴君的母亲吴夫人已经年老，而儿子吴世隆、吴世范年岁还小。三个女儿，其中一个死了，另外两个还没有出嫁。

唉！以吴君所拥有的东西，与那些世上以富贵名闻天下的人比较而言，难道他会独自感到怨恨吗？然而得不到俸禄以实现他的意愿、祭祀他的祖先、奉养他的父母、遗留财产给子孙，就这样死了，这是他的士子友人们之所以感到悲哀的原因啊。学者要发挥他们的天性，尽性就可知晓命运。既然已经知命了，对于吴君的不得意，又有什么可悲叹的呢？墓志铭说：

君名蕃，字彦弼，姓吴，他的祖先出于姬姓。以儒士开始做官，世代为官，唯独吴君成名之路艰幽曲折。这个墓志铭是吴君的外甥我王安石考订他的真实情况而作。

【题解】

曾巩早年和王安石非常友好，王安石父母的墓志铭就是曾巩所作，而曾巩的祖父母的墓志铭则是出于王安石之手。这篇便是为曾巩祖母所作。文中先历述黄氏受封、子嗣、年岁等情况，然后集中描写她的孝行。她未嫁时孝顺父亲，治理家事有法度，嫁到曾家后，又侍奉姑舅夫子及其亲族慈孝。在她前后的人都比不上她，她集众人的爱戴、亲近和仰慕于一身。

曾公夫人万年太君[①]黄氏墓志铭

夫人江宁[②]黄氏，兼侍御史、知永安场讳[③]某之子，南丰曾氏赠尚书水部员外郎讳某之妇[④]，赠谏议大夫[⑤]讳某之妻。凡受县君封者四：萧山、江夏、遂昌、洛阳[⑥]；受县太君封者二：会稽[⑦]，万年。男子四，女子三。以庆历四年[⑧]某月日卒于抚州，寿[⑨]九十有二。明年某月，葬于南丰之某地。

夫人十四岁无母，事永安府君[⑩]至孝，修家事有法[⑪]。二十三岁归[⑫]曾氏，不及舅水部府君之养[⑬]，以事永安之孝事姑陈留[⑭]县君，以治父母之家治夫家。事姑之党称[⑮]其所以事姑之礼，事夫与夫之党若严上然[⑯]，视子慈[⑰]，视子之党若子然。每自戒不处白人善否[⑱]。有问之，曰："顺为正，妇道也，吾勤[⑲]此而已。处白人善否，靡靡然[⑳]为聪明，非妇人宜[㉑]也。"以此为女与妇，其传而至于没[㉒]，与为女妇时弗差[㉓]也。故内外亲无老幼疏近[㉔]，无智不

能㉕，尊者皆爱，辈者皆附㉖，卑者皆慕㉗之。为女妇在其前者多自叹不及㉘，后来者皆曰可矜法㉙也。其言色在视听则皆得所欲㉚，其离别则涕洟不能舍㉛。有疾皆忧，及丧来吊哭皆哀有余。於戏㉜，夫人之德如是，是宜有铭者。铭曰：

女子之德，煦愿愉愉㉝。教隳㉞弗行，妇妾乘㉟夫，趋为亢厉㊱，励之颛愚㊲。猗嗟㊳夫人，惟德之经㊴，媚㊵于族姻，柔色淑㊶声。其究女初㊷，不倾不盈㊸，谁疑不信，来监㊹于铭。

【注释】

①曾公：曾巩的祖父曾致尧，字正臣，北宋太宗太平兴国八年(789)进士。夫人：曾巩的曾祖母黄氏。万年：今陕西省长安县。太君：古代对官员母亲的封号。 ②江宁：江宁府，今江苏省南京市。 ③兼侍御史：唐代在御史台设置侍御史以辅佐御史中丞处理御史台事务，多用尚书省郎中或员外郎担任。宋承唐制。知：主管。永安场：即永安盐场，在今天的四川省自贡市大安区。讳(huì)：避讳。 ④南丰：今江西省抚州市南丰县。曾氏：曾巩的曾祖父曾仁旺。赠：皇帝为已死的官员及其亲属加封，也称作“特赠”。尚书水部员外郎：尚书省工部水部司的副长官。妇：媳妇。 ⑤谏议大夫：谏官名，分左谏议大夫和右谏议大夫，右谏议大夫隶属中书省，左谏议大夫隶属门下省。⑥萧山、江夏、遂昌、洛阳：分别是今天的浙江省杭州市萧山区、湖北省武汉市江夏区、浙江省丽水市遂昌县和河南省洛阳市。 ⑦会稽：今浙江省绍兴市。⑧庆历四年：即公元1044年。庆历是北宋仁宗赵祯使用过的第六个年号，从1041年至1048年，共计八年。 ⑨寿：寿命。 ⑩事：侍奉。府君：古代对去世者的敬称。 ⑪修：治理。有法：有法度。 ⑫归：出嫁。 ⑬不及：没有赶上。舅：公公。养：奉养。 ⑭姑：婆婆。陈留：今河南省开封市陈留镇。⑮党：亲族。称(chèn)：符合，与……一致。 ⑯若严上然：像对待上宾一样

严敬。⑰视：对待。慈：慈祥。⑱不处：即不做。白人善否：说别人的好坏。⑲勤：勤勉。⑳靡(mǐ)靡然：随顺的样子。㉑宜：应该，适宜。㉒没：死亡。㉓弗差：没有差别。㉔无：无论。疏近：疏远和亲近。㉕智不能：智慧或无能。㉖辈者：同辈的人。附：依附，亲近。㉗卑者：晚辈或地位低下的人。慕：仰慕。㉘为女妇在其前者：指黄氏的诸嫂。不及：不如，比不上。㉙后来者：指黄氏的弟媳。矜(jīn)法：尊敬和取法。㉚言色：语言和表情。视听：看和听的人。得所欲：满足自己的愿望。㉛涕洟(tì yí)：眼泪和鼻涕。舍：舍去，离开。㉜於戏：相当于"呜呼"，表示感叹。㉝煦：阳光般的温暖。愿：谨慎。愉愉：和颜悦色的样子。㉞隳(huī)：毁坏。㉟乘：凌驾。㊱趋：争相，趋向。亢厉：严厉。㊲励：勉励，劝勉。颛愚：专擅的愚妇。㊳猗嗟(yī jiē)：叹词，表示赞叹。㊴经：行，施行。㊵媚：爱戴。㊶淑：美，好。㊷究：探究，追寻。女初：作女孩之初。㊸不倾：不偏斜。不盈：不骄傲自满。㊹监：看。

【译文】

夫人江宁黄氏，兼侍御史、知永安场名某某的女儿，南丰曾氏赠尚书水部员外郎名某某的儿媳妇，赠谏议大夫某某的妻子。共受到萧山、江夏、遂昌和雒阳四道县君封诰。受到会稽和万年两道县太君封诰。她有四个儿子，三个女儿。于庆历四年某月某日死在抚州，享年九十二岁。第二年某月，葬在南丰的某个地方。

黄夫人十四岁没有了母亲，侍奉父亲永安府君非常孝顺，治理家务有法度。二十三岁嫁入曾家，没有赶上奉养公公水部府君。她用侍奉永安府君的那种孝心，来侍奉婆婆陈留县君；用在娘家处理父母家务的方法来管理夫家的家事。她侍奉婆婆的亲族，和她对待婆婆的礼节一样；对待丈夫和丈夫的亲族，像对待上宾一样严敬；对待孩子很慈祥，对儿子的同辈像对儿子一样。每每告诫自己不要说别人的好坏。有人问她，就说："以顺从为正，这是为妇之道。我只是勤勉于此道罢了。到处去说别人的好坏,四处显耀以当成自己很聪明,不是妇人应该做的。”用这一原则来做闺女和当媳妇,她的行为一直到死亡,都和做闺女、做媳妇时没有差别。因此内外亲戚无论老幼亲疏远近,无论智慧或无能,比她尊长的都爱护她,与她同辈的人都亲近她,比她地位低的晚辈都仰慕她。在她之前那些当闺女做媳妇的,都自叹比不上她;在她之后的,都说她可以尊敬和取法。别人都能在她身上听到想听的言语,看到想看的表情。每逢离别时,大家都流泪不忍离去。生病了众人都为她忧心。等到了她死后,那些来吊唁哭泣的,都哀痛不已。唉!黄夫人这样的德行,确实应当有墓志铭啊。墓志铭说:

女子的品德,应该温顺谨慎而和悦。礼教毁坏不行,妻妾都凌驾于丈夫之上,行为争相严厉,要对专擅的愚妇进行劝勉。唉,夫人!你只依从道德而行。受同族姻亲的爱戴,脸色柔和声音淑美。探究她当初做女孩之初就不偏斜、不骄傲自满。谁要是怀疑不信,就来看看这篇墓志铭。

【题解】

这篇墓志铭是王安石为殿中丞沈遵的母亲魏氏而作。文中强调魏氏一人“抱数岁之孤，专屋而闲居”，亲自采桑种麻来获取衣食。虽然穷苦困厄而守志未曾改嫁，并将二子抚养成人。魏氏教他们背诵《诗经》《论语》《孝经》，其后沈回中进士，沈遵为太常博士，终于因两个儿子而家道复兴，自己也受封于朝，而成为乡里的贤母。王安石极力称扬魏氏的德行，认为沈家能够繁盛都是她的功劳。

仙居县太君魏氏[1]墓志铭

临川王某[2]曰：俗之坏久矣。自学士大夫多不能终其节[3]，况女子乎？当是时，仙居县太君魏氏，抱数岁之孤，专屋[4]而闲居，躬[5]为桑麻以取衣食，穷苦困厄[6]久矣，而无变志[7]，卒就其子以能有家[8]，受封于朝而为里[9]贤母。呜呼，其可铭[10]也。于其葬，为序而铭[11]焉。序曰：

魏氏其先江宁[12]人。太君之曾祖讳[13]某，光禄寺卿[14]；祖讳某，池州刺史[15]；考[16]讳某，太子谕德[17]：皆江南李氏[18]时也。李氏国除[19]，而谕德易名居中，退居于常州[20]。以太君为贤而选所嫁，得江阴[21]沈君讳某，曰：“此可以与吾女矣。”于是时，太君年十九，归[22]沈氏。归十年生两子，而沈君以进士甲科为广德军判官[23]以卒。太君亲以《诗》、《论语》、《孝经》教两子。两子就外学时数岁耳，则已能诵[24]此三经矣。其后，子回为进士，子遵为殿中丞、知连州军州[25]。而太君年六十有四以终于州之正寝[26]，时

皇祐二年[27]六月庚辰也。嘉祐二年[28]十二月庚申,两子葬太君江阴申港之西怀仁里。于是遵为太常博士、通判建州军州事[29],而沈君赠[30]官至太常博士。铭曰:

山朝于跻[31],其下惟谷。缵[32]我博士,夫人之淑。其淑维何,博士其家,二子翼翼[33],萼跗其华[34]。诜诜[35]诸孙,其实其葩[36]。孰云其昌[37],其始萌芽。皇[38]有显报,曰维在后。硕大蕃衍[39],刲牲[40]以告。视铭考施[41],夫人之效[42]。

【注释】

①仙居县:今浙江省台州市仙居县。太君:古代对官员母亲的封号。宋代的封号有国太夫人、郡太夫人、郡太君、县太君等。魏氏:沈遵的母亲。②临川王某:王安石,临川(今江西省抚州市临川区)人。 ③终其节:始终保持节操。 ④专屋:一间屋子。 ⑤躬:亲自。 ⑥厄(è):困苦。 ⑦变志:指改嫁。 ⑧卒:最终。就:成就。有家:建立家庭。 ⑨里:乡里,古代二十五家为一里。 ⑩铭:铭刻。 ⑪序而铭:墓志铭一般由两部分组成,前一部分称为"序"或"志",多用散文形式撰写墓主的生平。后一部分称为"铭",用韵文写成,主要是概括全篇,并对墓主进行评价。 ⑫江宁:今江苏省南京市。 ⑬讳(huì):避讳。 ⑭光禄寺卿:光禄寺的长官,掌管祭祀用的物品。⑮池州:治所在今天的安徽省池州市贵池区。刺史:始设于汉代,当时负责监察一州,唐中期以后多由武将兼任而掌握一州的军政大权。 ⑯考:原指父亲,后多指已死的父亲。 ⑰太子谕德:唐代在太子东宫中设左右谕德各一名,掌管对太子的讽谏规劝。 ⑱江南李氏:指江南的李唐王朝,五代时的十国之一,公元937年李升代吴称帝,建都金陵,国号唐,史称南唐,公元975年被北宋所灭。 ⑲除:灭。 ⑳常州:治所在今天江苏省常州市。 ㉑江阴:今江苏省江阴市。 ㉒归:嫁。 ㉓甲科:进士考试中的优等。广德军:治所在今天的安徽省广德县。判官:军事判官,宋代的各军州设置,掌管文簿等事。 ㉔诵:背诵。 ㉕殿中丞:唐代改殿内省为殿中省,殿中丞是其属官,

掌管郊祀用具等杂物。宋代是寄禄官。知连州军州:任连州的知州。 ㉖正寝:正室。 ㉗皇祐二年:即公元 1050 年。皇祐是北宋仁宗赵祯使用过的第三个年号,从公元 1049 至公元 1054 年,共计六年。 ㉘嘉祐二年:即公元 1057 年。嘉祐是北宋仁宗赵祯使用过的第九个也是最后一个年号,从 1056 年至 1063 年,共计八年。 ㉙于是:在那个时候。太常博士:宋代职官名,属于太常寺,主管礼仪。通判建州军州事:任建州的通判。建州,治所在今天的福建省建瓯市。 ㉚赠:皇帝为已死的官员及其亲属加封,也称作“特赠”。 ㉛跻(jī):登。 ㉜缵(zuǎn):继承。 ㉝翼翼:有次序的样子。 ㉞萼(è):花萼,在花瓣下部的一圈叶状绿色小片。跗(fū):附着。华:花。 ㉟诜(shēn)诜:群集的样子。 ㊱实:果实。葩(pā):花。 ㊲孰:谁。昌:昌盛。 ㊳皇:皇天,上天。 ㊴硕:大。蕃衍:繁盛众多。 ㊵刲(kuī):宰杀。牲:牺牲,指祭祀用的牛羊等动物。 ㊶视铭考施:看墓志铭来考察她的行为。 ㊷效:效法。

【译文】

临川王安石说:世风变坏已经很久了。从学者士大夫们起,大部分不能始终保持节操,何况女子呢?在那时,仙居县太君魏氏怀抱几岁的孤儿,住在一间小屋之中,亲自采桑织麻来换取衣服和食物。生活贫苦困窘已经很久,可她却没有改变志节而改嫁。最终成就了她的儿子而建立家庭,因而受到朝廷的封赏,成为乡里贤德的母亲。唉!她的行为确实可以铭刻于石头!下葬时,我为她作序以刻为墓志铭。序文说:

魏氏的祖先是江宁人。太君的曾祖名字是某某,任光禄寺卿;祖父叫某某,任池州刺史;父亲叫某某,任太子谕德,他们都于江南李氏时任官。李氏的国家被灭后,她的父亲改名居中,退出官场住在常州。他认为太君贤惠,于是为她挑选所嫁之人,选得江阴沈某某,说:“我可以把女儿嫁给这个人了。”那时太君十九岁,嫁到沈家。婚后十年，生了两个儿子，而沈君凭进士甲科的身份做广德军判官，死在任上。太君亲自用《诗》《论语》《孝经》教育两个儿子。两个儿子离家到外面学习，当时才几岁，就已经能够背诵这三部书了。在这之后，她的儿子沈迥中了进士；儿子沈遘做殿中丞，治理连州军州。太君六十四岁死于州府的正室，当时是皇祐二年六月庚辰。嘉祐二年十二月庚申这一天，两个儿子把太君葬在江阴申港的西怀仁里。那时的沈遘是太常博士，并为建州军州的通判，而沈君赠官至太常博士。墓志铭说：

早期登上山峰，下面只有深谷。太常博士能继承先人的事业，归功于夫人的贤淑。她的贤淑在哪里？家中产生两位博士。两个儿子有次序，好像花萼附着在花上。子孙群集，都是果实和花朵。谁说这就是最昌盛的时候了？它们才刚刚萌芽。上天会有显扬的回报，人们说还在后面。子孙繁盛众多，杀牲祭告。后来之人看到墓志铭中的话，再去考证夫人的行为，都会以她为榜样加以效法。

【题解】

王安石在这篇墓志铭中赞扬墓主李氏“敏于德，详于礼，事皇姑称孝，内谐外附，上下裕如”，这些溢美之词大多常见于一般妇人的墓志之中。文中谈到李氏夫家郑氏原来是大姓，至郑纾时开始没落。李氏生为富家女，一方面资助宾祭，另一方面又亲自补纫浣濯，饎爨朝夕。李氏能屈能伸，安于困约，从中可见她的品行。

郑公夫人李氏墓志铭

尚书祠部郎中、赠户部侍郎安陆郑公讳纾[1]之夫人、追封汝南郡太君[2]李氏者，尚书驾部郎中、赠卫尉卿文蔚[3]之子也。光州仙居县令、赠工部员外郎讳岵[4]之孙。以祥符九年[5]嫁，至天圣九年[6]，年三十二，以八月壬辰卒于其夫为安州应城县主簿[7]之时。后三十七年，为熙宁元年[8]八月庚申，祔[9]于其夫安陆太平乡进贤里之墓。于是夫人两子，猕为秘书丞、知潭州攸县[10]，獬为翰林学士、尚书兵部员外郎[11]、知制诰。一女子，嫁郊社斋郎张蒙山[12]。夫人敏于德，详于礼[13]，事皇姑[14]称孝，内谐外附[15]，上下裕如[16]。郑公大姓，尝以其富主[17]四方之游士，至侍郎则始贫而专于学。夫人又故[18]富家，尽其资以助宾祭[19]。补纫浣濯[20]，饎爨[21]朝夕，人有不任[22]其劳苦，夫人欢终日，如未尝贫。故侍郎亦以自安于困约[23]之时，如未尝富。郑氏盖将日显矣，而夫人不及其显禄[24]。呜呼，良[25]可悲也。于其葬，临川人王某[26]为铭曰：

于嗟[27]夫人，归孔昭兮[28]。窈[29]其为德，婉[30]有仪兮。命云如何，壮则萎[31]兮。烝烝令[32]子，悲慕思兮。有严[33]葬祔，祭配祇[34]兮。告哀无穷，铭此诗兮。

【注释】

①尚书祠部郎中：尚书省礼部祠部司的长官，负责祭祀和天文等事。赠：皇帝为已死的官员及其亲属加封，也称作“特赠”。户部侍郎：尚书省户部的副长官，掌管稽查版籍、赋税征收的统计工作。安陆：今湖北省安陆市。郑公讳纾：郑纾(1001—1056)，字武仲，天圣八年(1030)进士。 ②汝南：治所在今天的河南省驻马店市汝南县。郡太君：古代对官员母亲的封号。宋代的封号有国太夫人、郡太夫人、郡太君、县太君等。 ③尚书驾部郎中：尚书省兵部驾部司长官，掌管车马、邮驿、马政等事。卫尉卿：主要掌管军器仪仗、帐幕等事。文蔚：李文蔚，墓主李氏的父亲，生平事迹不详。 ④光州仙居：今河南省信阳市光山县。县令：一县之长。工部员外郎：尚书省工部的副长官，负责全国工程建设。岵：李岵，生平事迹不详。 ⑤祥符九年：即公元1016年。大中祥符，是北宋真宗赵恒的第三个年号，从公元1008至公元1016年，共计九年。 ⑥天圣九年：即公元1031年。天圣是北宋仁宗赵祯的第一个年号，从公元1023到1032年，共计十年。 ⑦安州应城县：今湖北省孝感市应城县。主簿：宋代中央和地方都设有此官职，为长官掌管文书簿籍与印鉴。⑧熙宁元年：即公元1068年。熙宁是北宋神宗赵顼的第一个年号，从公元1068年至公元1077年，共10年。 ⑨祔(fù)：合葬。 ⑩猕：郑猕，生平事迹不详。秘书丞：秘书省的属员，掌管管书省的图籍。知潭州攸(yōu)县：任攸县知县。 ⑪獬：郑獬(1022—1072)，字毅夫，皇祐五年(1053)进士。翰林学士：宋代承袭唐代的制度，仍有翰林学士院，负责起草制诰、国书等，一般由文学之士担任，分为翰林学士承旨，翰林学士和知制诰。尚书兵部员外郎：尚书省兵部司的属官，是兵部郎中的佐官。 ⑫郊社斋郎：宋代太常寺下有效社署，掌管祭祀事宜。斋郎是祭祀时的执行官员，一般由官员的子弟荫补。张蒙山：生平事迹不详。 ⑬敏于德，详于礼：德行慧敏，礼数周详。 ⑭皇

姑：对丈夫亡母的称呼。 ⑮内谐外附：内部和谐，外人亲附。 ⑯裕如：从容有余的样子。 ⑰主：以主人的身份招待。 ⑱故：原来，过去。 ⑲助：帮助，资助。宾祭：招待客人和祭祀。 ⑳纫（rèn）：缝。浣（huàn）：洗。濯（zhuó）：洗。 ㉑饎爨（cuàn）：烧火做饭。 ㉒任：承受。 ㉓困约：贫困俭约。 ㉔显禄：显赫的官俸。 ㉕良：实在，确实。 ㉖临川人王某：王安石，临川（今江西省抚州市临川区）人。 ㉗于嗟：感叹词，相当于“唉”。 ㉘归：归属。孔：很，大。昭：光明。兮（xī）：语气助词，相当于现在的“啊”，或“呀”。 ㉙窈（yǎo）：深远的样子。 ㉚婉：美好。 ㉛萎：枯萎，这里指死亡。 ㉜烝烝：兴盛的样子。令：好。 ㉝有：助词，放在句首，无意义。严：庄严，恭敬。 ㉞祇（qí）：神。

【译文】

尚书祠部郎中、赠户部侍郎，安陆郑公纾的夫人，追封为汝南郡太君的李氏，是尚书驾部郎中、赠卫尉卿李文蔚的女儿，光州仙居县令、赠工部员外郎李岵的孙女。在祥符九年出嫁，到天圣九年，她三十二岁，在八月壬辰死在她丈夫做安州应城县主簿的时候。三十七年之后，在熙宁元年八月庚申这一天，合葬于她丈夫在安陆太平乡进贤里的墓中。李夫人有两个儿子：郑獬，是秘书丞，潭州攸县知县；郑獬，是翰林学士，尚书兵部员外郎，掌管制诰。还有一个女儿，嫁给了郊社斋郎张蒙山。

李夫人德行慧敏，礼数周详，侍奉婆婆周到，人们都称赞她孝顺。家庭内部和谐，外人亲附，上下从容有余。郑公出身大家，曾因家中富足而以主人的身份招待四方游士。到侍郎这一代则开始贫困而专心于学问。夫人又是以前的富家女，花尽自己的资财以帮助招待客人和祭祀，缝补洗涮，早晚做饭，别人往往不能承担那种劳苦，夫人却能整天都露出欢容，如同未曾贫穷一样。侍郎也因此自安于贫困俭约的时候，如同未曾富足过。郑家大概将要一天比一天显赫了，而夫人却等不到显赫官禄的那一天，唉，实在是可悲呀！在她下葬时，临川人王安石作墓志铭，说：

唉，夫人，归属于大光明啊，她的品德深远，仪态美好。她的命运为何如此不幸？在壮年时就死去了。她的好儿子开始兴起，悲伤地追想思念她。庄重地把她与丈夫合葬，配祭于神祇。哀痛无穷无尽，通过这首诗来纪念。

【题解】

宋仁宗皇祐四年(1052),范仲淹在赴任颍州途中病逝,时任舒州通判的王安石闻讯后,怀着沉痛的心情,急切地写下了这篇祭文。文中先总写范仲淹是名节无疵的一世之师。然后历数其生平,包括进言明肃太后还政仁宗、反对废郭皇后、弹劾宰相吕夷简。接着写他外任三州时的政绩、在陕西抵御西夏的功绩和"庆历新政"始末。最后讨论他的家庭和亲属。全文四言押韵,将叙事和抒怀完美地融合在一起,而且感情真挚,是一篇非常好的祭文。

祭范颍州[1]文

呜呼我公,一世之师。由初迄[2]终,名节无疵[3]。明肃之盛,身危志殖[4]。瑶华失位[5],又随以斥[6]。

治功亟闻,尹帝之都[7]。闭奸兴良,稚[8]子歌呼。赫赫之家,万首俯趋。独绳其私,以走江湖[9]。士争留公,蹈祸不栗。有危其辞,谒[10]与俱出。风俗之衰,骇正怡[11]邪。蹇蹇我初[12],人以疑嗟[13]。力行不回[14],慕者兴起。儒先酋酋[15],以节相侈[16]。

公之在贬,愈[17]勇为忠。稽[18]前引古,谊不营躬[19]。外更三州[20],施有余泽。如酾[21]河江,以灌寻尺[22]。宿赃自解[23],不以刑加。滑盗涵[24]仁,终老[25]无邪。讲艺弦歌[26],慕来千里[27]。沟川障[28]泽,田桑有喜。戎孽猘狂,敢齮[29]我疆。铸印刻符,公屏[30]一方。取将于伍,后常名显。收士至佐[31],维邦之彦[32]。声之所加[33],虏不敢濒[34]。以其余

威，走敌完邻[35]。昔也始至，疮痍[36]满道。药之养之，内外完好。既[37]其无为，饮酒笑歌。百城晏[38]眠，吏士委蛇[39]。上嘉曰材，以副枢密[40]。稽首[41]辞让，至于六七。遂参宰相[42]，釐我典常[43]。扶贤赞杰，乱冗[44]除荒。官更于朝，士变于乡。百治[45]具修，偷堕勉强[46]。彼阏不遂[47]，归侍帝侧。卒屏[48]于外，身屯[49]道塞。谓宜耇[50]老，尚有以为。神乎孰[51]忍，使至于斯。盖公之才，犹不尽试[52]。肆其经纶[53]，功孰与计？自公之贵，厩库逾[54]空。和其色辞，傲讦以容[55]。化[56]于妇妾，不靡[57]珠玉。翼翼[58]公子，弊绨恶粟[59]。闵[60]死怜穷，惟是之奢。孤女以嫁，男成厥家。孰堙[61]于深？孰锲[62]乎厚？其传其详，以法永久。硕人[63]今亡，邦国之忧。矧鄙不肖[64]，辱公知尤[65]。承凶[66]万里，不往而留。涕洟驰辞，以赞醪羞[67]。

【注释】

①范颍州：即范仲淹(989—1052)，字希文，宋吴县(今江苏省苏州市)人，宋真宗大中祥符八年(1015)进士，官至枢密副使、参知政事，谥号文正。 ②迄(qì)：到。 ③疵(cī)：缺点，过失。 ④危：正。殖：立。 ⑤瑶华失位：明道二年(1034)，宋仁宗因爱妃与郭皇后争宠，而废郭氏为净妃，随后又命之出居瑶华公。 ⑥又随以斥：范仲淹因反对废皇后一事而被宋仁宗贬出京城，任睦州(今浙江省建德市)知州，后又改知苏州。 ⑦亟(qì)：屡次，多次。尹：用作动词，担任长官。帝之都：即北宋的都城汴梁，今河南开封。 ⑧稚(zhì)子：幼儿。 ⑨赫赫：显赫盛大的样子，指吕夷简。万首：万人，指人多。俯趋：俯身趋附。绳：约束，制裁。走江湖：指被贬为饶州知州。 ⑩蹈：踩。栗：恐惧，害怕。谒(yè)：请求。 ⑪骇(hài)：害怕，惊惧。怡(yí)：和悦，愉快。 ⑫蹇蹇：忠厚正直的样子。 ⑬疑嗟：怀疑和嗟叹。 ⑭力行不回：身体力行，永不回头。 ⑮儒先：即儒生。酋(qiú)酋：聚集的样

子。⑯侈：张大。⑰愈：更加。⑱稽(jī)：考查。⑲谊：通“义”。营躬：指为自己谋取私利。⑳外更三州：指范仲淹先贬知饶州，第二年又徙知润州(治所在今天的江苏省镇江市)，宝元二年(公元1039年)又徙知越州(治所在今天的浙江省绍兴市)。㉑酾(shī)：疏导，分流。㉒寻尺：寻和尺都是古代的长度单位，八尺为一寻，多用来比喻细微的事物。㉓宿：过去。赃：贪污。自解：自首。㉔滑盗：狡猾的盗贼。涵：怀有。㉕终老：一直到死。㉖讲艺：讲述经学，这里指创办学校。弦歌：指礼乐教化。㉗慕来千里：千里之外的人都慕名而来。㉘障：山峰。㉙戎孽：戎是古代对西边少数民族的蔑称。孽，是妖孽的意思，这里是指西夏。齮(yǐ)：咬。㉚屏：屏障，保守。㉛收士至佐：收揽人才作为自己的辅佐。㉜彦(yàn)：有才学和德行的人。㉝声之所加：名声所到之处。㉞虏：胡虏，敌人。濒：靠近。㉟走敌完邻：赶走敌人，保全邻里。㊱疮痍(chuāng yí)：创伤，这里指遭受战争后凋敝的景象。㊲既：过后，之后。㊳晏：安定，安乐。㊴委蛇：悠然自得的样子。㊵副枢密：指任枢密副使，为最高军事副长官。㊶稽首：古代跪拜礼，需要叩头至地，是九拜中最恭敬的一种。㊷遂：于是，就。参宰相：指任参知政事，当时相当于副宰相。㊸釐：治理。典常：常法。㊹乱：治理。冗(rǒng)：冗杂的官员。㊺百治：百事，指很多事情。㊻偷堕勉强：苟且堕落的人开始奋勉图强。㊼阏：壅塞。遂：成功。㊽卒：最终。屏：通“摒”，摒弃。㊾屯：困顿。㊿耇(gǒu)：老，长寿。51孰：何，怎么能够。52犹不尽试：仍然没有完全发挥出来。53肆：大肆，尽力。经纶：指才干和抱负。54厩(jiù)库：马房和仓库。逾：更加。55傲：傲慢。讦(jié)：攻击别人的短处或揭发别人的阴私。容：包容，容忍。56化：化及，影响。57靡(mí)：浪费，奢侈。58翼翼：恭敬的样子。59弊：同“敝”，破旧。绨：光滑厚实的丝织品。恶：不好的，坏的。粟：小米。60闵：同“悯”，怜悯。61堙(yīn)：埋。62锲(qiè)：刻。63硕人：伟人。64矧(shěn)：何况。鄙：王安石自己的谦称。不肖：不贤，也是王安石的自谦之词。65尤：格外，尤其。66承凶：承受你去世的消息。

㊼赞：辅助，帮助。醪（láo）羞：指祭奠用的酒食。

【译文】

唉！我的范公，你是一世之中的师长。由始到终，名节没有一点过失。在明灵肃太后掌政之时，你上书请求还政于仁宗，身正志立。宋仁宗郭皇后被废，出居瑶华宫，你也一道被斥退。

你在任开封府尹时，治理政事的功绩广为传颂；你打压奸邪之徒，起用善良之士，幼儿都为之歌颂欢呼。宰相吕夷简是显赫的富家大族，大家都俯身趋附。你独自制裁他的私欲，而导致你被贬入饶州。士人们争相挽留你，即使遭受祸害也不害怕。有为你进言的正义之辞，也有人请求与你一道被贬。社会风俗败落，人们害怕正直的人而对邪恶之人感到和悦。你初心忠厚正直，可人们却感到怀疑和嗟叹。但是仍然身体力行，永不回头，仰慕你的人渐渐多了起来。一大群儒生聚集，相互用节义来使大家进步。

你在被贬期间，更加忠勇。考查引用古代圣贤的行事，正义而不为自己谋取私利。你被外派到三个州做官，在那里施行恩惠，就像疏导江河之水灌溉寻尺之地。过去贪赃枉法的人都来自首，你也不再加以刑罚。狡猾的盗贼也都开始怀有仁德，一直到老都再没有邪念。讲授经学，创办学校，大行礼乐教化，千里之外的人都慕名而来。水沟、川流、山峰和河泽都被治理，田地桑木都生长良好。

西夏猖獗，敢来侵犯我们的疆土，皇上铸制印信、刻画符节，派你出征，你便成了国家一方的屏障。在行伍之中选拔将领以提升军队战斗力，名字在后世也时常显扬。收揽人才作为自己的辅佐，都是邦国的彦才。你名声所到之处，胡虏都不敢靠近。你用你的余威，赶走了敌人，保全了邻里。当初刚到这里时，破旧不堪，而你通过治理，使这里内外都变得完好。然后无为而治，喝酒唱歌欢笑。上百个城镇都安心睡眠，官吏悠然自得。

皇上夸奖你是人才，封你为枢密副使，你上书辞让有六七次之多。你当上了副宰相，治理常法，扶持和赞扬贤才，治理冗杂的官员和政事。官吏们在朝中改变，士人们也在乡村发生变化。很多事情都得到了完善，苟且堕落的人也开始奋勉图强。

当你的措施被堵塞，没有成功时，反对派又回来侍奉在皇帝身边。你最终被摒弃于外，生活困顿，晋升的路途被阻塞。别人说你可以养老了，你却觉得还可以有所作为。神灵怎么能忍心让你沦落到了这般田地？大概你的才华，仍然没有完全发挥出来。如果大肆任用你的才干而实现你的抱负，功劳大得都无法计量了。

自从你显贵之后，家里的马房和仓库就更加空虚了。你的言辞与面貌和蔼，能容忍傲慢、喜欢攻击别人的人。你的品行化及家人，你的妻妾们都少用珠宝，儿子们都很恭敬，穿破衣服，吃粗粮。但怜悯死者和穷人时，却又很大方。你把孤女嫁出去了，也让男子成了家。

何必要把墓碑埋得太深，何必要把铭文锲刻太厚。你的事迹已经详尽地广为流传了，而能被后世永久效法的伟大的人现在死去了，这是国家的忧患。何况我鄙陋不肖，让你屈尊，对我有很大的知遇之恩。在万里之外听到了你去世的凶信，我却不能亲自前去而淹留在此。我哭着快速写下了这篇祭辞，以当作祭酒的辅助之物。

【题解】

宋神宗熙宁五年(1072)欧阳修去世,王安石便写了这篇悼念他的祭文。二人友谊深厚,早年便有诗文之交。后来欧阳修多次举荐王安石,尽管他们的政见有所不同,但并未影响二人的君子之交。祭文中先大肆赞扬欧阳修的文章才华,铺排比喻,极尽渲染其能事。然后他的仕途先屯邅困踬,仕宗末年才被托以重任。最后写士人对他离世的痛惜与不舍。全文气势恢宏而又不乏真情实感,令人赞叹。

祭欧阳文忠公[①]文

夫事有人力之可致[②],犹不可期[③],况乎天理之溟溟[④],又安可得而推[⑤]?惟[⑥]公生有闻于当时,死有传于后世,苟[⑦]能如此足矣,而抑[⑧]又何悲?如公器质[⑨]之深厚,智识[⑩]之高远,而辅学术之精微[⑪],故充[⑫]于文章,见于议论,豪健俊伟,怪巧瑰琦[⑬]。其积于中者,浩如江河之停蓄[⑭];其发于外者,烂[⑮]如日星之光辉。其清音幽韵,凄如飘风急雨之骤[⑯]至;其雄辞闳辩[⑰],快如轻车骏马之奔驰。世之学者,无问[⑱]乎识与不识,而读其文,则其人可知。呜呼,自公仕宦[⑲]四十年,上下往复[⑳],感世路之崎岖。虽屯邅困踬[㉑],窜斥[㉒]流离,而终不可掩者,以[㉓]其公议之是非。既压复起,遂显于世,果敢之气,刚正之节,至晚而不衰。方仁宗皇帝[㉔]临朝之末年,顾念后事[㉕],谓如公者,可寄以社稷[㉖]之安危。及夫发谋决策[㉗],从容指顾[㉘],立定大计,谓千载而一时[㉙]。功名成就[㉚],不居而去[㉛]。其出处[㉜]

进退，又庶乎[33]英魄灵气，不随异物[34]腐散，而长在乎箕山之侧，与颍水之湄[35]。然天下之无贤不肖[36]，且犹为涕泣歔欷[37]，而况朝士大夫，平昔[38]游从，又予心之所向慕而瞻依[39]。呜呼，盛衰兴废之理，自古如此，而临风[40]想望不能忘情者，念公之不可复见，而其谁与归？

【注释】

①欧阳文忠公：即欧阳修(1007—1072)，字永叔，号醉翁、六一居士，宋吉州永丰(今江西省吉安市永丰县)人，自称“庐陵欧阳修”。谥号文忠，世称欧阳文忠公。“唐宋八大家”之一。 ②致：达到，做到。 ③期：期待，指成功。④溟溟：幽晦广远。 ⑤安：如何。推：推测，推知。 ⑥惟：文言助词，放在句首，无意义。 ⑦苟：如果。 ⑧抑：助词，无意义。 ⑨器质：度量和品质。 ⑩智识：智慧和见识。 ⑪辅：辅助，加上。精微：精深细致。 ⑫充：充满。 ⑬怪巧：神奇巧妙。瑰琦：瑰丽美好。 ⑭停蓄：停留储蓄。⑮烂：灿烂，明亮。 ⑯骤：快跑。这里指迅速。 ⑰闳辩：宏伟的辩论。⑱无问：不用问，即无论。 ⑲仕宦：出仕做官。 ⑳上下往复：指官位升降。㉑屯邅(zhūn zhān)：不前进的样子。困踬(kùn zhì)：受挫，窥探。 ㉒窜斥：放逐排斥。 ㉓以：是，凭借。 ㉔仁宗皇帝：宋仁宗赵祯(1010—1063)，宋朝第四位皇帝，宋真宗第六子，庙号仁宗。 ㉕顾念后事：想到死后的事情。㉖寄：寄托，托付。社稷：土神和谷神，古时君主都祭祀社稷，后来就用社稷代表国家。 ㉗发谋决策：发起谋划、决定政策，即出谋划策。 ㉘指顾：用手指，用眼看，即指挥。 ㉙千载而一时：指千载难逢的机会。 ㉚就：成就。㉛居：居功。去：离开。 ㉜出处：出仕或退隐。 ㉝庶乎：几乎差不多。㉞异物：指尸体。 ㉟箕山：在今天河南省登封市。颍水：源出登封市的颍从，最后流入淮河。湄：河岸，水与草交接的地方。 ㊱无贤不肖：无论贤还是不贤的人。 ㊲涕泣：流泪哭泣。歔欷(xū xī)：哀叹抽泣声。 ㊳平昔：平时。 ㊴向慕：向往羡慕。瞻依：瞻仰依靠。 ㊵临风：对着风。

【译文】

有些事是人力可以达到的，我们尚且不能肯定它能成功，更何况天理幽晦广远不可确定，我们又如何推知呢？你生前在社会闻名当时，死后又能流传后世，如果能做到这样，就可以满足了，又何必再悲伤？

像你这样的度量和品质如此深厚，智慧和见识如此高远，又加上学术精深细致的辅助，这些都充满于文章之中，见于议论之内，豪迈雄健、俊俏伟岸、神奇巧妙、瑰丽美好。这些气质，在心中蓄积，浩荡有如江河在那里停留储蓄；发散出来，灿烂有如日月星辰的光辉。诗文的清越之音、幽深韵味，清爽凄切，如同突然而至的狂风暴雨；雄健的言辞和宏伟的辩论，如同轻车骏马在奔驰。世上的学者，不管认识你与否，读到你的文章，就能知道你的为人。

唉！自从你出仕做官四十年，官位升降，感受遍了世间道路的崎岖。虽然困顿不前、被放逐排斥，流离于外地，最终未能掩盖公道人心所认定的是非曲直。受到打压后又旋即被起用，于是名显于当世。你果敢的气魄、刚正的节义，直到晚年都并未衰减。

仁宗皇帝在位的最后几年，想到死后的事情，说像你这样的人才，可以寄托社稷安危的重任。后来你出谋划策，从容指挥，就立定国家大计，可以算是千载难逢的机会。你功成名就之后，并不居功，而是请求退隐。你表现出来的出仕或退隐的洒脱，这种英魄灵气几乎不会同尸体一起腐烂消失，而是长存于许由隐居的箕山脚下和颍水之滨。

于是普天之下，无论贤人还是不贤之人，都为你的死亡流泪叹息，更何况我这个朝廷的士大夫，平时跟从你一道游玩，又心中向往羡慕而瞻仰依靠你的人呢？

唉！天下盛衰兴废的道理自古都是这样。但是我临风相望，难以忘怀昔日的情分。想到再也见不到你了，那还能和谁一同归去呢？

【题解】

王安石任淮南签判时，丁宝臣任淮南节度掌书记，对王安石多有提携。治平四年(1067)，丁宝臣在常州去世，王安石便写下了这篇祭文。本文篇幅不长，先写二人的交往，集中记叙丁宝臣对自己的照顾与帮助。然后写他的品行以及对他离世的悲痛之情。另外王安石还作有《秘阁校理丁君墓志铭》，内容翔实，可以与本文相互参看。

祭丁元珍学士[①]文

我初闭门，屈首书诗[②]。一出涉世，茫无所知。援挈覆护[③]，免于阽危[④]。雍培[⑤]浸灌，使有华滋[⑥]。微吾[⑦]元珍，我始弗殖[⑧]。如何弃我，陨命一昔[⑨]。

以忠出恕，以信行仁。至于白首，困厄穷屯[⑩]。又从挤[⑪]之，使以踬[⑫]死。岂伊人尤[⑬]，天实为此。有磐[⑭]彼石，可志于丘[⑮]。虽不属[⑯]我，我其徂求[⑰]。请著君德，铭之九幽[⑱]。以驰[⑲]我哀，不在醪羞[⑳]。

【注释】

①丁元珍：丁宝臣，字符珍。学士：对有学问之人的尊称。 ②屈首书诗：埋头读《诗经》《尚书》。 ③援挈(qiè)覆护：提携和保护。 ④阽(diàn)危：危险。 ⑤雍培：即壅培，施肥培土，指培养。 ⑥华：花。滋：生长。 ⑦微：没有，不是。吾：即吾子，对别人的尊称，相当于“您”。 ⑧弗：不。殖：成长。 ⑨陨命：指死亡。一昔：即“一夕”，一夜之间，指突然。 ⑩困厄(è)穷屯：困顿穷厄。 ⑪挤：排挤。 ⑫踬(zhì)：被东西绊倒。 ⑬岂：难道。伊：语气助词，无意义。尤：过错。 ⑭磐(pán)：大石头。 ⑮志：记录，写

下。丘：坟丘，坟墓。 ⑯属：通“嘱”，嘱托，托付。 ⑰徂（cú）求：前往请求。 ⑱九幽：指阴间。 ⑲驰：奔腾，这里指表达。 ⑳醪（láo）羞：指祭奠用的酒食。

【译文】

我当初闭门深居，埋头读《诗经》《尚书》等书籍。刚步入社会时茫然不知所措，是你给我支援、提携和保护，才让我远离危险。你把我当成树木一样，精心地培养灌溉，使花儿生长出来。如果没有元珍你，我是不可能成长起来的。可现在你为何要抛弃我，一夜之间突然就去世了。

你忠厚又宽恕，诚信又有仁义，一向如此直至白首。你生活困顿穷厄，而又被排挤，让你丧命。这难道是你的过错？这实在是上天太不公平。有一块大的石头，可以刻下铭文竖立在坟墓上。虽然你的家人没有嘱托我，但我还是自己前往请求给你写铭文，来著录你的美德，铭刻于九泉之下。我要用它来表达我的哀思，而不是通过酒果等祭品。

【题解】

王回是作者早年最亲密的朋友，这篇短小的祭文表达了王安石最强烈、真挚的情感。文中先表达王回舍弃他而先死的嗟叹，然后用母亲的肯定来侧面肯定王回的品行。王安石认为自己很多方面都比不上朋友。文中作者“搏胸一恸，心摧志朽”，在母亲与友人相继去世后，担心自己不知道还能活多久，其中体现的是他内心椎心泣血般的伤痛。同时王安石还有《王深甫墓志铭》一文，详细记录了王回的生平，可与本文一同参看。

祭王回深甫[①]文

嗟嗟[②]深甫，真弃我而先乎？孰[③]谓深甫之壮以死，而吾可以长年[④]乎？虽吾昔日执[⑤]子之手，归言子之所为，实受命于吾母，曰“如此人，乃与为友”。吾母知子，过于予初。终子成德[⑥]，多吾不如[⑦]。呜呼天乎！既伤吾母，又夺吾友，虽不即[⑧]死，吾何能久。搏胸一恸[⑨]，心摧志朽[⑩]。泣涕[⑪]为文，以荐[⑫]食酒。嗟嗟深甫，子尚[⑬]知否？

【注释】

①王回深甫：王回，字深甫，也写作深父。 ②嗟嗟：叹词，表示感慨，叹息。 ③孰：谁。 ④长年：长寿。 ⑤执：牵。 ⑥成德：成就的德行。⑦不如：比不上。 ⑧即：立即。 ⑨搏(bó)：击打。恸(tòng)：大哭。⑩心摧志朽：心碎了，意志垮了。 ⑪泣涕：哭泣流泪。 ⑫荐：进奉。⑬子：你。尚：尚且，还。

【译文】

唉，深甫！你真的抛弃我先走了吗？谁料你正当壮年就死了，而我却可以长寿呢？当年我们携手交游，我回家把你的所作所为告诉了我母亲，我母亲便叮嘱我："这样的人，可以和他交朋友。"我母亲比我更了解你，后来你成就的德行，有许多地方都是我比不上的。唉，老天！你既夺去了我的母亲，又夺去了我的朋友。我虽然还没死，可又能活多久呢？我捶胸恸哭，心碎了，意志也垮了。我哭着写下这篇祭文，并进奉酒食来祭奠你。唉，深甫！你还能知道吗？

【题解】

高师雄的生平事迹不详，但据这篇祭文可以推测，他是王安石刚迁居江宁时结交的朋友。文中回忆了高师雄在江宁时"爱我勤我，急我所难"。后来二人便南北相隔。王安石母丧除服后在江宁与他再次相见，"握手笑语，有如一昔"。可是后来高师雄却逝于远域。王安石的这篇祭文简短，主要用四字韵文记叙了和高师雄的交往过程，虽然语言平实却感情真挚。

祭高师雄主簿[①]文

我始寄此[②]，与君往还[③]，于时康定[④]，庆历[⑤]之间。爱我勤[⑥]我，急我所难，日月一世，疾于跳丸。南北几时，相见悲欢。去岁忧除[⑦]，追寻陈迹，淮水[⑧]之上，冶城[⑨]之侧。握手笑语，有如一昔[⑩]，屈指数日，待君归舲[⑪]。安知弥年[⑫]，乃见哭庭[⑬]，维君家行[⑭]，可谓修饬[⑮]。如其智能，亦岂多得，垂老一命[⑯]，终于远域[⑰]。岂惟故人，所为叹惜，抚棺一奠[⑱]，以告心恻[⑲]。尚飨[⑳]。

【注释】

①高师雄：人物生平事迹不详。主簿：宋代中央和地方都设有此官职，为长官掌管文书簿籍与印鉴。 ②寄：寄居。此：指江宁，今江苏省南京市。 ③往还：来往。 ④康定：北宋仁宗使用过的第五个年号，从公元1040年到公元1041年，共两年。 ⑤庆历：北宋仁宗赵祯使用过的第六个年号，从1041年至1048年，共计八年。 ⑥勤：帮助。 ⑦去岁：去年，指治平二年(1065)。忧除：指王安石母丧除服。嘉祐八年(1063)王安石的母亲在京城病

逝。 ⑧淮水：即今南京的秦淮河。 ⑨冶城：古代的城名，相传吴王夫差曾在这里冶铸。故址在今天的江苏省南京市。 ⑩一昔：过去。 ⑪舲(líng)：小船。 ⑫安：哪里。弥年：终年。 ⑬哭庭：哭于中庭，指丧事。 ⑭家行：日常的品行。 ⑮修饬(chì)：行为端正不违背礼义。 ⑯垂老：年老。一命：指被任命为低级的官员。 ⑰远域：偏远的地方。 ⑱抚：抚摸。奠：向死者供献祭品致敬。 ⑲恻：悲痛。 ⑳尚飨(xiǎng)：表示希望死者来享用祭品。

【译文】

我寄居在这里的时候就已经和你有来往了，那还是康定、庆历年间。你爱护我、帮助我，替我的困难积极奔走。光阴飞逝，人生一世比跳丸还要快。我们南北相隔多年后再见面，悲喜交加。

去年我居丧期满，就追寻我们曾经交游的地方。在淮河岸边，冶城附近，我们握手笑谈，就像过去一样。我每天屈指数日，等着你返航归来，哪知一年之后却等来了噩耗，亲朋们都在你家厅堂哭悼。

你日常的品行可以说是端正而不违背礼义，至于你的智慧和才能，也是不可多得的。年老时被任命做小官吏，死于偏远的地方，又岂止是故人为你叹息？我用手抚着你的棺材痛哭祭奠，以表达我的悲痛之情。

【题解】

王安石与曾巩交好，这篇是他为其父亲曾易占写的祭文。祭文前面简要叙述了他以罪废官、卒困以夭和不被闾里所知等事。然后后半部分王安石大发言论，集中探讨他对天命和人命的理解。天地、星辰和山川都有毁败，所以人的命运也有穷通，这是“世数之然”，所以我们没有必要为生命的寿夭而喜忧。这篇短小的祭文更像用韵文写成的议论文，表达了作者超脱的生命观念。

祭曾博士易占[1]文

呜呼！公以罪废[2]，实以不幸。卒困以夭[3]，亦惟其命。命与才违[4]，人实知之。名[5]之不幸，知者为谁。公之闾里[6]，宗亲党友，知公之名，于实无有[7]。呜呼公初，公志如何。孰云不谐[8]，而厄孔[9]多？地大天穹[10]，有时而毁。星日脱败，山倾谷圮[11]。人居其间，万物一偏[12]，固有穷通[13]，世数之然[14]。至其寿夭，尚何忧喜。要之[15]百年，一蜕[16]以死。方其生时，窘若囚拘[17]。其死以归，混合空虚。以生易死[18]，死者不祈[19]。唯其不见，生者之悲。公今有子，能隆[20]公后。惟彼生者，可无甚悼[21]。嗟[22]理则然，其情难忘。哭泣驰[23]辞，往侑奠觞[24]。

【注释】

①曾博士易占：曾易占，字不疑，建昌南丰（今江西省抚州市南丰县）人，是曾巩之父。曾易占曾任太子中允、太常博士，所以称他为“曾博士易占”。

②公以罪废：曾易占任信州玉山县知县时，被知州钱仙芝诬陷而失官。

③夭(yāo):早死。 ④命与才违:命运与才能相违背。 ⑤名:名誉。 ⑥闾里:乡里。 ⑦于实无有:没有人了解你的本质。 ⑧孰:为何。谐:和。 ⑨孔:大,很。 ⑩穹(qióng):隆起。 ⑪圮(pǐ):倒塌。 ⑫偏:部分。 ⑬穷通:穷困和通达。 ⑭世数:命数,运数。然:这样。 ⑮要之:总之。 ⑯蜕(tuì):本指蝉或蛇等脱皮,这里指人的精神从形骸中分离出来,即死亡。 ⑰窘(jiǒng):穷困。囚拘:囚禁。 ⑱以生易死:用生来换死。 ⑲祈:请求,答应。 ⑳隆:兴隆。 ㉑甚:很,非常。悼:哀悼。 ㉒嗟:表示叹息。 ㉓驰:飞快。 ㉔侑(yòu):帮助。奠:向死者供献祭品致敬。觞(shāng):酒杯,这里指向死者进酒。

【译文】

唉!你因为被人诬告而免官,实在是不幸。最后陷入困顿而夭亡,也只能说是宿命。你的命运和才能相违背,人们其实都知道。但是名誉上的不幸又有谁了解呢?你的乡里、宗族、亲戚、乡党、朋友,都知道你的大名,却没有人了解你的本质。唉!当初你的志向是如何远大!为何你与天命不和,你遭受到的困苦竟如此之多。

天地远大,有时会有毁坏,日月星辰会脱落败退,山川河谷会倾圮倒塌。人在这中间,是万物的一部分,本来就都会有穷困、通达的时候,命数如此。至于是长寿还是短命,又何必要为之忧伤或高兴呢?总之人生百年,就像蝉蛇脱皮一样便死了。当人活着的时候,境遇穷困得像被囚禁的犯人一样;而死亡如同回家一样,混合到虚无之中。如果用生来换死,我想死者肯定是不答应的。因为再也见不到你了,所以我们这些生者都很伤悲。

你的儿子肯定能令后代兴隆。我想那些活着的人,也不用太伤心了。唉,道理虽然是这样,但对你的情义却难以忘怀。我哭着飞快地写下这篇祭文,以助祭奠。

【题解】

虽然祭主李省副的生平事迹不详，但通过祭文中“惟君别我”和“矧我于君，情何可极”等字句可以看出，他与王安石的交情不浅。李省副没有气索却先神零，本来笑言从容，甚过平日，却在前往祭祀太一神后的归家途中突然遭到变故，作者只能“环视太息”而已。虽然只有寥寥数语，却能看出王安石的伤痛之情。

祭李省副[①]文

呜呼！君谓死者必先气索而神零[②]。孰谓君气足以薄云汉兮[③]，神昭晰[④]乎日星，而忽陨背[⑤]乎不能保百年之康宁。惟君别我，往祠太乙[⑥]。笑言从容，愈[⑦]于平日。既至即[⑧]事，升降孔秩[⑨]，归鞍在涂[⑩]，不返其室。讣[⑪]闻士夫，环视太息[⑫]。矧[⑬]我于君，情何可极。具兹醪羞[⑭]，以告哀恻[⑮]。尚飨[⑯]。

【注释】

①李省副：生平事迹不详。 ②气索：气血先索尽。神零：神志凋零。③孰谓：谁知道。薄：迫近，靠近。云汉：指银河。兮(xī)：语气助词，相当于现在的“啊”，或“呀”。 ④昭晰：光明，明亮。 ⑤陨背：指死亡。 ⑥祠：祭祀。太乙：最高的天神。 ⑦愈：超过。 ⑧既：已经。即：立即。 ⑨孔：很。秩：秩序。 ⑩归鞍在涂：回家的途中。 ⑪讣(fù)：报丧，报告人去世的消息。 ⑫环视：环顾，向四面看。太息：出声长叹。 ⑬矧(shěn)：何况。⑭具：置办，准备。兹：这，这些。醪(láo)羞：指祭奠用的酒食。 ⑮恻：悲痛。 ⑯尚飨(xiǎng)：表示希望死者来享用祭品。

【译文】

唉！你曾说人死前，一定是气血先索尽，然后神志才凋零。谁知道你气血足以冲上银河，神志像日月一样明亮，却会忽然辞世，不能保存享有一百年的健康安宁呢？

你与我分别，去祭祀太乙神，谈笑比平日更加自然从容。到了就立马祭祀，你行礼过程很有秩序，谁知却在归途中去世而不能回家。士大夫们听到讣告，都环顾出声长叹。何况你我之间的感情，还有什么能比得上呢？我准备了这些酒食祭品，用来表达悲哀之情。

【题解】

从“初我见君，皆童而帻”可知周涛与王安石从小便相识，正是意气风发的年岁。等到弱冠之年再相见时，他却隐忧而困穷。作者白发黑面，岂料朋友会先人而逝，更没想到周涛的儿子来报丧。“发封涕洟，举屋惊呼”说明王安石的诧异和悲痛，也表达了对友人的深厚感情。祭文虽然简单，但叙事抒怀融为一体，感人至深。

祭周几道[1]文

初我见君，皆童而帻[2]。意气豪悍[3]，崩山决泽[4]。弱冠[5]相视，隐忧[6]困穷。貌则侔[7]年，心颓[8]如翁。俯仰[9]悲欢，超然一世。皓发黧馘[10]，分当先弊[11]。孰知君子[12]，赴我称孤[13]。发封涕洟[14]，举屋[15]惊呼。行与世乖[16]，惟君缱绻[17]。吊祸问疾[18]，书犹在眼。序铭于石，以报德音[19]。设辞虽褊[20]，义不愧心。君实爱我，祭其知歆[21]。

【注释】

①周几道：周涛，字几道，庆历六年(1046)进士，卒于治平三年(1066)。②帻(zé)：头巾。　③豪悍：豪迈强悍。　④决：堤岸被水冲开。泽：水积聚的地方。　⑤弱冠：后泛指男子二十左右的年纪。　⑥隐忧：深忧。　⑦侔：相等。　⑧颓：衰颓，颓废。　⑨俯仰：本指低头与抬头，这里指人生的进与退。　⑩皓：白。黧(lí)：黑。馘(guó)：脸。　⑪分：料想。弊：通“毙”，死亡。　⑫孰：谁。君子：你的儿子。　⑬赴：同“讣(fù)”，报丧，报告人去世的消息。称孤：称自己成了孤儿。　⑭发封：拆开书信。涕洟(tì yí)：眼泪和鼻涕。　⑮举屋：全家。　⑯乖：违背。　⑰惟：只有。缱绻(qiǎn quǎn)：情意深厚。　⑱吊祸问疾：吊问灾祸、慰问疾病。　⑲德音：品德和声誉。

⑳设：陈设，即写。褊(biǎn)：狭小。　㉑歆：祭祀时鬼神享受祭品的香气。

【译文】

第一次见到你的时候，我们都还是戴着头巾的孩童。彼此意气豪迈强悍，好像能让山峰崩塌、河泽决堤。等到弱冠之年再相见时，你深忧困穷。相貌虽然与年龄相合，内心却已衰颓的像一个老翁。你进退悲欢，洒脱超然地过了一辈子。我头发花白、脸色发黑，心想理应先你而死。谁知道你的儿子送来讣告，说自己成了孤儿。我拆开书信，不禁流下泪水，全家人都感到很惊讶。

我的行为与世俗相违背，只有和你情意深厚。那些吊问我的灾祸、慰问我的疾病的书信现在依然在我眼前。我把为你写的墓志铭刻在墓石上，用来回报你美好的品德和声誉。文辞虽然狭小，但我问心无愧。你是爱惜我的人，我的祭奠你应该会来享用。

【题解】

祭主束向原的生平事迹不详，但据这篇祭文中的信息可知，束向原和王安石“学则同游，仕则同科”。王安石曾在他的家乡扬州任职，而他本人则在寿州做过官。作者先称赞他的德行和才干“百不出一”，继而感叹他不被重用，像被束缚的骏马驾驶柴车“与蹇同刍”，以及他不能终寿而早逝。王安石在这篇四言韵文中让自己的情感往复，表达了自己的不舍与痛惜。

祭束向原[1]道文

呜呼束君，其信然耶[2]？奚仇[3]友朋，奚怨室家？堂堂[4]去之，我始疑嗟[5]。惟昔见君，田子[6]之自。我欲疾走，哭诸[7]田氏。吾縻不赴[8]，田疾不知。今乃独哭，谁同我悲。始君求仕[9]，士莫敢匹[10]。洪洪其声，硕硕[11]其实。霜落之林，豪鹰俊鹘[12]。万鸟避逃，直摩[13]苍天。蹶[14]焉仅仕，后愈[15]以困。洗藏销塞[16]，动辄失分[17]。如羁[18]骏马，以驾柴车。侧身堕[19]首，与蹇同刍[20]。命又不祥[21]，不能中寿[22]。百不出一，孰知其有？能知君者，世孰予多[23]？学则同游，仕则同科[24]。出作扬官[25]，君实其乡。倾心倒肝，迹斥形忘[26]。君于寿食[27]，我饮鄞[28]水。岂无此朋，念不去彼。既来自东，乃临君丧。阒阒阴宫[29]，梗野榛[30]荒。东门之行[31]，不几日月[32]。孰云[33]于今，万世[34]之别。嗟屯[35]怨穷，闵[36]命不长。世人皆然，君子则亡。予其何言，君尚[37]有知。具[38]此酒食，以陈[39]我悲。

【注释】

①束向原：生平事迹不详。 ②耶（yé）：文言语气助词，用于句末，表示反问。 ③奚（xī）：疑问代词，相当于“何”。仇：仇视。 ④堂堂：公然。 ⑤疑嗟：怀疑和嗟叹。 ⑥田子：姓田的人，名字和平生事迹不详。 ⑦诸：“之于”的合音。 ⑧縻（mí）：束缚，拘束。赴：前往。 ⑨求仕：求官。 ⑩匹：匹敌。 ⑪硕硕：丰厚的样子。 ⑫鹯：古书中说的一种猛禽，似鹞鹰。 ⑬摩：高飞。 ⑭踬：事情不顺利，受挫折。 ⑮愈：越来越。 ⑯洗藏：洗尽隐藏的事。销塞：阻塞。 ⑰动辄：一动就。失分：不恰当。 ⑱羁（jī）：束缚，拘束。 ⑲堕：掉下来，这里指下垂。 ⑳蹇（jiǎn）：劣马或驴。刍（chú）：马的草料。 ㉑祥：吉祥，好。 ㉒中寿：次于上寿为中寿。 ㉓世孰予多：世上有谁比我多。 ㉔同科：指同一榜考中进士。 ㉕出作扬官：指王安石在庆历二年（1042），签书淮南判官。而淮南路的治所在扬州。 ㉖迹斥形忘：忘怀形迹，指二人亲密无间。 ㉗君于寿食：指束向道在寿州做官。寿，寿州，治所在今天安徽省淮南市寿县。 ㉘鄞：鄞县，即今天的浙江宁波。 ㉙闷（bì）闷：幽深的样子。阴宫：墓室。 ㉚梗（gěng）：有刺的草木。榛（zhēn）：丛杂的草木。 ㉛东门之行：汉乐府有《东门行》，后人即用“东门之行”表示别离。 ㉜不几日月：没有多长时间。 ㉝孰云：谁知道。 ㉞万世：永世，永远。 ㉟屯：困顿。 ㊱闵：同“悯”，怜悯。 ㊲尚：表示希望。 ㊳具：置办，准备。 ㊴陈：陈述，表达。

【译文】

唉，束君！这难道是真的吗？你为什么仇视朋友，为什么怨恨家室亲人？你就这么公然离去，我开始怀疑和嗟叹。想当初我见到你，还是通过田子的介绍。我想马上跑到田家去哭悼你，但我官事缠身，不能前往，而田子生病，不知道他的消息。今天我只能独自哭泣，还有谁能和我一起悲伤呢？

你出仕求官时，士人没有谁敢和你匹敌。你名声宏大，内在品质优秀，就像霜叶落尽森林中的俊鹗，所有鸟避让远离，而你却高飞直达苍天。但你刚出仕就遇到了挫折，以后也越来越困窘。你洗尽隐藏和阻塞的事情，动辄得咎。你像被束缚的骏马被迫去拉柴车，侧着身子，低垂着脑袋，与劣马同槽而食。而且你的命运又不好，不能中寿。虽然是一百个中都挑不出一个的人才，但又有谁知道你拥有的才能呢？

世人对你的了解，谁会比我多？我们一同入学的时候就经常一起游玩，又是同一榜的进士。当时我到扬州任职，那里又正好是你的家乡，我们在一起倾心交谈，吐露心肝，身体的形迹都抛开忘却，亲密无间。后来你在寿州当官，我在鄞县任职。难道我内心会没有你这个朋友？只是我无法抽身去找你。

我从东边刚一回来，就遇到了你的丧事。看到幽深的墓室在杂草丛生的荒野。我们分别尚且没有很长的时间，谁曾料到今天我们就要永远分别了。我嗟叹你的困顿，怨恨你的贫穷，悲悯你生命不长久。世人都活得很好，你却早亡。我还能说什么呢？希望你泉下有知，我准备这些酒食祭奠你，写这篇文章以表达我的悲伤。